CASA DE SEGREDOS

Outras obras dos autores publicadas pela Galera Record

Série Casa de segredos

Casa de segredos
A batalha das bestas
A colisão dos mundos

Criado por
CHRIS COLUMBUS & NED VIZZINI
com CHRIS RYLANDER

CASA
⊰❀ DE ❀⊱
SEGREDOS

A COLISÃO DOS MUNDOS

Tradução
Glenda D'Oliveira

1ª edição

GALERA
junior
RIO DE JANEIRO
2018

CIP-BRASIL. CATALOGAÇÃO NA PUBLICAÇÃO
SINDICATO NACIONAL DOS EDITORES DE LIVROS, RJ

Columbus, Chris, 1958-
C715c   Casa de segredos – A colisão dos mundos / Chris
Columbus, Chris Rylander, Ned Vizzini; tradução Glenda
D'Oliveira. – 1. ed. – Rio de Janeiro: Galera Record, 2018.
(Casa de segredos; 3)

Tradução de: Clash of the worlds
Sequência de: a batalha das bestas
ISBN 978-85-01-11327-6

1. Ficção infantojuvenil americana. I. Rylander, Chris.
II. Vizzini, Ned. III. D'Oliveira, Glenda. IV. Título. V. Série.

17-46440   CDD: 028.5
                                                        CDU: 087.5

Título original:
House of Secrets: Clash of the Worlds

Copyright © 2016 Novel Approach, LLC

Todos os direitos reservados.
Proibida a reprodução, no todo ou
em parte, através de quaisquer meios.

Composição de miolo: Abreu's System

Texto revisado segundo o novo Acordo Ortográfico da Língua Portuguesa.

Direitos exclusivos de publicação em língua portuguesa somente para o Brasil
adquiridos pela
EDITORA RECORD LTDA.
Rua Argentina, 171 – Rio de Janeiro, RJ – 20921-380 – Tel.: 2585-2000,
que se reserva a propriedade literária desta tradução.

Impresso no Brasil

ISBN 978-85-01-11327-6

Seja um leitor preferencial Record.
Cadastre-se e receba informações sobre nossos lançamentos
e nossas promoções.

Atendimento e venda direta ao leitor:
mdireto@record.com.br ou (21) 2585-2002.

Para Ned

Brendan Walker sabia que aquela história não teria um final feliz. Ele estava na praia que ficava perto da sua casa na avenida Sea Cliff com as irmãs, Cordelia e Eleanor, e olhava para a Baía de São Francisco. Não para a baía toda, mas para o ponto exato na água onde tinham acabado de ver o amigo, um gigante chamado Gordo Jagger, poucos momentos antes.

Carros estavam parados na ponte Golden Bridge. Várias pessoas espiavam por cima da balaustrada, provavelmente perguntando-se se tinham mesmo acabado de avistar uma gigantesca versão obesa de Mick Jagger, medindo o equivalente a um prédio de cinquenta andares, no meio da Baía de São Francisco, uivando para a lua.

Mas não era possível, não podia ser. Gordo Jagger não era *real*, ao menos não da forma que Brendan e as irmãs eram. Ele não passava de um personagem em um livro antigo de Denver Kristoff. Ou assim pensara Brendan. Por outro lado, as crianças da família Walker tinham testemunhado eventos "impossíveis" o suficiente naqueles últimos meses para convencê-los de que literalmente *qualquer coisa* era possível.

A maioria das crianças, sem dúvida, fugiria correndo se visse um gigante de tanguinha saindo do oceano. Ou, no mínimo, ligaria para a polícia. Mas, com certeza, não tentaria atrair o gigante para mais perto. Mas os três Walker não eram como a maioria das crianças. Não mais. Não desde que tinham se mudado para a Mansão Kristoff e sido atirados para dentro do mundo mágico de seus livros: lançados para o meio de uma batalha que parecia interminável contra a maléfica Bruxa do Vento, bestas geladas, ciborgues nazistas, piratas sanguinários e uma variedade de outros horrores saídos das profundezas da imaginação do autor.

— Bom, e agora? — indagou Brendan. — A gente podia ligar para a minha professora de inglês, a Srta. Krumbsly, para fazer o Gordo sair de lá de dentro. Ela é solteira e quase tão enorme quanto ele. Quem sabe os dois não viram um casal bonitinho?

A irmã mais nova, Eleanor, lhe deu um tapa no braço.

— Bren! — repreendeu. — O Gordo Jagger é nosso *amigo!* Você devia ser mais bonzinho com ele; esse gigante já salvou a nossa vida algumas vezes. A Srta. Krumbsly é malvada demais... Nem o meu maior inimigo mereceria ficar com ela.

— É, eu sei, Nell — disse Brendan. — O que estou querendo dizer é que a gente não tem nenhum plano que seja bom.

— Desde quando você se preocupa em ter um plano bem estruturado antes de partir para a ação? — perguntou Cordelia.

Ela era a mais velha dos irmãos Walker, com quase 16 anos, embora às vezes tendesse a falar e agir como se tivesse no mínimo o dobro da idade.

— Ei, eu também sei pensar em planos e ser líder às vezes — protestou ele. As irmãs apenas o encararam. Sabiam tão bem quanto ele que Brendan tinha muito mais talento para fazer piadas.

Os três Walker estavam na praia logo abaixo do penhasco onde a Mansão Kristoff, de estilo vitoriano e três andares, ficava precariamente empoleirada, a mesma casa que só poderiam chamar de lar por mais uma noite apenas. Depois de terem escapado por um triz do mundo fantástico dos livros, eles tinham retornado a uma realidade em que o pai conseguira perder uma fortuna milionária inteira em apostas malfadadas. Por isso, na manhã seguinte, se mudariam outra vez para um apartamento minúsculo próximo ao bairro de Fisherman's Wharf.

— Anda — chamou Cordelia, fechando mais o casaco por causa da gelada brisa oceânica. — Vamos tentar chegar mais perto da ponte, lá onde ele apareceu. Ficar aqui jogando conversa fora com certeza não vai adiantar de nada.

Brendan e Eleanor seguiram Cordelia pela orla em direção à ponte. Ainda não havia nem sinal de Gordo Jagger.

Ao seguirem pela praia, passaram por um morador de rua com uma longa barba grisalha, sentado nos arbustos que ficavam na base do penhasco. Ele os observou sem dizer nada. Sob abrigo das sombras, o luar parecia fazer seus olhos brilharem como diamantes. Por uma fração de segundo, Brendan pensou que fosse o Rei da Tempestade, título que Denver Kristoff dera a si mesmo desde que o *Livro da perdição e do desejo* corrompera sua alma, alguns anos antes.

Mas o livro estava perdido agora; Eleanor o banira para sempre, usando contra o objeto maligno a magia que ele próprio continha. E o mesmo valia para o Rei. Os três irmãos Walker o viram ser atingido e morto por um ônibus logo na saída do Clube Boêmio, no centro da cidade de São Francisco. Assassinado por ninguém menos que a própria filha, Dahlia Kristoff, também conhecida como a Bruxa do Vento. Mas, apesar da matéria publicada em um jornal on-line alegando que seu corpo tinha sido enterrado em um mausoléu próximo sob um nome falso, Brendan não se convencera completamente de que o velho patife estava morto.

— Gordo Jagger! — gritou Eleanor, arrancando Brendan de seus devaneios.

Por um instante, Brendan pensou que o gigante poderia ter voltado. Mas a menina chamou o nome outra vez, berrando para a baía como se estivesse à procura de um cachorro perdido.

— Gordo Jagger, aparece, a gente pode ajudar! — gritou a menina.

Cordelia levou as mãos em concha até a boca e juntou-se à irmã.

— Gordo Jagger, a gente está aqui!

— Anda, aparece, Gordo Jagger! Somos nós, os *Wallllk-errrr*! — chamou Eleanor, alongando a pronúncia do sobrenome da maneira como o gigante costumava fazer.

— Maneira, essa sua imitação do Gordo Jagger — comentou Brendan enquanto olhava ao redor da praia. — Deixa eu tentar.

Foi até a água e começou a cantar:

— *If you start me up, if you start me up I'll never stop...*

— Só porque você virou astro do rock quando a gente viajou para a Roma antiga não quer dizer que no mundo real você seja um cantor bom de verdade — ironizou Eleanor.

— Você está é com inveja das minhas cordas vocais de ouro, Nell.

Ela nem se deu ao trabalho de responder.

Um casal de jovens que corria pela orla desacelerou e encarou as três crianças com alguma desconfiança. Mantiveram uma distância segura dos Walker ao passar por eles.

A água lambia os pés das crianças com delicadeza enquanto continuavam com seus berros, mas ainda não viam nem sinal do amigo. Várias pessoas que faziam uma caminhada noturna à beira-mar olhavam agora para eles com uma mistura de curiosidade e confusão.

— Gente, vamos maneirar na gritaria. As pessoas vão começar a pensar que estão faltando alguns parafusos e porcas na nossa cabeça — disse Brendan, apropriando-se de uma das piadas ruins preferidas do pai.

Nas primeiras vezes que o Dr. Walker usara aquela expressão, Brendan grunhira. Mas depois de ouvi-la por tanto tempo, em todas as comemorações e festas de aniversário, ele passara a sentir certo carinho por ela. No entanto, eram tempos mais fáceis. Antes de a família estar à beira da ruína financeira, antes de terem se envolvido com magia negra e os segredos ao redor da Mansão Kristoff. Antes das três crianças serem obrigadas a passar as noites em uma praia, tentando atrair um gigante de mais de 180 metros de altura chamado Gordo Jagger para fora das águas da Baía de São Francisco.

— O que a gente vai fazer? — indagou Cordelia. — Por que ele não aparece de novo?

— Vai ver ele não consegue ouvir a gente — sugeriu Eleanor. — Embaixo de toda aquela água.

— Vai ver a gente nunca nem chegou a ver o Gordo — disse Brendan. — E se foi tudo imaginação nossa?

— Você não está ajudando em nada — repreendeu Cordelia. — A gente sabe o que viu. Mesmo que *um* de nós tivesse imaginado tudo, não seria possível acontecer com *todo mundo* de uma vez. Três pessoas não têm a mesma alucinação aleatória assim!

Brendan deixou escapar um suspiro. O argumento dela era forte.

— Bom — disse —, a gente sabe que o Jagger consegue prender o fôlego por um tempão. Então ele com quase toda certeza não vai se afogar.

— Verdade — concordou Cordelia, virando-se para o rosto cheio de pânico de Eleanor. — Lembra? A primeira vez que a gente entrou nos livros do Kristoff, o Gordo Jagger cruzou aquele mar imenso até Tinz... só para poder salvar a gente.

A menina fez que sim com a cabeça e respirou fundo algumas vezes, ainda lutando para engolir as lágrimas. Não sabia bem o que Gordo Jagger tinha que a fazia se sentir tão ligada a ele, mas era fato que o considerava um de seus melhores amigos, apesar de nunca terem tido uma conversa que ultrapassasse uma ou duas palavras trocadas.

— Tipo, a gente podia tentar pescá-lo, ou alguma coisa assim — sugeriu Brendan, apenas em parte de brincadeira. — Podia até usar um dos gatos da Sra. Deagle como isca...

— Que coisa horrível! — gritou Eleanor.

— Mas ela tem, tipo, uns 27 gatos — defendeu-se Brendan. — Não vai nem dar pela falta de um!

— Não tem graça, Bren — advertiu Cordelia.

— Foi mal, tenho uma veia cômica, está no sangue. — Brendan deu de ombros. — Não dá para simplesmente desligar.

— Não chamaria isso de veia cômica — resmungou Cordelia.

Eleanor não estava prestando atenção ao bate-boca dos irmãos mais velhos. Estava absorta nos próprios pensamentos. E foi então que a solução lhe veio de repente: sabia como podiam atraí-lo para fora da baía.

— Já sei! — exclamou. — Só preciso dar uma passadinha em um supermercado.

— Nell, a gente pode comer mais tarde — disse Brendan, mas, em seguida, levou a mão à barriga. — Mas pensando bem... Agora que você tocou no assunto, uma comidinha congelada *até* que ia cair bem.

Nem Cordelia, nem Eleanor tiveram oportunidade de responder, pois a voz da mãe chamou por eles de algum ponto mais atrás de onde estavam.

— Meninos, então era aí que vocês estavam escondidos! — disse. — Não saiam na surdina desse jeito; procurei vocês em todos os cantos! Vamos voltar para casa. Os planos mudaram.

— Agora não dá! — protestou Eleanor. — A gente, hum... Ainda não terminou de dizer adeus ao bairro!

A menina sabia que precisava ganhar mais tempo para que pudesse executar o plano de tirar Gordo Jagger de dentro da água e da cidade, para guiá-lo mais para o norte da costa, onde seria menos provável que outras pessoas se deparassem com ele. Tinha visto filmes suficientes para saber que um gigante perambulando por São Francisco não era uma história que pudesse acabar bem. Já podia até imaginar Gordo Jagger acorrentado, sendo exibido como atração de algum tipo de circo dos horrores itinerante. Ou pior, tentando estapear caças voando ao redor dele, na tentativa de destruí-lo.

— Desculpe, amorzinho, mas não dá mais tempo! — disse a Sra. Walker, esmagando as esperanças de Eleanor. — As coisas mudaram, e precisamos estar hoje no apartamento. O caminhão de mudanças já está esperando. Estamos de saída agora.

Os irmãos Walker entreolharam-se com expressões que iam do mais completo desespero ao pânico flagrante. Seus rostos diziam:

O que vamos fazer agora?

Como seria possível fazer com que Gordo Jagger se mantivesse oculto pelo resto da noite?

Cara, comida congelada cairia superbem agora.

Mas não tinham escolha. Estava bem claro que a Sra. Walker não permitiria que o assunto fosse colocado em pauta para discussão, e ela já parecia irritada o suficiente naquele momento. Por isso eles seguiram a mãe colina acima em direção à rua em que moravam, a avenida Sea Cliff. Ou, mais precisamente, sua *antiga* rua.

Ao marcharem pela íngreme ladeira da colina, Eleanor lançou um último olhar para a baía. Foi então que notou uma perturbação na água perto do centro da ponte. Àquela distância, parecia uma pequena ondulação, talvez apenas o resultado de uma corrente, uma foca ou golfinho. Mas ela sabia que não era o caso. Para a menina, o movimento parecia mais um par de pronunciados lábios de gigante saindo timidamente de dentro da água para tomar novo fôlego.

Seguindo a Sra. Walker de volta para a Mansão Kristoff, as três crianças se deixaram ficar alguns passos mais para trás. Brendan e Cordelia surpreenderam-se ao ver Eleanor sorrindo.

— Acabei de ver o Gordo Jagger colocando a boca para fora da água para respirar — sussurrou. — O que quer dizer que acho que ele sabe que precisa ficar escondido. Se conseguir ficar fora de vista até amanhã de manhã, tenho um plano para tirá-lo de lá.

— Mas o que a gente vai fazer *se* conseguir trazer o Jagger para a praia? — indagou Brendan, hesitante. — Convidá-lo para uma festa do pijama? Jogar Twister, fazer pipoca de micro-ondas e depois contar todos os nossos segredos, até os mais vergonhosos?

— A gente podia levá-lo para a escola! — exclamou Eleanor com empolgação, sem notar o sarcasmo do irmão.

Brendan imaginou Jagger amassando o valentão do colégio, Scott Calurio, entre os dedos polegar e indicador, como se fosse meleca, e depois colando-o, esmigalhado, na lateral do prédio.

— *Seria mesmo* muito maneiro — admitiu ele. — Além do mais, ele ia arrasar todo mundo no lacrosse.

Cordelia olhou feio para Eleanor e Brendan. Mas antes que pudessem retrucar, a mãe interrompeu a conversa.

— Crianças, tem uma coisa que preciso contar para vocês — começou, parecendo um tanto nervosa. — Não vai ser fácil de dizer, mas é melhor assim. É o motivo pelo qual temos que nos mudar hoje, em vez de irmos só amanhã.

Os meninos pararam e esperaram, ansiosos, pela notícia.

— Sei que vai ser difícil para vocês, e para mim também é — disse a Sra. Walker, devagar, os olhos vermelhos e cansados. — Mas, a partir de amanhã de manhã, o pai de vocês vai ficar fora alguns diazinhos, ou pode ser que sejam até algumas semanas. Vai para uma clínica de tratamento para quem tem vício em jogo.

— Espera, o papai é viciado em fazer aposta? — indagou Cordelia.

A culpa começou a fermentar dentro dela quando se deu conta de que seu primeiro pensamento tinha sido o de como aquilo iria afetá-la: o que as pessoas iriam pensar? Todas aquelas universidades de prestígio para as quais ela tinha esperança de entrar de alguma forma poderiam ficar sabendo que seu pai passara um tempo fazendo tratamento em uma clínica de reabilitação? Cordelia sempre se concentrara no futuro, fazendo tudo da maneira "correta" e tentando ser a melhor em todas as atividades que se propunha. Mas agora via seus sonhos rapidamente perdendo brilho e se apagando diante daquela notícia. Crianças com pais viciados podiam entrar em instituições como Harvard, Yale e Stanford?

— O papai vai embora? — perguntou Eleanor, a voz falhando. A ideia de potencialmente perder Gordo Jagger e o pai na mesma noite era mais do que podia suportar.

— Não se preocupe, querida — disse a Sra. Walker, envolvendo a filha com um braço e tentando forçar um sorriso. — Vai ser só por um tempinho, e podemos ir visitá-lo neste fim de semana. E quando ele voltar, vai estar tudo tão melhor do que agora. Prometo. Vocês são fortes e independentes; sempre foram. Sei que vão... Que *nós vamos* superar isto, juntos.

— Mas o que a gente vai fazer para conseguir se bancar? — Brendan quis saber.

— *Brendan!* — repreendeu a mãe, olhando feio para o filho. — É só nisso mesmo que você consegue pensar neste momento?

O menino hesitou, talvez por mais tempo do que deveria, antes de enfim balançar a cabeça, fazendo *não*, sentindo-se mal por ter se preocupado mais com a situação financeira da família do que com a saúde mental do próprio pai.

Claro, o mapa do tesouro nazista que tinham trazido do livro era sempre uma saída a se considerar. Mas não era nada certo. De acordo com o *X* vermelho no papel, o tesouro estava escondido em algum lugar da Europa, que, desde a última vez que Brendan verificara, ficava bastante distante de São Francisco. Além disso, não tinham ideia se a fortuna sequer estaria mesmo lá no mundo real. Podia existir apenas dentro de um dos livros de ficção de Denver Kristoff.

— Nesse meio-tempo, sou mais do que capaz de cuidar da nossa família — continuou a Sra. Walker, esforçando-se para soar otimista. — E é por isso mesmo que vou começar a trabalhar no departamento de calçados da Macy's amanhã.

Apenas poucas semanas antes, a família morava em uma bela casa de estilo vitoriano com vista para a ponte Golden Gate e uma conta bancária com saldo de 10 milhões de dólares. Agora estavam para se mudar para um apartamento minúsculo, sem nada em seu nome. Bem, salvo pela vergonha que o pai, Dr. Walker, trouxera ao perder seu registro médico e todo o dinheiro em apostas em questão de poucos meses. A família ainda tinha *aquilo* ligado a seu nome, claro.

De súbito, Brendan sentiu-se péssimo por ter questionado a mãe a respeito do dinheiro. Nada daquilo era culpa dela, afinal. Era provável que ela fosse a Walker com a *menor* parcela de responsabilidade pelos problemas familiares recentes e ainda em curso.

— Bom — disse Brendan —, se estiver precisando de uma ajudinha para conquistar o primeiro cliente, ainda tenho uma parte do dinheiro que ganhei de aniversário guardada. Sempre me perguntei se ia ficar bem usando sapato de salto alto vermelho.

Apesar do clima sombrio, os Walker riram. O som da gargalhada pareceu quase desanuviar um pouco da escuridão que pairava sobre a avenida Sea Cliff naquele comecinho de noite. Quase parecia que o brilho da lua tinha se intensificado de repente, como se tivesse ajuste de brilho.

— Acho que eu até pagaria para ver o Brendan de salto. — A Sra. Walker riu, abraçando os filhos. — Amo vocês, sabiam? Por piores que estejam as coisas, vocês sempre conseguem achar um jeito de me fazer sorrir. Mas, enfim, não vão ter tempo para comprar sapatos amanhã.

— Por que não? — indagou Cordelia.

Foi então que a Sra. Walker lhes deu o que Brendan e Cordelia consideraram a pior notícia da noite até aquele momento:

— Porque amanhã de manhã vocês vão estar de volta aos seus colégios antigos.

CAPÍTULO 3

Mais tarde naquela mesma noite, Eleanor virava e rolava na cama diminuta do quarto diminuto que dividia com Cordelia no apartamento diminuto para onde tinham se mudado. Pesadelos envolvendo Gordo Jagger batalhando contra enormes tubarões brancos nas águas escuras da Baía de São Francisco. Pesadelos envolvendo Gordo Jagger se emaranhando em uma rede de pesca e acabando afogado. Pesadelos envolvendo Gordo Jagger sendo descoberto e caçado por homens com arpões gigantes em baleeiros. E em todos eles não havia nada que ela pudesse fazer para ajudar.

Brendan, no entanto, sequer tentou adormecer.

Estava sentado à pequena escrivaninha do quarto, com a cabeça enterrada nas mãos, pensando que teria que voltar para a antiga escola e ver todos os seus antigos amigos e professores. Todos perguntariam por que tinha saído do colégio particular. E ele seria obrigado a lhes contar a verdade. Que o pai perdera todo o dinheiro em apostas e que a família tinha sido despejada de casa. Seria especialmente difícil encará-los depois da maneira como tinha ido embora — com um pouco de arrogância demais, ele (agora) tinha que admitir, falando que a nova escola particular seria tão melhor "do que aquele lixo".

Por algum motivo, aquela realidade lhe inspirava muito mais medo do que a maioria das aventuras literárias insanas que vivenciara. Brendan se deu conta de que a morte era quase mais fácil de suportar do que humilhação total — uma revelação alarmante e um verdadeiro alerta para o menino.

Brendan tentou se distrair ligando a televisão de 55 polegadas que tinha trazido de sua "caverna de quase homem" no sótão da Mansão Kristoff. Podiam ter lhe tirado o quarto irado que criara no sótão, o colégio particular, o dinheiro e o motorista (que era provavelmente sua parte preferida da vida antiga). Mas *ninguém* ia colocar as mãos na televisão que ele próprio comprara com parte do dinheiro que Eleanor pedira ao *Livro da perdição e do desejo*. Ele e o aparelho haviam passado por muitos momentos inesquecíveis juntos, inclusive a mais recente vitória dos Giants na World Series. Tinha ficado tão empolgado na eliminação final, que quase atirara, por acidente, a lata de refrigerante ainda pela metade tela — tão linda e impecável — adentro.

Brendan foi passeando pelos canais, procurando as reprises de *Family Guy* ou *South Park*, que pareciam estar sempre no ar tarde da noite. Estava quase decidido a se resignar à ESPN como prêmio de consolação quando uma manchete em um canal de notícias lhe chamou a atenção. Por um segundo, pensou que talvez estivesse assistindo a alguma paródia de noticiário, pois não havia possibilidade daquela manchete ser verdadeira.

Mas o canal era nada menos que a CNN. A matéria era, sem dúvida, real. E fez com que ele literalmente caísse da cadeira e aterrissasse no chão com um baque nauseante.

CAPÍTULO 4

Na outra extremidade do apartamento dos Walker, Cordelia estava no meio do sonho mais estranho de sua vida. Na verdade, sequer parecia um sonho, tinha mais cara de realidade do que imaginação, com sons, cheiros e texturas bem definidos. Não fosse pelo fato de que o que estava acontecendo no sonho era impossível, ela teria acreditado que estava ocorrendo de verdade.

Cordelia estava de volta ao mundo dos livros. Não tinha muita ideia de como sabia que era o caso, mas estava certa daquilo. Talvez fosse em parte porque a luz do sol parecia um pouco forte e ofuscante demais ao se derramar para dentro das janelas estreitas que ocupavam as paredes de um castelo monumental. As faixas de luz iluminavam seus pés enquanto ela seguia por um longo, vasto corredor de pedra.

Com a diferença de que os pés não se pareciam em nada com os *dela*. Davam a impressão de serem... maiores, mas também mais leves, de alguma forma, quase como se fossem capazes de flutuar. Mas *eram*, sim, seus pés; tinham que ser, uma vez que Cordelia podia sentir o frio do chão de pedra entrando por estranhos sapatos de couro fino.

Entrou em um grande cômodo ao final do extenso corredor. Não demorou para reconhecer as luxuosas tapeçarias nas paredes e as amplas janelas. O imenso trono de osso e ametista ao fim do tapete de seda vermelha era a prova mais irrefutável de todas.

Cordelia estava de volta ao castelo Corroway, do livro *Guerreiros selvagens*, de Denver Kristoff. Estava dentro da sala do trono da maléfica rainha Daphne. Mesmo quando os guardas reais se ajoelharam diante dela, Cordelia sabia que não podia ser verdade. E, no entanto, estava claro que era. E, de alguma forma, *ela* era a nova rainha.

Mas ainda assim ela seguiu adiante, quase como se algo além de seu próprio livre-arbítrio a estivesse movendo. Cordelia caminhou até o trono como se aquele, de fato, fosse seu lugar. Sentou e sondou o cômodo. Tinha convidados, aparentemente. Mas, com certeza, não eram do tipo usual.

Diante do trono de Cordelia encontrava-se a congregação mais bizarra de criaturas e pessoas que jamais se reunira dentro de um castelo, fictício ou não. Krom, da primeira aventura dos Walker, estava presente como o novo líder do grupo de Guerreiros Selvagens que executavam as ordens mais hediondas da rainha Daphne. A seu lado, estava um general alemão muito familiar, cuja aparência era idêntica à do único outro general alemão que Cordelia já conhecera, o ciborgue nazista Heinrich Volnheim, *Generalleutnant* da 15ª Divisão da infantaria mecanizada do livro *Assalto dos nazistas ciborgues,* também de Kristoff. Mas não podia ser o próprio Volnheim, pois ela testemunhara quando o canhão de um tanque de guerra o explodiu em mil pedacinhos em uma montanha nevada. Todos os generais ciborgues deviam ter a mesma aparência.

Ao lado dele estava um vampiro muito estereotipado, com direito até a entradas nos cabelos negros penteados para trás, formando um "V" na testa, pele muito branca, capa preta de gola alta e pronunciadas presas ensanguentadas. Também encontravam-se lá Ungil, o escravo e gladiador do Coliseu romano do imperador Occipus, pilotos alemães muito provavelmente saídos do romance de aventura *O ás do combate,* um grupo de gângsteres da era da Proibição, militares vindos, parecia, de todas as grandes guerras que já eclodiram, alguns poucos alienígenas roxos horrendos, com tentáculos, e uma variedade de outras criaturas e personagens que Cordelia não reconheceu.

Todos a encaravam, cheios de expectativa. De modo que Cordelia começou a falar, surpreendendo-se a si mesma com a autoridade e confiança em suas palavras:

— Bem-vindos! — cumprimentou. — Obrigada a todos por se juntarem a mim. Como bem sabem, faz meses que estou encastelada aqui. Mas nossa hora está chegando. Os mundos estão prontos para convergir. Neste exato instante, mais de nós estão encontrando meios de fazer a travessia, passando pelas barreiras que nos separam do outro lado, do lugar que é nosso por direito. E uma vez que tivermos finalmente feito a passagem, nada será capaz de nos deter.

As criaturas e soldados vibraram. Mais palavras eram despejadas de sua boca, quase como se por vontade própria. Cordelia podia sentir que falava do fundo do coração, ainda que cada uma das palavras a chocasse. Era quase como falar ao telefone com alguém e ouvir o eco da própria voz.

— A única pessoa que poderia ter nos parado está morta! — anunciou Cordelia, cheia de empolgação, à audiência. Mas àquela altura, a menina já suspeitava que não era, de fato, ela mesma, e tinha a sensação desoladora de que sabia exatamente o que estava acontecendo. — A magia do velho foi quebrada, deteriorando como o corpo pútrido dele debaixo da terra fria. E agora chegou a hora de agirmos. Precisamos estruturar os nossos planos de acordo e nos preparar para o momento que...

De súbito, Cordelia foi arrancada com violência de seu sonho. Estava sendo sacudida, e vozes sussurravam com rispidez em seu ouvido.

— Cordelia, acorda! — dizia a voz. — Eles estão passando para cá! Vão matar todo mundo!

CAPÍTULO 5

Cordelia Walker sentou depressa no colchão ao ouvir a voz cheia de pânico de Brendan e bateu a cabeça na estrutura de metal que sustentava a cama de cima do beliche. Gritou de dor, suprimindo a vontade de xingar em alto e bom som.

— Ai! Mas qual é o seu problema, Bren? — perguntou Cordelia enquanto massageava a testa dolorida.

— Foi mal — disse o menino. — Acho que a empolgação pode ter sido um pouco demais, mas juro que é superimportante. Você vai querer ver isso agora. Vocês duas.

Cordelia estava acostumada a ter o próprio quarto e cama *queen* só para ela. Mas o apartamentinho próximo a Fisherman's Wharf tinha apenas dois quartos pequenos e uma sala, de modo que agora Eleanor e Cordelia tinham que dividir um cômodo. Os homens da mudança tinham trazido sua antiga cama-beliche naquela noite mesmo, diretamente do depósito onde tinha sido guardada.

— Tudo bem, Délia? — sussurrou Eleanor.

— Tudo, nem sangrou — garantiu Cordelia, ainda mantendo a pressão na testa doída e tentando não explodir com a irmã. Sabia que não era culpa de Eleanor terem sido forçadas a voltar para o beliche.

Eleanor desceu da cama de cima pela escadinha enquanto Cordelia grunhia e se arrastava para fora do colchão de baixo.

— É melhor você não estar chamando a gente para ver a sua coleção de unhas cortadas de novo, Bren — ameaçou Cordelia. — Nem da primeira vez teve graça!

— Não, isto agora é sério — garantiu ele. — E, só para constar... aquilo foi hilário, *sim.*

Poucos anos atrás, Brendan dissera a Cordelia que tinha algo extremamente urgente e incrível para lhe mostrar. Foi tão convincente, que chegou até a fazê-la pagar ingresso no total de um dólar para entrar no quarto. Então exibiu, cheio de orgulho, sua coleção de unhas dos dedos dos pés cortadas, que tinha arrumado de modo a soletrar as palavras *Cordelia = Nerd* por sobre o tampo da mesa.

— Levei dois anos para juntar a quantidade certinha de unhas — disse ele, abrindo um sorrisinho torto ao se recordar.

— Eca, Bren. Vamos logo ver isso aí que você quer tanto mostrar — falou Cordelia, fazendo careta.

Seguiram Brendan para o corredor escuro do apartamento. A porta do cômodo dos pais estava fechada, e a luz, apagada. O silêncio era quebrado apenas pelo contato dos pés deles com o chão enquanto caminhavam para o quarto de Brendan mais à frente. Tecnicamente, não era "quarto" algum. Era apenas a sala convertida para ele.

Cordelia prendeu o fôlego ao empurrar a porta. As dobradiças rangeram quando ela se abriu. O cômodo estava escuro, mas um brilho azul pálido derramava-se pela cama como se os irmãos estivessem dentro de um filme de terror com iluminação de péssimo gosto.

Os olhos de Cordelia levaram alguns segundos para se adaptar à luz, e então ela exclamou em choque. Encarou a televisão de Brendan em silêncio. A boca continuava aberta, o sonho quase completamente esquecido naquele instante. Brendan passou por ela e sentou-se na beirada da cama.

— Loucura, não é? — comentou.

Eleanor circundou Cordelia para poder ver melhor. Era outro daqueles frequentes momentos em que a menina odiava ser a mais nova e a mais baixinha. Nunca conseguia *ver* nada!

Foi até o centro do quarto e enfim conseguiu enxergar. Eleanor exclamou em surpresa, engolindo ar da mesma forma como Cordelia tinha feito.

Como era possível?

A menina continuou plantada ali, balançando a cabeça, como se aquilo pudesse fazer o que estava testemunhando desaparecer. Parecia que Gordo Jagger não era o único personagem a fazer a travessia de um dos livros de Kristoff para o mundo real.

Uma manchete da CNN que corria pelo rodapé da tela da televisão de Brendan dizia: "Um legítimo abominável homem das neves é abatido a tiros em Santa Rosa, Califórnia".

Eleanor rapidamente reconheceu que a criatura morta exibida pelo monitor não era apenas um mero abominável homem das neves. Era uma das bestas geladas contra as quais ela e o gladiador Felix tinham batalhado no mundo fictício de Kristoff, ao lado de Wangchuk e sua ordem de monges. Uma das feras sobreviventes não apenas tinha cruzado para o mundo deles... tinha chegado até a Califórnia!

Os três Walker assistiram à televisão em silêncio por vários minutos. Imagens granulosas da filmagem feita pelo celular de alguém mostravam três xerifes locais posando ao lado da criatura morta. Um deles estava agachado em cima do gigantesco peito peludo, com um rifle automático na mão. Mesmo com a má qualidade do vídeo, os meninos podiam ver com clareza o buraco da bala no topo da cabeça do monstro, bem na fontanela — o único ponto fraco das bestas geladas.

As imagens foram cortadas e substituídas por uma entrevista com um dos xerifes.

— Bom, a criatura não queria morrer de primeira — disse o jovem policial para a câmera, enfrentando óbvias dificuldades para reprimir o surgimento de um largo sorriso em seu rosto. — Mas continuamos a atirar até o monstro cair de joelhos. Foi aí que cheguei perto e coloquei uma bala bem no meio da cabeça, e ele caiu morto no chão. Assim mesmo.

Brendan fez a televisão ficar muda.

— O que está acontecendo? — indagou. — Depois disso a gente vai ver um bando de ciborgues nazista invadindo a Casa Branca? Ou libélulas gigantes arrancando cachorros da coleira no Central Park?

— Não! — Eleanor quase gritou ao pensar na possibilidade de cachorrinhos inocentes serem comidos por insetos gigantes. Tampou a boca com as mãos, preocupada que pudesse ter acordado a mãe por acidente.

— O meu sonho não era sonho nada — disse Cordelia baixinho para si mesma. — Era...*verdade*.

Eleanor e Brendan se entreolharam e depois viraram os rostos confusos para a irmã mais velha. Cordelia balançou a cabeça; os olhos estavam arregalados com uma mistura de medo e repulsa. Era a mesma expressão que fizera quando descobriu que todos eles eram descendentes diretos da Bruxa do Vento.

— Que sonho? — indagou Eleanor.

— O meu sonho, era tudo verdade — repetiu, como se estivesse em transe. — O que quer dizer que todas essas coisas estão mesmo acontecendo. E só vai piorar. A Bruxa do Vento sempre sabe como deixar a situação ainda pior...

— Alô-ôôô, Délia? — chamou Brendan, agitando a mão na frente do rosto dela. — Quer colocar a gente por dentro dessa sua história aí, por favor?!

Cordelia, enfim, olhou para ele e encontrou os olhos preocupados de Brendan. Depois olhou para Eleanor, perguntando-se brevemente se a irmãzinha teria capacidade de lidar com o que acabara de perceber.

— Que tal se você voltasse para o nosso quarto um instantinho enquanto eu e o Bren conversamos? — sugeriu ela com delicadeza.

A menina inclinou a cabeça para o lado com indignação, fazendo uma careta.

— Não sou mais bebê — protestou. — Você não tem que me proteger. Tudo o que o Bren pode ouvir, eu também posso!

Cordelia olhou para Brendan, que apenas deu de ombros. Talvez tivesse razão; em algum momento teriam que parar de tratar Eleanor como uma criancinha indefesa. Especialmente depois de tudo que tinham enfrentado juntos.

— Quando vocês me acordaram... eu estava no meio de um sonho — começou Cordelia. — Só que a sensação não era parecida com a de nenhum outro sonho que já tive. Era mais como se eu estivesse dentro da cabeça de outra pessoa. E acho que era *isso mesmo* que estava acontecendo!

Acenou para a matéria que continuava a passar, sobre a besta gelada abatida.

— Vai ver você só bateu a sua cabeça um pouco forte demais quando acordou — disse Brendan, colocando dois dedos diante do rosto dela. — Pode ter sido uma concussão. Quantos dedos tem aqui?

— *Dois* — respondeu a outra, estapeando os dedos do irmão. — Foi real! Estou ligada para sempre a uma certa pessoa, lembra? E quando estava dormindo, de alguma forma, virei aquela mulher, vi o que ela estava vendo, disse o que ela estava dizendo. Eu me tornei outra pessoa.

— Quem? — indagou Eleanor, ainda que tanto ela quanto Brendan temessem já saber a resposta.

— A Bruxa do Vento — afirmou Cordelia. — Eu *era* a Bruxa do Vento.

CAPÍTULO 7

— Mas como isso é possível? — perguntou Brendan.
— Vocês lembram quando eu li aquele diário da nossa trisavó? — perguntou Cordelia. — A Bruxa do Vento deve ter conseguido de alguma forma ler *através dos meus olhos*. Deve funcionar que nem uma via de mão dupla; às vezes, ela vê o que eu vejo, e, às vezes, é o contrário.

— Maravilha — resmungou Brendan —, a minha irmã está sincronizada com uma diaba maléfica como se fosse algum tipo de conexão Wi-Fi sobrenatural.

Cordelia lançou-lhe um olhar que poderia ter matado alguém com menos saúde.

— O que acontecia no sonho? — indagou Eleanor.

Eleanor e Brendan se sentaram e ouviram em silêncio enquanto Cordelia explicava o que tinha testemunhado. Falou sobre ter visto todos aqueles personagens saídos de diferentes livros escritos por Kristoff reunidos em um mesmo lugar: o castelo Corroway.

— É até difícil lembrar quais personagens estavam lá, com certeza — disse a menina, franzindo o cenho. — Mesmo dando a sensação de ter sido real, tem aquela mesma qualidade de sonho, que não me deixa lembrar de todos os detalhes específicos.

— Até parece um encontro dos *Dark Avengers* — brincou Brendan. — Tipo um supergrupo só de vilões.

— É, teria sido quase engraçado ver o Drácula sentado entre um ciborgue nazista e o Krom, se não fosse pelo fato de que eles estavam tramando alguma coisa horrível — explicou Cordelia. — Aí eu falei... Quer dizer, a *Bruxa do Vento* falou para todas aquelas pessoas que mesmo com eles achando que estavam presos dentro do mundo dos livros... A verdade é que não estavam. Disse que tinha uma maneira de escaparem, uma maneira de *todos* conseguirem passar para o mundo real. Disse que os limites entre os dois mundos tinham sido comprometidos, e que estava ficando pior a cada dia. Tinha alguma coisa a ver com a magia estar enfraquecida. Uma das últimas coisas que ela falou antes de eu acordar foi que a única pessoa que sabia como detê-la estava morta.

— O Denver Kristoff! — disse Brendan entre dentes. — Aquele saco velho de tripa de bode podre.

Cordelia fez que sim com a cabeça.

— Faz todo o sentido. Depois que ele morreu, a gente conseguiu trazer um artefato dos livros dele para São Francisco...

— O mapa do tesouro nazista — complementou Brendan.

— E aí o Gordo Jagger conseguiu atravessar também, de algum jeito — disse Eleanor.

— E agora uma besta gelada — acrescentou Brendan.

— É só uma questão de tempo até mais e mais personagens fazerem a passagem — concordou Cordelia. — Ou até a Bruxa do Vento conseguir completar seja lá o que for que planejou fazer e *todos* eles passarem para cá.

— Qual você acha que é o plano dela? — indagou Eleanor.

— Não tenho certeza — admitiu a irmã. — Mas não importa o que seja, vai permitir que *tudo* que existe no mundo dos livros atravesse para cá. Acho que ela está juntando um exército de personagens fictícios do mal para fazer uma invasão.

— Uma invasão do nosso mundo? — perguntou Eleanor.

Cordelia acenou com a cabeça.

— Mas, vocês têm que admitir, *bem* que ia ser maneiro ver um Tiranossauro rex esmagando tudo por aí no centro de São Francisco — comentou Brendan. — Ou um daqueles ogros que moram em pontes escapando de Alcatraz.

Cordelia e Eleanor reviraram os olhos.

— Isto aqui é sério, Brendan — explodiu a mais velha. — Milhares de pessoas morreriam.

— Sei disso — concordou ele, infeliz. — Só não sei o que a gente pode fazer a respeito. Tipo, como a gente ia parar uma coisa dessas? Ia precisar do Exército, da Marinha, das Forças Aéreas, de todos os policiais da cidade... E talvez nem isso fosse suficiente!

— A primeira coisa é encontrar o Gordo Jagger — disse Eleanor, incapaz de apagar a imagem da besta gelada morta de sua mente. Ela não parava de imaginar Gordo Jagger na televisão no lugar do outro monstro, o corpo gigantesco tomado por buracos de bala. — Ele é nosso amigo, e temos que ajudá-lo antes de tudo. Temos que ter certeza de que ele sabe que tem que ficar longe da cidade, escondido até a gente ter encontrado uma saída.

— Vamos fazer isso, sim, Nell — garantiu Cordelia.

Mas também sabia que aquilo seria apenas um tratamento paliativo para um dos sintomas do problema, não era uma solução para ele como um todo. O Dr. Walker explicara a Cordelia a teoria por trás da prática da medicina quando a menina tinha 10 anos e tirara o dia para ficar com ele no hospital.

— A chave para curar as pessoas — dissera ele — é simples: se concentrar na causa por trás de tudo. Não tente eliminar os sintomas, você tem que consertar o que está causando esses sintomas. Às vezes, nem parecem estar relacionados. Por exemplo, se a sua perna dói sem parar, você não pode simplesmente ficar tomando analgésico todos os dias pelo resto da vida. Em vez disso, tem que descobrir qual é o motivo da dor e arrumar isso. Dores na perna podem ser causadas por uma série de problemas não localizados na perna, como algo nas suas costas ou até um distúrbio neurológico. É por isso que temos que nos esforçar para tratar o problema ou causa básica que fica por baixo disso tudo, e *não* apenas os sintomas.

Era importante manter Gordo Jagger a salvo, mas Cordelia sabia que não podiam apenas pedir que se escondesse no fundo do oceano pelo restante de seus dias. Teriam que descobrir um meio de devolvê-lo a seu mundo. Ela sabia que ninguém mais viria ajudá-los; a única outra pessoa viva que sabia da existência do mundo dos livros era a Bruxa do Vento, o que significava que era responsabilidade dos três Walker salvar o mundo de alguma forma.

— Se tivesse algum jeito de falar com os mortos... — especulou Cordelia em voz alta.

— Do que você está falando? — indagou Brendan, voltando a esticar três dedos diante do rosto da menina. — Você tem certeza *absoluta* de que não teve concussão nenhuma mesmo?

— Estou falando do Denver Kristoff — respondeu ela, empurrando a mão do irmão para longe outra vez. — Se ele estivesse vivo, poderia nos dizer o que fazer. Como consertar toda esta situação.

— *Se* tivesse algum jeito de entrar em contato com o fantasma dele, mesmo assim aquele monstro caquético não ia querer ajudar a gente — disse Brendan. — Ele com certeza ia até *querer* que as criações dele existissem aqui no mundo real. Que autor não ia?

— Tem certeza disso? — indagou Cordelia, apontando para a televisão que ainda exibia imagens da besta gelada. — Tipo, se os personagens dele fizessem a travessia, muitos acabariam sendo mortos. As pessoas atiram primeiro, perguntam depois. Será que o Kristoff ia mesmo querer ver todos eles sendo massacrados? Ou destruindo a cidade que ele amava?

— Esta é uma conversa ridícula — cortou Brendan. — O Kristoff morreu. A menos que você tenha um tabuleiro *ouija* e habilidades mediúnicas, a gente não vai conseguir arrancar nem uma palavrinha sequer daquele defunto!

— É isso! — gritou Cordelia. — Você é um gênio, Bren!

— Agora você está me chamando de *gênio?* Acho que a gente vai precisar mesmo levá-la para fazer uma ressonância magnética.

— Não, você lembra o que aconteceu no Clube Boêmio quando a gente viu o Aldrich Hayes e o Denver animarem os espíritos dos Guardiões do Conhecimento com um simples feitiço?

Brendan fez que sim com a cabeça, já não gostando do rumo daquela conversa.

— Não vejo por que os espíritos deles dois não poderiam ser convocados também — concluiu Cordelia.

— O que você está querendo dizer? — indagou Eleanor, nervosa.

— Que a gente vai ressuscitar o espírito do Rei da Tempestade!

— Mas a gente tem que ajudar o Gordo Jagger antes! — Eleanor estava quase gritando. — Já tenho até um plano e tudo.

— Nós vamos, Nell. Prometo — assegurou-lhe a irmã. — Mas também precisamos encontrar uma solução definitiva para isso tudo de uma vez por todas. E Denver Kristoff é, provavelmente, a única pessoa que pode nos dizer como. Brendan, você ainda se lembra do feitiço?

O menino tinha uma memória incrível. Podia se recordar do menor dos detalhes anos depois, mesmo apenas tendo ouvido ou visto algo uma única vez — contanto que aquele algo lhe interessasse, como estatísticas relacionadas a algum esporte ou feitiços enigmáticos que invocavam fantasmas reais.

Ele assentiu, relutante, rememorando aquela experiência horripilante até bem demais.

— Beleza, então você fica com a tarefa de invocar o espírito do Rei — resolveu Cordelia. — Eu e a Nell vamos lá tentar ajudar o Gordo Jagger.

— Isso nunca vai dar certo — disse Brendan.

— A gente tem que tentar *alguma coisa* — insistiu Cordelia.

— Da última vez que entramos de penetra no Clube Boêmio, quase acabamos mortos — lembrou Brendan. — Então onde é que vou fazer essa sessão espírita meia-boca? Na nossa sala de estar? Ou quem sabe numa esquina qualquer? Aquele ponto na Larkin com a Bay me parece um lugar até bem mágico mesmo...

— Comece com o cemitério — sugeriu Cordelia, ignorando o sarcasmo.

— Onde enterraram o velho. Usa o seu cérebro, Bren. Não dá para eu ser a encarregada de ter *todas* as ideias sempre!

Brendan não tinha desejo algum de reviver os mortos sozinho em um cemitério. Mas seria em plena luz do dia. Podia dar conta daquela tarefa. Além do mais, não queria fazer papel de covarde completo na frente das irmãs. Assentiu, fingindo não ser nada demais.

— É, beleza — disse, mantendo o queixo apontado para o alto a fim de parecer confiante. — Mas quando vamos colocar o plano em ação? Tem escola amanhã. A gente vai dizer que está doente ou só esperar até as aulas terem acabado mesmo?

— Não dá para esperar tanto — refutou Cordelia, balançando a cabeça em negativa. — Agora mesmo, pode ser que mais criaturas dos livros do Denver estejam entrando no mundo real! Temos que começar já.

— Já? — repetiu Brendan, a voz falhando.

— Isso! — exclamou Eleanor, os olhos reluzindo. — Coitadinho do Gordo Jagger, já deve estar ficando cansado de esperar debaixo de tanta água. Está sozinho e cheio de medo!

— É *ele* quem está sozinho e cheio de medo? — perguntou Brendan, deixando de lado a farsa pouco convincente de sua coragem. — E eu? O seu próprio irmão! Sou eu quem vai ter que entrar num cemitério sozinho no meio da madrugada! Aquele lugar deve estar ocupado por todos os maníacos e esquisitões mais bizarros de São Francisco...

— Você já encarou coisa muito pior do que um cemitério à noite — respondeu Cordelia. — Você consegue, Bren.

Ela pousou a mão de modo tranquilizador no ombro do irmão e sorriu. Brendan virou-se para Eleanor. A menina assentiu para ele, o olhar refletindo com nitidez o quanto o admirava.

— A gente acredita em você, Bren — afirmou.

Brendan não podia voltar atrás depois disso. As irmãs tinham o dom de ser muito chatas às vezes. Mas, em momentos como aquele, quando precisava de uma injeção de força e confiança, elas nunca decepcionavam.

O garoto sorriu e respondeu com outro aceno de cabeça.

— OK — disse. — Vamos lá.

CAPÍTULO 9

Aos olhos de qualquer pessoa comum, Cordelia e Eleanor deviam parecer completamente loucas. Afinal, era difícil imaginar por que duas meninas de 15 e 8 anos de idade estariam paradas perto da orla da Baía de São Francisco às duas e meia da madrugada, amontoando quilos de carne crua para formar uma pilha imensa. Tinham criado uma torre de bifes, hambúrgueres, paletas suínas, coxas de galinha e filés de peixe mais baratos. O monte tinha quase o tamanho das duas juntas.

Tinha sido necessário quase todo o dinheiro que os três Walker tinham acumulado de mesada, aniversário e demais comemorações para conseguir juntar aquele estoque impressionante. Mas Eleanor continuava apreensiva, pensando que poderia não ser suficiente. Afinal, embora a montanha de carne pudesse alimentar um exército inteiro de seres humanos, para Gordo Jagger aquilo não passava do equivalente a um pedacinho de carne-seca.

Tinham saído todos de fininho do apartamento e tomado um ônibus tarde da noite até um supermercado aberto 24 horas a fim de comprar os suprimentos. Brendan as ajudara a carregar tudo até Torpedo Wharf e, em seguida, partiu para o cemitério Fernwood, onde Denver Kristoff tinha sido enterrado sob um nome falso.

Eram 3 da manhã, estava frio, úmido e escuro como breu quando as irmãs chegaram a seu destino e começaram a abrir os pacotes de carne e reuni-los em uma pilha gigantesca à beira do píer de concreto. Tremiam muito enquanto aguardavam.

— E agora? — indagou Cordelia à irmã mais nova. — Já tem 20 minutos que estamos paradas aqui.

— Não sei — admitiu Eleanor. — O meu plano terminava aqui. Acho que pensei que ele já estaria com tanta fome, que, com certeza, ia sentir o cheiro da carne.

E a carne cheirava, sem dúvida. Cordelia cobria o nariz com a mão na tentativa de combater o fedor. Mas talvez o cheiro não fosse forte o suficiente? O vento vinha da direção da baía, afinal, levando os aromas da costa para longe de onde Gordo Jagger se escondia. E era certo que seria ainda mais difícil, se não impossível, para seu olfato captar algo debaixo d'água. Tinha que haver alguma coisa que pudessem fazer a fim de intensificar o odor.

Cordelia foi arrancada de seus pensamentos por um grasnado agudo. Uma gaivota branca se empoleirou no topo da montanha de carne de quatrocentos dólares das meninas e foi engolindo vários pedaços rapidamente, sem sequer esperar os anteriores descerem pela goela.

— Xô, xô! — gritou Cordelia, agitando a mão para a ave.

A gaivota bateu as asas algumas vezes e ficou voejando logo acima da pilha durante vários segundos antes de voltar a se instalar nela, mas desta vez do outro lado. Outras aves brancas gatunas mergulharam do céu sem aviso, grasnando cheias de ganância.

— Nell, preciso da sua ajuda aqui — pediu Cordelia, desesperada, enquanto removia o casaco que estava usando.

Girou-o em círculos perto do grupo crescente de gaivotas que se refestelavam no banquete de carne. Quando a peça de roupa se aproximava delas, rapidamente pulavam para longe ou alçavam voo. Mas sempre que se distanciava, elas faziam seu mergulho e voltavam a se servir.

— Se manda! — gritou Eleanor, correndo para os animais. — Isso aí é para o Gordo Jagger!

As aves devem ter sentido a energia frenética emitida pela menina, pois fugiram à procura de abrigo quando ela se aproximou. Logo depois, no entanto, uma após a outra, foram voltando, vorazes.

Cordelia olhou para Eleanor em desespero.

— Precisamos fazer alguma coisa rápido — disse à irmãzinha. — Ou então daqui a mais um pouquinho já não vai ter sobrado nada!

Enquanto isso, a pouco mais de 10 quilômetros de onde estavam as meninas, do outro lado da ponte Golden Gate, Brendan pagava o motorista do táxi e saía do automóvel para a noite escura. Não fazia ideia de como voltaria para casa. O ônibus 40, que usaria para fazer o percurso, encerrava suas atividades às 20 horas, e o menino fora obrigado a usar o que restava de seu dinheiro na corrida de táxi até lá. Por sorte, o motorista não falava muito bem a língua, e sequer se deu ao trabalho de perguntar por que um menino de 12 anos estava indo ao cemitério às duas e meia da madrugada, se tinha aula no dia seguinte. Brendan supunha que aquela era uma das vantagens de se morar em uma cidade grande como São Francisco. Nada ali parecia estranho demais.

Ficou surpreso ao constatar que o cemitério Fernwood não tinha espécie alguma de cerca de proteção. Tinha quase certeza de que teria que escalar uma cerca de ferro de três metros com pontas afiadas, prontas para empalá-lo no topo. Mas o enorme cemitério, circundado por bosques e construído em um terreno de colina ligeiramente inclinado, parecia quase querer receber invasores noturnos de braços abertos.

Estava escuro; a única fonte de iluminação vinha de alguns postes de luz em ruas próximas e parcas estrelas esmaecidas no céu negro.

Brendan se preparou puxando o ar várias vezes enquanto fitava o negrume do cemitério, tentando convencer a si mesmo de que enfrentar Guerreiros

Selvagens, piratas sanguinários, gladiadores romanos, leões famintos e um lobo do tamanho de um cavalo tinha sido, muitas vezes, mais aterrorizante do que o que estava prestes a fazer. Não havia por que ter medo.

Seu pensamento vagou para uma noite, quando tinha 9 anos, e se esgueirou até a sala, tarde da noite, para assistir ao filme *A noite dos mortos-vivos* na televisão. Naquele momento, o próprio menino podia muito bem ser um cérebro delicioso aguardando sobre uma bandeja. Brendan teria rido da imagem de seu cérebro em uma bandeja de prata, acompanhado de porções de couve refogada e purê de batata, se não estivesse tão petrificado pelo terror quanto estava.

Tentou ignorar o medo e se concentrar na tarefa de que fora incumbido. O primeiro passo: de alguma forma, tinha que encontrar o túmulo de Denver Kristoff.

Brendan acendeu a lanterna do celular e foi caminhando pelo cemitério, serpenteando por entre as lápides. Levou muito menos tempo do que imaginara para encontrar o lugar certo, dado o tamanho do cemitério. Mas seguir sua intuição, que o inspirara a começar a busca pelos mausoléus mais caros e maiores, valeu a pena. Após passar por quatro ou cinco dos mais novos, Brendan chegou ao que tinha gravado o nome Houston, de Marlton Houston, a identidade falsa que constava nos jornais nos dias seguintes à morte de Denver Kristoff e Aldrich Hayes, causada por um ônibus no centro da cidade.

O mausoléu de Kristoff era uma construção cheia de pompa. Tinha o tamanho aproximado de uma garagem pequena, mas as semelhanças terminavam por aí. Era todo em mármore branco, e três degraus levavam a um par de portas de bronze recobertas por elaboradas gravações de figuras encapuzadas e criaturas místicas. Duas colunas de mármore ladeavam as portas sob um teto pontudo, onde também ficava um grande símbolo esculpido que Brendan não reconheceu.

Parou diante dos degraus e respirou fundo algumas vezes, limpou a garganta e voltou a pensar na experiência horripilante que tinha sido assistir enquanto Denver e Aldrich convocavam os antigos Guardiões do Conhecimento a retornarem ao Clube Boêmio com um singelo feitiço.

— *Diablo tan-tun-ka* — entoou Brendan baixinho em um primeiro momento. — *Diablo tan-tun-ka.* — A voz foi ficando cada vez mais alta à medida que prosseguia com o canto, repetindo várias vezes. — *Diablo TAN--tun-ka! Diablo tan-tun-KA!*

Nada parecia acontecer. Mas Brendan continuou, recordando as palavras que os dois Guardiões tinham enunciado, mas falhando em lembrar as entonações com exatidão.

— *Diablo TAN-tun-ka, espírito de meu... Er, tataravô, hum, eu acho* — disse Brendan. — *Eu o convoco! Desejo falar com um dos que já partiram, de nome Denver Kristoff!*

Brendan levantou os braços em direção aos céus, como se estivesse literalmente querendo suspender e arrancar o espírito do Rei da Tempestade de seu local de descanso. Parou e aguardou, os braços ainda no alto como se sinalizasse um touchdown.

Apenas o silêncio se seguiu. Baixou os braços e se deu conta de como era ridículo pensar que seria capaz de reanimar a alma de um Guardião do Conhecimento morto... Ou a de qualquer outra pessoa, aliás.

Um arrepio percorreu sua espinha quando uma brisa o açoitou no pescoço e rosto.

Em seguida, um galho se partiu atrás dele.

Brendan girou nos calcanhares, estendeu a lanterna do celular; seu coração foi se alojar com firmeza no meio da garganta. E naquele instante, ele gritou alto o bastante para acordar os mortos.

De volta a Torpedo Wharf, Eleanor se deu conta de que Cordelia tinha razão. Precisavam tomar uma atitude rápido ou o bando de gaivotas ainda em crescimento acabaria comendo toda a isca que tinham trazido para Gordo Jagger.

A menina olhou ao redor em desespero. Os olhos recaíram sobre uma lixeira de metal próxima cheia de jornais, garrafas plásticas e copinhos de café de isopor. Um morador de rua maltrapilho estava deitado ao lado dela, aos roncos. Era óbvio que tinha acabado de cair no sono por conta da guimba de cigarro que ainda soltava fumaça e se equilibrava, frouxa, entre os dedos dele.

Eleanor lançou uma olhadela a Cordelia, que ainda agitava o casaco diante do bando de aves. A cena era caótica, e ia ficando cada vez mais ruidosa à medida que novas aves começavam a grasnar, acompanhando os berros de sua irmã.

Eleanor sabia que não havia tempo a perder. Nem sempre precisava da aprovação e supervisão da irmã mais velha; Cordelia não era o único membro inteligente da família!

A menina afastou o medo e marchou até o homem. Ajoelhou-se ao lado dele e, com toda a gentileza e todo o cuidado, tirou o cigarro dos dedos dele. Levantou, um sorriso triunfante aberto no rosto.

A mão de alguém agarrou sua perna.

— Devolve o meu pito! — rosnou o homem.

Eleanor rapidamente desvencilhou a perna da mão do morador de rua e correu para passar para o outro lado da lixeira.

— Volta aqui, sua pirralha! — gritou ele, tentando se levantar do chão. Mas oscilou, trôpego, tendo dificuldade fora do comum para se manter de pé.

— Nell, o que você está fazendo? — berrou a irmã, afastando várias gaivotas que mergulhavam em sua direção como se quisessem bombardeá-la, aparentemente cansadas de serem acertadas com o casaco. — Para de torturar o coitado do homem e vem me ajudar!

Eleanor não respondeu, protegendo com cautela o cigarro ainda aceso nas mãos em concha de modo a não deixá-lo se apagar. Sabia que fumaça e calor se deslocavam para cima. Foi isso que o bombeiro que dera uma palestra sobre segurança e prevenção contra incêndios para a turma de colégio dela tinha dito. Agachou-se perto do fundo da lixeira gradeada.

— Volta aqui, pentelhinha! — gritava o homem, que finalmente se pusera de pé e estava cambaleando na direção de Eleanor.

— Nell, larga desse troço nojento! O que você está fazendo? — indagou Cordelia, estapeando outra gaivota.

— Você vai ver — respondeu a menina no instante em que fez as cinzas avermelhadas do cigarro entrarem em contato com o lixo.

Não sabia em que os jornais amassados no fundo tinham sido embebidos, mas a coisa inteira se incendiou muito mais depressa do que ela calculara. Após apenas alguns segundos, a lixeira inteira estava engolfada em chamas que se elevavam metros em direção ao alto, fazendo centelhas flutuarem para o céu noturno.

O mendigo agarrou Eleanor pela gola e a levantou.

— Devolve o meu fumo! — gritou.

Eleanor estendeu o cigarro ainda aceso. Ele o tomou dela e a recolocou no chão.

— Obrigada, senhor — agradeceu a menina.

— Você devia mesmo começar a respeitar mais a propriedade alheia, garota — disse ele e voltou a desmoronar no chão.

— Nell, será que você pode, por favor, me dizer o que está acontecendo? — gritou Cordelia.

Eleanor correu em direção às aves famintas, espantou-as e juntou uma variedade de cortes de carne crua que aninhou nos braços. Prendeu o fôlego e lembrou a si mesma que era tudo por causa do Gordo Jagger. Entraria em uma banheira cheia de minhocas se fosse necessário.

Correu e atirou tudo o que carregava para dentro da lixeira flamejante. O fogo crepitou e estalou, a gordura tostando instantaneamente pelo calor. O aroma da carne de boi e porco cozinhando subiu pelo ar quase que de forma imediata e muito mais intensa do que o da montanha de matéria-prima crua teria sido capaz.

Eleanor correu para juntar uma nova carga nos braços.

Cordelia espantou-se com a inteligência da irmã enquanto ela própria tratava de carregar um estoque de carne crua até a lixeira. Era muito mais provável que Gordo Jagger sentisse o cheiro de carne sendo *preparada* da próxima vez que emergisse para respirar. Juntas, as irmãs corriam de um lado para o outro, despejando carregamentos de carne dentro do recipiente ardente.

O aroma da preparação era tão poderoso que Cordelia e Eleanor tiveram que cobrir os rostos com as camisetas. Ficaram paradas ao lado da churrasqueira improvisada e fitaram a baía escura. Cordelia envolveu os ombros da irmãzinha com um braço.

— Você acha que ele vai precisar subir para tomar fôlego logo? — perguntou Eleanor.

— Espero que sim — respondeu Cordelia. — Mas, de um jeito ou de outro, estou muito orgulhosa de você. O que você fez foi muito arriscado, mas também foi uma ideia muito esperta, Nell.

A menina respondeu recostando a cabeça contra a lateral do corpo da irmã. Esperaram até o fogo não passar de uma pilha de brasas fumegante e carne mais do que bem passada. O cheiro ainda pairava no ar mesmo sem as chamas vivas.

Coisa de 10 minutos depois, quando Eleanor já estava para perder as esperanças, um profundo e retumbante *whoooooosh*, que quase soava como uma trovoada molhada, ribombou das profundezas da Baía de São Francisco.

O sorriso esperançoso de Eleanor foi desaparecendo lentamente quando viu a onda gigante subindo da escuridão e vindo na direção delas.

— Nell, se abaixa! — berrou Cordelia, abraçando a irmã contra si.

Mas era tarde; a onda monumental já estava acima delas, afogando seus gritos.

CAPÍTULO 12

A força da água atirou as duas Walker no chão e as levou quase 10 metros para trás, expulsando-as do calçadão e depositando-as no gramado de um café e loja de suvenires próximos. Também espalhou a carne assada pelo cais.

Eleanor se levantou e procurou ao redor com desespero por Cordelia.

— Nell! Você está bem? — indagou a irmã da menina, cambaleando para se colocar de pé a poucos metros da outra.

— Acho que sim — respondeu Eleanor, agitando braços e pernas, em choque por sequer estar machucada.

— Essa passou perto — comentou Cordelia. — Quase fomos...

— Gordo Jagger! — gritou Eleanor, interrompendo a irmã.

O gigante, ainda submerso da cintura para baixo, se avultava acima do cais, os cabelos colados no rosto e ensopados. Água salgada do oceano pingava do torso peludo e ia espirrar no chão de concreto tal qual uma chuva torrencial. Quando o colosso avistou as duas Walker, abriu um sorriso.

— Waaalk-eer — disse.

— Gordo Jagger! — voltou a gritar a menina mais nova, correndo para ele.

Cordelia a seguiu.

Gordo Jagger voltou sua atenção para o cais, por onde pedaços de carne ainda estavam dispersos. Levou a mão para baixo e começou a fisgar aglomerados da comida com destreza entre os dedos polegar e indicador. Atirou-os para dentro da boca, o sorriso largo ainda estampado no rosto imenso.

— Gordo Jagger, você precisa me escutar agora — berrou Cordelia para ele. — Você tem que...

Mas nunca chegou a terminar a frase, pois foi interrompida de súbito pelo alerta da sirene de uma viatura policial atrás dela.

A pouco mais de 10 quilômetros ao norte dali, no cemitério Fernwood, perto do luxuoso mausoléu do Sr. Marlton Houston, a lanterna de Brendan iluminava um homem a meros centímetros de onde o menino estava. Trajava uniforme cinza de segurança e mantinha a mão pousada na coronha de uma arma de fogo.

— O que está acontecendo aqui? — indagou o estranho.

— Er, nada demais, não — respondeu Brendan. — Você sabe, só visitando o túmulo do meu tio. É. Com certeza, nada de feitiço para reviver os espíritos dos mortos. Imagina.

O segurança soltou um suspiro.

— Anda, garoto — disse. — Me dá uma folguinha. Só queria uma noite de tranquilidade. Mas agora vou ter que levar você preso. Tem várias placas avisando para não entrar neste lugar depois do horário de visitação. Você não viu, não?

— Acho que não — admitiu Brendan, já tentando tramar sua fuga. Não podia ser preso.

— E onde estão os seus amigos, moleque?

— Amigos? — repetiu ele. — Sou só eu aqui.

— Está de sacanagem com a minha cara? — perguntou o guarda. — Ninguém entra de fininho num cemitério sozinho. Quem ia fazer uma coisa idiota desse tipo? A menos que você seja um daqueles esquisitões...

— Agora você está até parecendo as minhas irmãs.

— Olha — recomeçou o homem —, só me diz logo de uma vez onde os seus amigos foram se esconder, e não vou precisa-aaaAAAAHHHHHH!

Brendan foi tropeçando alguns passos para trás quando um par de braços pútridos emergiu da escuridão e envolveu o pescoço do segurança, transformando sua última frase em um grito horripilante. Os braços arrastaram o homem para dentro das sombras. Houve um grito final. Depois, silêncio.

— Seu guarda? — chamou Brendan. — Isso não tem graça nenhuma, cara. Não é legal fazer essas brincadeiras doentias com crianças.

Da escuridão, a única resposta foi um grunhido profundo e gutural. Soava... *faminto*.

Brendan deu mais alguns passos para trás até os calcanhares toparem com os degraus de mármore do mausoléu de Kristoff. Um novo grunhido, desta vez seguido pelo som de passos arrastados. As grunhidelas tornavam-se cada vez mais próximas enquanto Brendan tentava mexer, desajeitado, na lanterna do celular. Tinha a sensação de que seu coração parara de bater, como se o terror absoluto da situação tivesse desativado todas as suas funções corporais.

Direcionou o flash para cima outra vez e se viu cara a cara com um morto. A maior parte da carne do cadáver tinha se decomposto a ponto de tornar-se inexistente. O rosto não passava de um crânio com algumas faixas de pele esticadas por cima dele, coberto por um tufo de longos cabelos grisalhos que precisavam desesperadamente de um pouco de xampu. O cadáver já não tinha mais o olho esquerdo, e um tapa-olho cobria a órbita ocular direita.

O zumbi grunhiu outra vez e continuou se arrastando até Brendan.

— Er, oi — cumprimentou o menino, o terror inflando no peito. — A gente não foi apresentado. Eu sou o... Brendan. Devo informá-lo que, de acordo com as minhas irmãs e aquele segurança que você acabou de matar, não tenho cérebro, então isto aqui é provavelmente uma perda de tempo.

O morto-vivo parou o avanço. Parecia quase ter inclinado a cabeça para o lado como um cachorro confuso faria. E, por um instante, Brendan chegou a pensar que podia ter, de fato, se salvado com seu senso de humor pela primeira vez na vida.

Mas logo depois o zumbi investiu sem aviso contra ele e fechou os dedos ossudos ao redor do braço direito do menino. Antes mesmo que pudesse berrar com choque ou terror, a criatura inclinou-se para a frente e enterrou os dentes na carne do antebraço de Brendan.

CAPÍTULO 14

O policial Nick Boyce, da Polícia de São Francisco, tinha começado seu turno da noite de doze horas havia apenas três, mas já tinha entornado três xícaras de café, um Red Bull e depois mais um café expresso. Não fosse por toda a cafeína ingerida, era possível que não tivesse acreditado no que estava vendo quando parou a viatura em Torpedo Wharf.

Era um gigante. E não se tratava de um jogador dos Giants, tricampeões mundiais de beisebol, saindo para uma dose de baderna noturna, mas um *gigante* legítimo! Daquele mesmo tipo que existia no livrinho do pé de feijão que ele, às vezes, lia para o sobrinho quando era convocado a ser babá.

O policial Boyce sabia que não podia simplesmente parar um colosso da mesma maneira como faria com um veículo durante uma blitz de rotina, de modo que saiu do carro e deu alguns passos em direção ao monstro, abrindo a tira de couro do coldre do revólver. Apesar de seu choque, parou alguns segundos, admirado com a semelhança entre a criatura e Mick Jagger, vocalista dos Rolling Stones. Bem, isso se Mick Jagger adotasse uma dieta de quatro meses que consistisse apenas de Big Macs e porções de 20 unidades de McNuggets.

O policial arrancou o rádio do ombro e ligou o aparelho.

— Central, aqui é a unidade um-quatro-onze.

— Prossiga, um-quatro-onze.

— Estou aqui em Torpedo Wharf — informou Nick ao rádio. — Solicitando mais unidades de apoio. Temos um... Er, um código quatro-dois... Não, hum, código... Bom, er, tem um Mick Jagger gigante e enorme de gordo aqui no cais, e ele parece hostil. Envie todas as viaturas disponíveis. Envie o helicóptero. Mande a SWAT para cá! Manda vir todo mundo!

A atenção do policial estava tão focada no colosso parado diante dele que sequer notou as duas jovenzinhas ao lado do monstro. Não as ouviu gritando em vão que o gigante não oferecia perigo. Ele sacou a arma.

Os olhos da criatura mítica estavam fixos em um ponto atrás de Nick, na viatura, parecendo hipnotizado pelas luzes. Foi aí que esticou a mão monumental, que tinha facilmente o dobro do tamanho do automóvel.

O policial Boyce se abaixou por instinto, temendo que estivesse prestes a se tornar o petisco da meia-noite.

Mas os dedos do Mick Jagger colossal passaram direto por ele e arrebataram o carro de polícia. Parecia um daqueles carrinhos de brinquedo Hot Wheels na mão imensa. Gordo Jagger o levou mais para perto do rosto, mesmerizado pelas luzes azuis e vermelhas que piscavam. Desta vez, cafeína e adrenalina provaram-se um tiro pela culatra. O policial Boyce sentiu o pânico inflar-se e subir por sua garganta. Ia morrer. Sabia que ia.

E assim, sem considerar as consequências de causar agitação a um colosso de 165 metros de altura, o homem apontou a arma e atirou.

CAPÍTULO 15

Cordelia e Eleanor estavam quase roucas de tanto gritar, mas o policial não parecia estar escutando.

Cordelia mal teve tempo de puxar Eleanor para trás antes do homem começar a disparar em Gordo Jagger.

— Nãããooo! — berrou Eleanor quando a arma começou a pipocar diversas vezes.

— Está tudo bem, Nell — garantiu Cordelia ao se agacharem abraçadas uma à outra no concreto. — Essas balinhas de nada nunca vão conseguir matar o Gordo Jagger. São tipo picadas de abelha para ele.

— Picada de abelha também dói — protestou a menina, fungando o nariz.

Gordo Jagger ainda segurava a viatura, a cabeça pendendo para um lado, quando o policial começou a atirar. Parecia mais confuso pelo bombardeio de tiros do que qualquer outra coisa. Vários disparos atingiram-no na barriga, mas ele sequer pareceu notar. Muitos outros ricochetearam no chão de concreto surpreendentemente perto do ponto onde as irmãs Walker estavam encolhidas.

Eleanor gritou.

O gigante olhou para elas, depois para o policial, cujas mãos tremiam ao recarregar o revólver. Jagger não perdeu tempo em se livrar do automóvel, jogando-o para trás por cima do ombro. Foi afundar na Baía de São Francisco com um borrifo de água grandioso, a 90 metros de onde o colosso estava, pelo menos.

O policial voltou a empunhar a arma e apontar para a criatura, as mãos tremiam tanto que ele, com certeza, não seria capaz de atingir um alvo nem se estivesse a poucos passos de distância.

As Walker estavam em perigo. Os olhos de Gordo Jagger arregalaram-se de temor. Estendeu as mãos para baixo, aninhou Eleanor e Cordelia dentro da palma de uma delas e as levou à boca como se fossem duas uvas-passas.

O policial começou a berrar.

Boyce pegou o rádio com violência.
— Central! — gritou. — Onde está o meu apoio? O gigante, ele... ele acabou de... meu Deus, foi horrível! Acabou de engolir duas criancinhas! Como se fossem pipoca! Por favor, mandem ajuda!

Como se tivesse sido programado, várias viaturas de polícia pararam ao lado dele. Quatro policiais saltaram e sentiram os queixos caírem ao avistarem o impressionante gigante de pé na Baía de São Francisco. O zumbido de um helicóptero em aproximação podia ser ouvido à distância.

— Achamos que era tudo piada, Boyce — admitiu o sargento. — Mas coisas estranhas não param de acontecer em todos os cantos! Primeiro, relatos de um Abominável Homem das Neves, que foi morto em Santa Rosa. E agora mais essa...

— Ele acabou de comer duas menininhas agora mesmo — balbuciou Boyce, ainda em choque.

— O que estamos esperando, então? — rosnou o sargento. — Vamos abater esse bicho!

Todos os cinco policiais da DP de São Francisco sacaram as armas e começaram a atirar em um Gordo Jagger confuso e apavorado. As balas laceravam sua pele, sem causar grandes danos, mas ainda assim provocando caretas de dor.

Ele agitava as mãos enormes ao lado da cabeça como se quisesse afastar uma miríade de mosquitos enquanto mais policiais e uma van da SWAT chegavam ao cais. Estavam armados com artilharia ainda mais pesada. O som das hélices do helicóptero da polícia se aproximava.

Cordelia e Eleanor eram jogadas de um lado a outro dentro da boca de Gordo Jagger; a saliva grossa era quente e viscosa, mas, sem dúvida, oferecia amortecimento decente para o constante movimento da cabeça do gigante enquanto as balas o açoitavam do lado de fora. Tinham a sensação de estar dentro de uma hidromassagem à prova de balas que precisava urgentemente ser tratada com um caminhão de enxaguante bucal.

Compreenderam em pouco tempo que o gigante as colocara dentro da boca para protegê-las.

— Estão matando o Gordo Jagger! — gritou Eleanor.

— Ainda não — respondeu Cordelia. — Mas uma hora vão acabar trazendo mais armas... Armas maiores... E pode ser que ele não consiga sobreviver a isso.

— A gente não pode deixar isso acontecer! — exclamou a menina mais nova quando o zumbido do helicóptero começou a rondar a cabeça do amigo.

— *Aqui é a Polícia de São Francisco* — ecoou uma voz através de um megafone. — *Entregue-se imediatamente, ou recorreremos à força bruta. Não vamos hesitar em abatê-lo.*

— Délia, que coisa horrível — disse Eleanor, lágrimas escorrendo pelas bochechas. — A gente tem que fazer alguma coisa e parar isso!

A irmã tinha razão. Cordelia tinha que *fazer* algo.

— Gordo Jagger — chamou. — Consegue me ouvir?

Perderam o equilíbrio e caíram graças a uma onda de saliva quando o amigo balançou a cabeça para sinalizar sua afirmativa. Ouviram os estalos de uma metralhadora sendo disparada lá fora, e o gigante se retraiu de dor, fazendo as duas meninas voltarem a se espatifar na língua escorregadia.

— A gente tem que ir até onde o Brendan está! — gritou Cordelia, torcendo para que o irmão tivesse de fato conseguido invocar o espírito do Rei da Tempestade. Era a única chance que lhes restava. — Ele vai poder ajudar! Entendeu?

O gigante assentiu uma segunda vez.

— Beleza! — berrou Cordelia. — Então agora você vai respirar fundo para prender o fôlego e mergulhar! Volta para dentro da água, onde eles não conseguem mais atirar nem encontrar você! Vai nadando, seguindo a ponte vermelha enorme em direção à outra costa. Depois vou explicar como encontrar o Brendan!

Ele assentiu pela última vez, e, de súbito, Cordelia e Eleanor sentiram os estômagos ficarem embrulhados quando Jagger afundou dentro da baía, transformando-se, em poucas palavras, em um submarino vivo. As duas meninas se agarraram aos molares de Jagger como se suas vidas dependessem daquilo enquanto o colosso fugia na direção da ponte Golden Gate.

Nos recônditos do cemitério Fernwood, Brendan Walker cambaleava para longe do morto-vivo que, de alguma forma, conseguira abocanhar seu antebraço com as mandíbulas mortais. O menino se desvencilhou das garras do cadáver e ainda arrancou um dos braços da coisa. Mas o estrago já estava feito.

Brendan desmoronou, sentado no chão, e olhou para a mordida ensanguentada. Pronto; estava acabado. A primeira regra ao se lidar com zumbis era de conhecimento geral: se você é mordido, acaba transformado.

Xingou baixinho. Sempre acreditara que sobreviveria a um apocalipse zumbi. Tinha lido livros que eram quase manuais de instrução, planejara rotas de fuga, tinha até desenhado os projetos para a construção de uma fortaleza nos penhascos de Battery Crosby. E lá estava ele, prestes a se tornar o *segundo* zumbi do mundo — literalmente não podia ter se saído pior naquela situação.

Olhou para cima e notou mais mortos-vivos manquejando em sua direção. Alguns dos cadáveres animados pareciam muito mais inteiros do que outros. Alguns pareciam ser antigos o suficiente para terem combatido na Primeira Guerra Mundial.

Continuaram a avançar até Brendan. Não compreendiam que já tinha sido mordido? Para todos os efeitos, era como se já estivesse morto.

Só podia culpar a si mesmo. Não só falhara em reviver o espírito de Denver Kristoff, como conseguira a proeza de acidentalmente reanimar os mortos! Brendan acabara de dar o pontapé inicial no fim do mundo com um apocalipse zumbi.

Mas isso não significava que morreria sem lutar. A certeza de seu próprio fim iminente apagou todo e qualquer traço de medo e o substituiu por pura ira e coragem, como jamais experimentara antes. Era quase como se tivesse bebido alguma espécie de poção capaz de transformá-lo em herói. Fez com que se sentisse invencível — pois, de certo modo, ele meio que era mesmo.

Brendan ficou de pé em um pulo, o braço decepado de zumbi ainda na mão. Deu um passo à frente e o empunhou como um taco de beisebol. Depois investiu com ele contra o morto-vivo mais próximo como se tivesse voltado a jogar no time infantil. O braço atingiu a cabeça da criatura, que saiu em disparada para dentro da mata, a pelo menos 15 metros de distância dali, grunhindo o trajeto inteiro.

— *Home run!* — exclamou Brendan, antes de girar nos calcanhares e tentar acertar outro zumbi atrás dele.

Voltou a acertar o alvo. Desta vez, a cabeça permaneceu ligada ao pescoço, mas explodiu com o impacto, como se fosse uma velha abóbora podre. Osso, terra e poeira espirraram em todas as direções.

— Que nojo! — gritou Brendan.

Girou mais uma vez, golpeando com o braço decepado o mais rápido que seu próprio braço ferido permitia. Brendan permaneceu nos arredores do mausoléu, uma vez que lhe oferecia proteção por, pelo menos, um dos lados, enquanto outros zumbis surgiam.

Enfim, ele subiu os três degraus que levavam à construção de mármore. Olhou ao redor e deixou cair o braço de zumbi que vinha utilizando como arma. Daquela nova posição estratégica, finalmente constatou o quanto sua situação tornara-se dramática.

O mar de zumbis que cercara o mausoléu tinha crescido para tomar proporções de plateia de show de rock. Se não estivesse se sentindo tão perdido e desesperançado, talvez tivesse até feito outra performance, cantando "Glory Days", de Bruce Springsteen, a mesma canção que o salvara no Coliseu do imperador Occipus.

Em vez disso, no entanto, desmoronou contra as portas de bronze e esperou que os zumbis chegassem para acabar de devorá-lo.

CAPÍTULO 18

Gordo Jagger entrou no cemitério Fernwood aos pulos, ainda pingando da água do mar, onde estivera marinando pelas últimas dez horas. A boca estava entreaberta, apenas o suficiente para que Cordelia e Eleanor pudessem ver o lado de fora e lhe dar as direções corretas. Tinha sido cauteloso a fim de não pisar em quaisquer casas no curto trajeto até lá, como Cordelia instruíra. Mas agora, já dentro do cemitério, esmagava pessoas a cada passo que dava.

— Ai, não! — exclamou Eleanor. — Ele está esmigalhando essa gente toda! Espera... O que esse pessoal todo está fazendo num cemitério às três da manhã?

— Não são pessoas normais, Nell — explicou Cordelia, forçando a vista para conseguir enxergar por cima do enorme lábio inferior de Gordo Jagger. — Acho que são... *Zumbis*!

— Mas zumbi não existe! — protestou Eleanor. — É impossível.

— Um gigante carregando duas garotas na boca e perambulando por Mill Valley, na Califórnia, também é! — lembrou-lhe Cordelia.

Eleanor estava prestes a admitir que o argumento da irmã era, de fato, forte, mas acabou distraída por uma voz gritando bem abaixo de onde estavam.

— Aqui embaixo! — berrava a vozinha. — Jagger, aqui!

— É o Brendan! — exclamou Eleanor, apontando para a sua direita. — Gordo Jagger, você está vendo o Brendan lá embaixo? Ele está em perigo! Ajuda!

Avistaram o irmão no último degrau do mausoléu de mármore branco, pulando histericamente. Havia centenas de zumbis fechando o cerco ao redor dele.

O gigante fechou a boca a fim de impedir que Cordelia e Eleanor caíssem, depois inclinou o tronco e arrancou a construção inteira da terra. Brendan se agarrou em desespero a um dos pilares de pedra. As portas de bronze tinham se desprendido das dobradiças com a força do puxão de Jagger. O teto do mausoléu desmoronou.

O colosso abriu a boca e agitou a estrutura acima dela como se fosse uma caixinha cheia de balas, fazendo com que um Brendan, aos gritos, voasse lá para dentro. Depois a fechou e se virou para o oceano mais uma vez.

Um helicóptero da polícia pegou-os de surpresa ao entrar em seu campo de visão, saído de dentro das nuvens logo acima do colosso. Um homem de uniforme azul da SWAT estava agachado junto à porta aberta do veículo. Ergueu uma enorme bazuca, mirou em Gordo Jagger e puxou o gatilho.

Brendan foi atirado para dentro da boca de Gordo Jagger, não entendendo por que seu amigo iria querer comê-lo. Talvez tivesse se transformado em um gigante-zumbi?

Apesar da dor de cabeça nauseante pulsando na parte posterior do crânio, o menino não demorou muito tempo para compreender que Gordo Jagger nunca tivera a intenção de sequer *engoli-lo*. Uma conclusão tirada em parte graças ao fato de que continuava dentro da boca dele, sentado em uma poça de saliva viscosa sobre uma língua assombrosa de grande. Sua outra pista eram os braços das irmãs o envolvendo.

— Brendan, você está vivo! — exclamou Eleanor.

— E funcionou? Você conseguiu falar com o Denver Kristoff? — indagou Cordelia, indo direto ao ponto.

Antes que o menino pudesse responder, o zumbido de um helicóptero lá fora interrompeu a reunião. Brendan jamais ouvira uma bazuca real sendo disparada antes, mas tinha jogado videogames suficientes para ser capaz de reconhecer o som que produzia instantes antes de serem todos atirados para trás dentro da boca de Gordo Jagger por conta do impacto, como se fossem criancinhas dentro de um pula-pula.

O gigante urrou de dor. Na fração de segundo que sua boca se abriu, os Walker puderam ver um buraco escuro e ensanguentado no ombro esquerdo do amigo.

— Vão matá-lo! — gritou Eleanor. — Jagger, volta para a baía! Você precisa se esconder!

Cordelia também soltou um grito, mas por uma razão inteiramente distinta. Erguendo-se devagar atrás de Brendan... estava o Rei da Tempestade!

Não era a versão espectral do Rei da Tempestade. Era a real, de carne e osso. Aquilo ficou evidente quando foram sacudidos e arremessados por todo o interior da boca de Gordo Jagger enquanto ele corria de volta para a baía.

Brendan virou-se para trás, berrou e não perdeu tempo em escorregar mais para perto de Cordelia e Eleanor.

O gigante mergulhou dentro da água, sacolejando seus quatro passageiros como se fossem dados dentro de um copo. Depois que o colosso começou a nadar sem maiores problemas pela baía e sua boca se estabilizou em uma posição fixa, o Rei da Tempestade se levantou devagar com um grunhido sonoro.

Os Walker recuaram para longe dele, em direção aos molares direitos de Gordo Jagger. As lanternas dos celulares lançavam um brilho macabro no rosto em pleno processo de decomposição de Denver Kristoff.

— Denver? — arriscou chamar Cordelia. — Sei que não somos exatamente os melhores amigos do mundo nem nada... Mas precisamos muito da sua ajuda.

A aparência do Rei da Tempestade jamais estivera pior do que estava então. As feições já pútridas por natureza estavam ainda mais horrendas do que o usual. Não fosse por algumas faixas flácidas esverdeadas de pele rançosa coladas à cabeça dele, teria sido pouco mais do que um crânio com cabelo.

O Rei finalmente abriu a boca para responder.

— Graaaaanghhhhhh! — gemeu. — Brrrrraaaaa-ooooohhhhhhrrrrr!

— Hum, o quê? — indagou Cordelia.

— Ah, é, eu por acaso cheguei a mencionar que comecei um apocalipse zumbi por acidente? — perguntou Brendan.

— Do que você está falando? — inquiriu Cordelia.

— O feitiço trouxe, *sim,* o Kristoff de volta do mundo dos mortos — explicou Brendan. — Mas também transformou o cadáver dele em zumbi, junto com o resto dos moradores do cemitério. Devo ter usado uma entonação diferente da certa ou coisa do tipo...

— Você está de brincadeira? E agora a gente faz *o quê?* — indagou a irmã, já entrando em pânico. — Ele era a nossa única saída!

— Vamos começar garantindo que ninguém mais seja mordido — sugeriu Brendan, levantando-se.

Tinha assistido a muitos filmes de zumbi para saber que se moviam devagar; além do mais, ele próprio já tinha sido vítima, de modo que não tinha mais tanto medo de atacar desarmado um morto-vivo quanto teria em situações normais.

Brendan avançou contra a versão morta-viva de Denver e usou o ombro para golpear o peito do velho falecido. Não sabia ao certo o que esperar: considerara por um momento que o velhote decrépito poderia simplesmente explodir com a colisão. Mas Denver-zumbi não explodiu. Em vez disso, foi atirado para trás, para a fileira de molares de Gordo Jagger, um gemido baixo escapando dos lábios esverdeados quando bateu nos dentes com impacto forte suficiente para fazer Cordelia e Eleanor desviarem os olhos.

Brendan se retesou, aguardando o homem voltar a se levantar. Mas não levantou. Denver-zumbi ficou lá, caído e flácido contra um par de dentes gigantes de Gordo Jagger. O menino aproximou-se alguns passos e se deu conta de que o braço do velho estava firmemente entalado entre os molares. Estava preso.

— Bom, acho que a gente não vai ter que se preocupar mais com ele — concluiu Brendan, voltando-se para as irmãs com um sorriso satisfeito.

— Bem pensado — admitiu Cordelia, a voz trêmula. — Mas por que você disse "garantir que *ninguém mais* seja mordido"?

Brendan respondeu mostrando a elas a ferida infectada e latejante da mordida que sofrera.

— Vou virar zumbi também — disse, sombrio. — Não tem nada que a gente possa fazer. Daqui a mais um pouco, vou começar a tentar comer o seu cérebro gigante, Délia.

CAPÍTULO 21

Em vez de rir da piada, Cordelia deixou escapar um soluço engasgado. Eleanor, enquanto isso, parecia não ter sequer ouvido Brendan. Estava apenas sentada lá, fitando Denver Kristoff, que preguiçosamente tentava libertar o braço preso. Naquele momento, era mais esqueleto do que aquela antiga monstruosidade podre que fora quando vivo.

— Já sei! — disse a menina de súbito. — Sei como consertar isso!

— Como? — perguntou o irmão. — Já é tarde demais para cortar o meu braço fora e desacelerar o progresso da infecção...

— Não é isso, e que nojo, Bren! — exclamou Eleanor. — Estou falando do problema maior.

— Nossa, Nell. Não dava nem para fingir que ficou chateada que nem a Cordelia? Ou dizer que vai sentir a minha falta?

— A gente tem que mandar o Gordo Jagger de volta para casa! — insistiu Eleanor, as palavras correndo para fora da boca em uma torrente frenética. — A gente tem que dar um jeito em *tudo* que está acontecendo! Senão, mais e mais criaturas e vilões dos livros vão entrar no nosso mundo e acabar destruindo tudo!

— E qual é o grande plano, então? — indagou Cordelia à irmã mais nova, deixando mais irritação transparecer na voz do que pretendera.

— Explico depois, agora não dá tempo — respondeu a menina. — Gordo Jagger!

Sentiram-no grunhir em resposta enquanto nadava.

— Dá para você subir para a superfície e abrir a boca? — berrou Eleanor.

Os ouvidos dos meninos estalaram quando Gordo Jagger subiu. Escutaram espirros no instante em que a cabeça do gigante rompeu a superfície da água. A mandíbula se deslocou de leve para se abrir. Um golfinho que se emaranhara nos cabelos de Jagger mergulhou de volta para o mar e voltou a nadar para um lugar seguro. Eleanor olhou para fora e viu a bruma rósea da aurora no horizonte do oceano. Estavam virados para o oeste, seguindo para fora da baía, em direção ao Oceano Pacífico.

— Vira devagar para a esquerda! — gritou Eleanor por cima do zumbido de um helicóptero da polícia que se aproximava.

Gordo Jagger obedeceu. Assim que Eleanor avistou o que estivera procurando, berrou para que parasse.

— Agora afunda de novo e nada para a frente! — instruiu ela aos gritos para se fazer ouvir por cima do estrondo que o veículo aéreo produzia. — Quando chegar à orla, escale o penhasco e procure uma casa.

— Você se lembra de como ela é? — gritou Brendan. — Você segurou a nossa casa uma vez, Jagguuhhhhhhnn...

A expressão de Brendan era de confusão ao abrir a boca para voltar a falar.

— Urhhhhhh — grunhiu, tentando desesperadamente fazer as palavras saírem. — Urgggghh?

— Tudo bem aí, Bren? — indagou Eleanor.

O menino levantou o braço devagar, e a irmãzinha engoliu o ar em choque. Não tinha certeza se a culpa era da saliva do gigante, da água do mar, ou ainda algo diferente, mas o rosto de Brendan tomara uma pálida tonalidade esverdeada.

— Cordelia? — chamou Eleanor, com berros frenéticos. — Acho que o Brendan acabou de virar zumbi!

CAPÍTULO 22

Cordelia soube de imediato que a irmã tinha razão; o adolescente de 12 anos, pálido, grunhindo no centro da boca de Gordo Jagger já não era mais seu irmão.

Brendan se virou para a irmã mais nova e rosnou, a mandíbula aberta e os olhos mortos fixos, incapazes de piscar. Manquejou para a frente, baba escorrendo por entre os dentes. A pele, agora grossa e verde-acinzentada, estava recoberta por rugas flácidas e depressões purulentas, como se Brendan tivesse envelhecido uma centena de anos em questão de segundos.

— Não pode ser — suplicou Cordelia, em desespero. — A gente estava tão perto de casa. Quase, quase lá!

Eleanor correu para os braços de Cordelia e assistiram enquanto Brendan se recostava contra a parede da bochecha de Jagger. A pele parecia retesada ao redor do crânio; sua aparência se tornava mais monstruosa a cada segundo que passava. A cabeça pendeu para o lado, e um grunhido gutural escapou dos lábios cinzentos. Ver seu usualmente jovial irmão sentado ali, inerte, parecendo tão oco, deixou as duas meninas destruídas: era quase pior do que presenciar sua morte. Os olhos dele, que outrora brilhavam com humor travesso, agora deslocavam-se, vazios, de um lado ao outro, de um tom de cinza que conseguia ser ainda mais neutro que a própria inexistência.

— Existe cura para zumbificação? — indagou Cordelia em desespero. — Água benta? Penicilina? Aspirina?

Eleanor, já tendo assistido a filmes de terror demais junto do irmão mais velho, balançou a cabeça, desalentada.

— A única forma de parar um zumbi é destruindo o cérebro dele — afirmou, lutando contra as lágrimas.

— Vou lá tentar falar com ele — disse a outra, desvencilhando-se dos braços de Eleanor, que a envolviam. — Quem sabe se eu conseguir fazê-lo se lembrar da gente, ele não volta ao normal? Vai ver ainda não é tarde demais!

Brendan, ainda caído contra um par de dentes monumentais de gigante, olhou para cima quando Cordelia se aproximou.

— Ei, Bren — disse ela, a voz baixa e suave. — Sou eu, a Cordelia... Você continua aí dentro, garoto?

Eleanor apenas espiava de onde estava, atrás de um molar, enquanto a menina se aproximava ainda mais do irmão morto-vivo.

— Brendan, anda, sei que você me reconhece — insistiu, agora a meros passos dele. — A gente nem sempre se entende... Mas sou eu, sua irmã, Cordelia. Consegue dizer *Cordelia*?

Os cantos da boca de Brendan se estenderam devagar, e os olhos voltaram a reluzir com vida no que poderia apenas ser um sinal de reconhecimento. Quando os lábios se afastaram ainda mais, ficou claro para Cordelia que estava tentando sorrir! A garota estendeu a mão para ele a fim de ajudá-lo a se levantar, e o sorriso foi crescendo mais e mais.

— Está tudo bem, Brendan — continuou ela com delicadeza, oferecendo a mão como apoio. — Sabia que você podia lutar contra isto!

CRUNCH!

Os dentes de Brendan fincaram-se na mão da menina antes que ela sequer se desse conta do que estava acontecendo.

— Ai! Ele me mordeu! — berrou Cordelia.

Cordelia berrou ao olhar para a ferida horripilante que a mordida abrira em sua mão. Perguntou-se se desmaiaria apenas de fitá-la.

Os gritos de Eleanor juntaram-se aos da irmã até a boca do colosso começar a soar como uma casa mal-assombrada. Cordelia desviou os olhos da mão latejante para ver Brendan mordiscando o próprio braço como se estivesse petiscando um nugget de frango.

— Não se come, seu babaca! — gritou Cordelia, estapeando o irmão no rosto com a mão ilesa.

Sem aviso prévio, a boca de Jagger tremeu com violência, fazendo os três Walker saírem voando.

— O que aconteceu? — indagou Cordelia, levantando-se, cambaleante, ainda aninhando a mão ferida.

Eleanor deu dois tapinhas no lábio inferior de Gordo Jagger. Ele entendeu o sinal e abriu a boca apenas o suficiente para que Eleanor fosse capaz de espiar o que havia lá fora.

— A gente saiu da baía! — anunciou a menina com animação.

Mas a expressão empolgada instantaneamente se transformou em horror. Vindo na direção deles, havia helicópteros, barcos da polícia, caminhões da SWAT e viaturas, todos transbordando com poder de fogo suficiente para eliminar uma família inteira de Gordos Jagger.

CAPÍTULO 24

Ao longo de toda São Francisco, moradores temeram que outro sismo como o de 1906 estivesse para ocorrer quando o chão começou a tremer e ribombar. Quando carros começaram a sacolejar mesmo parados, e alarmes antirroubo soaram. Quando janelas começaram a se estilhaçar, fazendo com que crianças adormecidas gritassem para a neblina da manhã. Quando a cidade inteira começou a reverberar ao ritmo de uma batida constante como se estivesse alojada sobre um enorme bumbo em um show dos Rolling Stones.

Mas não se tratava de terremoto algum.

Era, na verdade, um gigante monumental chamado Gordo Jagger correndo pelo centro urbano em longas passadas saltitantes. Esmagando caixas de correio, árvores e automóveis estacionados com os pés colossais à medida que corria pelas ruas.

Vários helicópteros estavam em seu encalço, já bem próximos, incluindo um de menor porte da polícia e outro maior, verde-escuro, do exército, tripulado por membros da Guarda Nacional. Uma torrente de balas de grosso calibre cortava os céus e ia se fincar nas costas do gigante como um enxame de vespas iradas.

Um segundo depois, uma série de mísseis foi cuspida pelas bocas de uma dupla de canhões instalados logo abaixo das hélices barulhentas do segundo helicóptero. Zuniram pelo céu rosa pálido e atingiram o colosso. A criatura gritou de dor, os dentes trincados a fim de manter a boca fechada.

Dentro dela, os Walker gritaram quando luz começou a entrar através dos buraquinhos nas bochechas do amigo, causados pelas balas de metralhadora. Cordelia empurrou Eleanor para baixo, para ficar rente à língua de Gordo Jagger, atrás de uma fileira de molares enquanto sangue fazia poças em volta dos pés delas.

Espiaram por cima dos dentes e avistaram o irmão zumbi. A transformação não tinha apenas levado embora a aparência jovem de Brendan, mas também seu instinto de preservação. Ele cambaleava pela língua de Jagger em pleno tiroteio. Os disparos explodiam a seu redor.

— A gente precisa ajudar o Brendan! — gritou Eleanor a fim de ser ouvida em meio à batalha ensurdecedora.

Cordelia estava prestes a responder, mas era tarde. O helicóptero da Guarda Nacional disparou outra rajada de projéteis de grosso calibre, fazendo Brendan voar e se estatelar na língua do gigante.

— Brendan, *nããããããooo*! — berrou Eleanor.

Cordelia não perdeu tempo em abraçar a irmã, cobrindo seus olhos. O corpo de Brendan jazia no centro da língua de Jagger, agora com uma série de buracos de bala decorando o peito.

Como tinham chegado àquele ponto? Cordelia deixou o rosto encontrar apoio no ombro de Eleanor; estava abalada demais para sequer conseguir chorar. Perguntou-se se um dia seria capaz de voltar a se mover e sair daquela posição. Mas o som de um gemido baixo fez com que levantasse o rosto depressa.

A cabeça de Brendan se virou para os dois lados, como se o menino estivesse saindo de um sono muito profundo. Devagar, voltou a ficar de pé e recomeçou sua busca por um lanchinho. Estava muito mais interessado em encontrar um petisco do que no buraco aberto onde seus pulmões deveriam estar.

— O quê? — questionou Cordelia.

Tinha acabado de testemunhar o único irmão ser baleado com força o suficiente para derrubar um elefante, e agora o menino estava vagando a esmo como se tudo estivesse perfeitamente normal.

— Eu falei para você! Zumbis só morrem se o cérebro for destruído — explicou Eleanor. — Você devia largar *Orgulho e preconceito* um pouco e dar uma lida no *Guia de sobrevivência aos zumbis*.

As duas meninas queriam correr e abraçar o irmão, mas resistiram, considerando a probabilidade de que ele tentaria arrancar um pedaço de seus rostos se o fizessem.

Sem qualquer aviso, Gordo Jagger oscilou com violência para a direita, fazendo com que os três Walker fossem lançados pelo ar outra vez. O impacto de cada bala, míssil e tiro de bazuca lançado podia ser sentido dentro da boca de Jagger, e uma lufada de ar quente era expelida pelos pulmões do gigante todas as vezes que se retraía de dor.

— Acho que o Jagger não vai aguentar muito mais tempo — disse Cordelia, quase aos prantos. — A gente precisa chegar à Mansão Kristoff!

Seguraram-se enquanto Gordo Jagger gemia de dor, o que apenas fez com que Eleanor soluçasse mais. Em meios às lágrimas, avistou Brendan esforçando-se para manter o equilíbrio na superfície trepidante. Ela rapidamente se agachou e começou a desamarrar o tênis esquerdo.

— Cordelia, preciso que você arrume uma distração — disse ao puxar o cadarço do pé direito. — Chame a atenção de Brendan!

Cordelia se levantou e respirou fundo; seu último encontro com Brendan não tinha acabado bem.

— Ei, Madrugada dos Bobões! — gritou Cordelia enquanto caminhava em direção ao irmão zumbi.

Brendan inclinou a cabeça para Cordelia. Foi se arrastando até o que tinha esperança de ser sua próxima refeição, parando para grunhir a cada passo incerto — até que as pernas de súbito não conseguiam mais se mover. Soltou um novo grunhido antes de tropeçar e tombar, um cadarço atado ao redor dos tornozelos.

— Boa, Nell! — comemorou Cordelia.

Eleanor tomou os braços de Brendan e amarrou os pulsos com o outro cadarço, cuidando para evitar a mandíbula que estalava ao abrir e fechar a boca. Mesmo com o futuro da família em risco, a confiança de Eleanor inflou-se e a percorreu toda. Era bom saber que podia ajudar os irmãos — ainda mais com um plano arquitetado todo por ela.

Com Brendan imobilizado, as duas meninas o arrastaram para os fundos da boca de Gordo Jagger e o instalaram sob a língua colossal do amigo a fim de mantê-lo seguro. Eleanor quase riu com a imagem de um Brendan zumbi abrigado sob a língua de um gigante como se fosse um enroladinho de salsicha. Mas a realidade de sua situação fez com que o sorriso se apagasse depressa.

— Espero que o seu plano dê certo quando a gente chegar à Mansão, Eleanor, seja lá qual for — comentou Cordelia. — Tem três vidas em jogo agora.

— Qual é a terceira?

— A minha — revelou a menina, mostrando a mão ferida e já se sentindo um pouco tonta do processo de transformação. — O Brendan me mordeu. Se os meus cálculos estiverem corretos... Devo começar a virar zumbi em coisa de doze minutos.

CAPÍTULO 26

— A gente já está chegando perto? — berrou Eleanor quando Gordo Jagger tropeçou outra vez.

Ele abriu uma frestinha de boca para que Cordelia e Eleanor pudessem espiar lá fora. Viram a Mansão Kristoff empoleirada acima da avenida Sea Cliff a alguns saltos largos de onde estavam.

Mais mísseis colidiram com as costas de Gordo Jagger ao alcançarem a casa. O gigante caiu de joelhos no vasto gramado ao lado da mansão, ganindo de dor.

— Cospe a gente para dentro do sótão, Jagger! — pediu Eleanor, as lágrimas escorrendo livremente pelo rosto.

Sabia que o amigo estava morrendo. A única esperança que tinha de salvá-lo dependia de seu plano dar certo. O problema, porém, era que agora que estavam lá, estava ainda menos convencida de que poderia, de fato, funcionar. Era um tiro no escuro, e ela estava ciente disso.

Com movimentos cuidadosos e delicados do monumental dedo indicador, o gigante abriu um buraco no telhado da Mansão Kristoff. Inclinou-se um pouco para a frente e cuspiu todo o conteúdo de sua boca dentro do cômodo. Em seguida, desmoronou para trás, sentado com as pernas cruzadas, como se fosse uma criancinha se ajeitando para a hora da historinha antes de dormir, exausto e com a respiração pesada, mal conseguindo manter os olhos abertos. Mas tinha cumprido sua missão; enfim, salvara os Walker.

Gordo Jagger sorriu triunfante, deu seu último suspiro e tombou para a frente no caminho que levava até a porta da casa, seu rosto esmagando uma viatura policial como se fosse feita de papel.

CAPÍTULO 27

Os três Walker e o Rei da Tempestade foram despejados dentro do sótão da Mansão Kristoff, sacolejando dentro de uma onda poderosa de saliva quente e fedorenta de gigante. Derraparam pelo piso de madeira como se fossem peixes frescos sendo atirados ao chão de uma doca logo após terem sido pescados.

Eleanor se levantou, escorregando algumas vezes, depois correu para a janela. Viu, horrorizada, quando Gordo Jagger desmoronou próximo à entrada da casa.

— Ele morreu! — gritou. — Mataram o Gordo Jagger!

Culpa e pesar partiram seu coração quando ela se deu conta de que o fim do amigo tinha sido responsabilidade sua. Fora ela quem insistira que chamassem Gordo Jagger aquela noite. Também foi sua a ideia atraí-lo para a superfície. Dentro da baía, o gigante estava são e salvo, e agora estava morto, e a culpa era toda dela.

O plano tinha sido quase de todo esquecido àquela altura, levado para longe por uma tristeza avassaladora. Eleanor caiu de joelhos e começou a chorar aos soluços, mais forte do que se lembrava de ter chorado desde seus dois anos.

Olhou para Cordelia buscando apoio, mas percebeu que a irmã estava tão abalada pela morte do amigo quanto ela própria. Brendan, por outro lado, parecia perfeitamente contente.

Estava mastigando um pombo.

— Brendan, cospe isso da boca — ordenou Cordelia.

Brendan-zumbi olhou para cima, abriu a boca, e o pássaro escapou, fugindo pelo buraco no teto.

Eleanor, sem dúvida, teria continuado onde estava, chorando e incapaz de se mover, até o instante que os soldados da Guarda Nacional (que naquele momento arrombavam a porta da frente) chegassem lá em cima a fim de encontrá-los. Mas o berro de gelar o sangue que a irmã soltou trouxe Eleanor de volta à realidade.

CAPÍTULO 28

Eleanor se virou para dar de cara com o Rei da Tempestade. Não a versão zumbi em pleno processo de decomposição, mas um Rei da Tempestade muito *vivo*. O Rei alçou voo em direção ao teto, braços estendidos nas laterais do corpo. Seu rosto tinha voltado a ser aquela mesma massa cinzenta horrenda e enrugada que tinha sido no dia em que morrera.

Abriu um sorriso largo para ela, que a deixou enjoada. Os dentes, amarelos e tortos, reluziram sob a luz do sol da manhã que filtrava pelo buraco imenso no teto do sótão acima dele.

— Olá, querida — cumprimentou. — A aparência de Brendan deu uma mudada. Prefiro este visual. Feiura gera medo nos outros. Medo gera poder. Meu... como devo dizer... rosto *inconfundível* com certeza me abriu muitas portas.

Em vez de gritar de terror como Cordelia ou recuar a fim de se afastar do monstro diante de si, Eleanor, surpreendentemente, sorriu.

— Deu certo! — exclamou em triunfo. — O meu plano deu certo de verdade!

Cordelia tinha se levantado, pronta para atacar o Rei da Tempestade antes que fizesse qualquer mal a Eleanor. Mas agora estava parada, boquiaberta diante do rosto sorridente da irmã mais nova. *Claro!* Cordelia queria se estapear por não ter pensado naquilo antes.

Com as várias fissuras se abrindo entre o mundo dos livros e o real, parte da magia da Mansão Kristoff no primeiro tinha sido transferida para o segundo. No mundo de ficção, esqueletos trazidos para o sótão voltavam à vida. E o corpo do Rei da Tempestade era pouco mais que um esqueleto recoberto por tiras esparsas de pele murcha.

Eleanor era um gênio!

— Precisamos da sua ajuda! — exclamou Cordelia para o homem no instante em que os sons das tropas da Guarda Nacional arrombando a porta reverberaram pelos pisos abaixo deles.

O Rei virou-se, os olhos arregalados.

— Sei bem o que está acontecendo — disse, a ameaça em geral pouco velada na voz surpreendentemente amainada. — É minha magia. Desde a minha morte *prematura*, se enfraqueceu. Meu mundo fictício e o real estão colidindo. Jamais deveria tê-lo criado, para começo de conversa... Havia locais melhores para esconder aquele maldito *Livro da perdição e do desejo*. Talvez o próprio lugar onde o encontramos primeiro...

— A gente não tem tempo para isso — suplicou Cordelia. — Todo mundo comete erros, a gente entende. Mas como damos um jeito nesta situação agora?

— O Gordo Jagger morreu — disse Eleanor, e acrescentou, apontando para o outro lado do cômodo: — O Brendan virou zumbi e mordeu a Délia, que deve ter uns três minutos de vida antes de se juntar a ele! A gente consegue desfazer isso? Por favor...

A súplica saiu como um gemido, aquela recente confiança que a menina encontrara já murchando. Afinal, era uma possibilidade absolutamente plausível que o Rei da Tempestade não oferecesse respostas. A morte de Gordo Jagger, o novo apetite de Brendan por carne humana, a transformação inevitável de Cordelia, toda a destruição que Jagger causara por acidente tentando levá-los até ali... Pensar em tudo aquilo era mais do que Eleanor podia suportar.

— *Posso* salvá-los — garantiu o Rei, quase como se lesse a mente da menina. — *Podemos* salvá-los todos. Podemos lacrar os dois mundos, afastá-los um do outro para sempre e desfazer o estrago que foi feito. Existe uma espécie de trava de segurança que criei quando estruturei meu mundo imaginário. Sempre deixo uma rota de fuga disponível, uma maneira de reverter os efeitos de qualquer feitiço ou fabricação mágica. É a primeira regra dos Guardiões do Conhecimento. Magia alguma deve ser permanente.

Enquanto falava, foi flutuando até o corpo de Brendan e o suspendeu com facilidade para colocá-lo no ombro, contradizendo a aparência frágil do próprio corpo decrépito. Jogado por cima do ombro do Rei da Tempestade, Brendan tentava mordiscar as costas do velhote, as duas fileiras de dentes batendo com agressividade uma na outra.

Ouviram as tropas da Guarda Nacional no corredor logo abaixo deles, fazendo sua busca pelo segundo andar da casa. Seria questão de minutos até que os descobrissem no sótão.

O Rei da Tempestade carregou Brendan até a extremidade mais afastada do cômodo, pouco depois das escadas dobráveis. Encostou a mão na parede e murmurou uma série de palavras baixinho:

— *In nomine Domini rex aperto tempestas.*

Um pedaço da parede desapareceu de repente, abrindo uma porta para as passagens secretas que existiam dentro da Mansão Kristoff. O homem se virou para encarar Cordelia e Eleanor. Os olhos chamejando como se estivessem incendiados, sua intensidade forçando as irmãs a desviar o olhar.

— Sigam-me — ordenou e desapareceu dentro do corredor escuro com Brendan ainda atirado por cima do ombro.

Eleanor e Cordelia se entreolharam antes de cautelosamente acompanharem o Rei da Tempestade. Ao entrar na passagem, Cordelia olhou para o braço direito. A pele que ia da mão ao cotovelo tinha começado a adquirir uma tonalidade pálida de verde e aparência pútrida. Uma dor de cabeça que aumentava a cada segundo pulsava na parte de trás do crânio, dificultando sua concentração.

Estava claro que não lhe restava muito tempo.

CAPÍTULO 29

O Rei da Tempestade falava depressa enquanto as guiava pelo labirinto de passagens, iluminado por um macabro brilho esverdeado.

— Não temos muito tempo — afirmou. — Se não chegarmos logo à câmara, você e seu irmão passarão o restante da eternidade como mortos-vivos. Precisamos levá-los para dentro dos livros o mais rápido possível.

— Para dentro dos livros? — repetiu Cordelia. — A gente tem que voltar?

— Tem — sibilou ele, acelerando pelo interminável aglomerado de corredores de pedra.

— Mas por quê?

— Há três itens encantados escondidos dentro daquele mundo, itens chamados *Protetores de Mundo*.

— O que é isso? — indagou Eleanor.

— Não passam de meros objetos — respondeu o Rei. — Mas objetos que, quando usados em conjunto, agem como uma *chave* entre os dois mundos. Devem ser recuperados e levados até meu irmão Eugene, em Tinz. Ele pode ajudá-los a chegar à Porta dos Caminhos. Se os três Protetores de Mundo fizerem a travessia pelo portal no *exato mesmo instante*, vão agir como mecanismos de tranca, isolando os dois mundos de forma permanente.

— Espera, você disse *irmão* Eugene? — indagou Cordelia.

Nunca soubera da existência de um irmão. Com certeza, tinha que já estar morto àquela altura; fora apenas graças à magia que Denver sobrevivera tantos anos mais do que deveria.

— Sim, meu irmão mora em Tinz faz décadas — respondeu o Rei. — Não há tempo para maiores explicações, mas depois de vocês encontrarem os Protetores de Mundo, devem levá-los a Eugene. Ele os ajudará daí em diante.

— Por que você não vem com a gente de uma vez? — inquiriu Eleanor.

— Não posso mais voltar — revelou ele. — As mesmas forças que encarceraram Dahlia dentro do mundo dos livros me mantêm do lado de fora. Tenho quase certeza de que o motivo para isso tem alguma conexão com a minha morte. Mas basta de conversa fiada, temos que correr!

Eleanor e Cordelia se entreolharam, mas não tinham tempo de interrogá-lo com mais profundidade. Deram-se conta, de súbito, de que haviam entrado em uma pequena câmara. Nem uma nem outra se lembrava de ter passado por porta alguma, e o espaço parecia não ter saída de quaisquer dos lados.

— Como chegamos aqui? — indagou Cordelia ao olhar ao redor da caverna.

Denver Kristoff não ofereceu resposta e entoou outro feitiço baixinho enquanto uma série de tochas ao redor do cômodo se acendia com chamas azuis bruxuleantes que quase pareciam líquidas. A câmara tinha o tamanho de um quarto grande. As paredes pareciam ser feitas de pedra, apesar de supostamente existirem dentro de uma antiga casa vitoriana. Prateleiras feitas de osso polido ocupavam as paredes, suportando, cada uma, duas fileiras de livros encadernados em couro que pareciam ter muito mais idade do que o rosto desfigurado de Denver. Uma pequena escrivaninha ficava encostada contra a parede central, também feita de ossos. Mas não quaisquer ossos; a mesa parecia ter sido inteiramente construída de crânios humanos, os topos de dúzias deles criando uma superfície surpreendentemente lisa.

— *Eeecaaa* — exclamou Eleanor, estremecendo.

— Que... grotesco — murmurou Cordelia.

— Nem tanto — discordou o Rei da Tempestade. — São as cabeças dos meus antigos irmãos de fraternidade. Sempre fico com os olhos marejados quando vejo os crânios sorridentes de Winston, Charles, Xavier... e Henry, claro, com aquela janelinha adorável entre os dentes da frente... Ó, Céus. Não posso me emocionar. Há trabalho a fazer!

O Rei da Tempestade atirou Brendan sobre a mesa com pouco cuidado. O menino grunhiu e rangeu os dentes.

— Toma cuidado! — repreendeu Cordelia.

— Ele já está morto, menina! Uns machucadinhos a mais não vão lhe fazer mal... Já dá até para ver através do tronco dele! — vociferou o outro, os olhos ainda ardentes.

Cordelia se encolheu toda, não querendo enfurecê-lo mais. Aquele louco idoso e demente havia, de alguma forma, se tornado sua única esperança.

O Rei da Tempestade levou a mão ao maxilar inferior de um dos esqueletos que formavam a escrivaninha. Puxou-o para baixo, e uma pequena gaveta feita apenas de mandíbulas se abriu próxima à base do móvel.

— Fiquem com isso — disse ele, virando-se.

Entregou a Cordelia um livro fino. Era do tamanho de um romance curto, mas encadernado com aquele mesmo tipo de couro marrom-claro de superfície áspera e quebradiça. Tinha uma textura perturbadora que ela não conseguia identificar, mas suspeitava ser pele humana ressecada. A capa tinha algumas palavras gravadas à mão em tinta marrom, cujo aspecto lembrava muito sangue seco: *Diário de magia e tecnologia de Denver Kristoff*.

— Está tudo explicado aí dentro — afirmou ele. — Cada detalhe de minha magia, cada invenção que criei, foi tudo documentado nessas páginas. Vai ajudá-los a encontrar os Protetores de Mundo e atravessar com eles pela Porta dos Caminhos. Não será fácil. Mas se vocês conseguirem, vão reverter todo o estrago que foi feito aqui hoje. Compreenderam?

Cordelia fez que sim com a cabeça. Estava apavorada, nervosa e transbordando de interrogações. Eleanor olhou para o corpo moribundo de Brendan e assentiu também. Odiava a ideia de confiar no Rei da Tempestade, mas, àquela altura, já não tinham escolha.

— Vocês não podem permitir que Dahlia coloque as mãos nem no Diário, nem nos Protetores de Mundo — continuou o feiticeiro. — Ela vai estar lá, à espreita, cheia de truques. Pode ser que sequer apareça em sua forma original, portanto, tenham cautela e escolham bem em quem vão confiar. Ela não sabe onde os Protetores estão, mas não tenho dúvida de que pode sentir o poder deles, e não teria nenhum problema em usá-los para fazer algo maligno. Se Dahlia se apossar de qualquer um antes de vocês, tudo estará perdido. Protejam os três e o diário com suas vidas. E fiquem longe de Dahlia.

— Pode acreditar, a gente não quer chegar nem perto daquela criatura horrenda — garantiu Eleanor. Cordelia concordou com a cabeça. Brendan soltou alguns gemidos e bateu os dentes com um grunhido baixo.

— Cuidado com a língua — rosnou o Rei da Tempestade em defesa da mulher. — Ela fez muitas coisas tenebrosas, mas ainda é minha filha, sangue do meu sangue.

— A antiga Dahlia não existe mais — contra-argumentou Cordelia. — Tudo o que restou é a Bruxa do Vento, a monstra depravada e sem alma que *matou o próprio pai e depois riu do que fez!* Como você pode esquecer uma coisa dessas?

— Você não é mãe — retrucou o feiticeiro, lágrimas subindo pelos cantos das pálpebras caídas e amareladas. — Não entende. Dahlia não foi sempre assim. Já foi uma alma gentil, tão generosa, tão cheia de vida. Amava a natureza e a vida selvagem. Pelo menos uma vez ao mês, voltava para casa com um pombinho ou pisco com a asa ou pé quebrados, protegido dentro do bolso de seu vestido amarelo predileto. E cuidava das pobres criaturas até recuperarem a saúde. Não importava quantas vezes a mãe a proibisse de trazer aves para casa, ela nunca ouvia. Sempre teve gênio forte, mas era generosa e cuidadosa com os outros; sempre encontrava e admirava a beleza neste mundo... e também nos outros seres vivos.

— Grande coisa! — berrou Cordelia. — Isso aí não é nada comparado à dor e ao sofrimento que ela causou a tanta gente.

— Sei que ela se tornou um monstro — admitiu o homem. — Mas creio que toda a bondade que ela um dia teve em seu coração, na alma, continua lá, escondida em algum canto. Sei que a menininha não está morta e enterrada. Mas basta desta conversa. Estou começando a parecer um velho tolo sentimental. E já está mais do que na hora de vocês três voltarem ao mundo dos livros pela última vez.

Cordelia trocou um olhar com Eleanor. Jamais tinham considerado a ideia de ter que retornar. Das duas outras vezes, escaparam vivos por pouco. E mesmo os eventos acontecidos dentro daquele universo que aparentavam ser bons só tinham trazido aos Walker mais desgraça em suas vidas reais. Voltar era, na verdade, a última coisa que queriam fazer — sem contar talvez ter que beijar a carranca enrugada e depauperada do Rei da Tempestade.

Mas ambas sabiam que não tinham escolha. Assentiram devagar, Eleanor lutando para represar as lágrimas diante da realidade de ser forçada a retornar. Cordelia trincou o maxilar e disse a si mesma que faria qualquer coisa, *qualquer* coisa para salvar Brendan, Gordo Jagger e o restante da família.

O Rei abriu um sorriso largo para as duas enquanto recitava o feitiço.

Sem aviso prévio, a câmara começou a girar. Rodopiava tão depressa, que Cordelia já não podia divisar a escrivaninha de crânios nem as prateleiras de ossos. Não podia distinguir os rostos do Rei da Tempestade ou de Eleanor, tampouco o corpo de Brendan desmoronado sobre o tampo da mesa. Não conseguia enxergar nada além de borrões de chamas azuladas e paredes de concreto.

Em seguida, tudo se dissolveu em escuridão, e havia livros espalhados ao redor dela, livros girando com ela, fechando o cerco em volta da menina como se fossem uma espécie de caixão. Colidiram com seu corpo e se acoplaram a ele, grudando como se tivessem sido embebidos em cola potente.

Mais livros juntaram-se aos primeiros, saídos do negrume ao redor de Cordelia. Pareciam se fundir com a pele de seu corpo, tornando-se parte dela.

Gritou de dor, mas som algum foi emitido. O som cessara de existir, havia apenas livros, agonia e rodopios no escuro. Estava sendo muito pior do que as duas viagens anteriores para dentro do mundo fictício de Denver. Era excruciante. Mas sequer podia berrar, visto que não tinha mais boca.

Ele as enganara! Cordelia tinha certeza. Tinham docilmente seguido o Rei da Tempestade para a morte.

No instante em que aquela conclusão se cristalizou em sua mente, foi engolida por completo pelas sombras.

CAPÍTULO 30

A primeira coisa de que Cordelia tomou consciência ao acordar foi luz; luz tão forte que parecia atravessar suas pálpebras fechadas sem dificuldades. Cobriu o rosto com as mãos... E depois sorriu.

— Olha só para isso, Eleanor! — exclamou Cordelia cheia de animação, abrindo os olhos enfim. — A minha mão, está curada!

Ainda estavam no sótão da Mansão Kristoff. Com a diferença de que o buraco no teto não existia mais ali, e os raios de sol entravam pelas janelas. Estava silencioso, salvo pelo gorjeio de vários pássaros do lado de fora.

— Délia, a gente conseguiu — respondeu a menina, correndo para abraçar a irmã mais velha. Mas parou de súbito. — Onde está o Bren?

As duas se viraram e olharam ao redor do sótão. Em um canto, Brendan continuava amarrado tal qual um porco ou cabrito, rolando de um lado a outro na tentativa de se libertar.

— Por que estou todo amarrado com esses cadarços? — questionou, cuspindo algumas penas de pombo da boca. — E como foi que a gente chegou à Mansão Kristoff?

Cordelia marchou até o irmão e apontou um dedo irado para o nariz dele.

— Primeiro de tudo, quero um pedido de desculpas — exigiu.

— Pelo quê?

— Você me mordeu!

— Por que eu faria isso? — indagou Brendan.

— Você tinha virado zumbi! Não está lembrado?

— Para falar a verdade, não estou — admitiu o menino, agora fascinado. — Mas que irado! Os meus olhos ficaram brancos e bizarros? A minha pele ficou verde? Eu estava muito medonho? Rosnei bastante?

— Quem se importa! Você queria comer a gente.

Brendan fez que ia vomitar.

— Ok, isso é bem desagradável — disse.

Eleanor correu até o irmão mais velho e lhe deu um abraço.

— Já fico superfeliz só de você não estar mais verde — disse. — Tinha ficado bem nojentinho.

Enquanto Eleanor ajudava o irmão a desatar os nós que prendiam os pés, Cordelia explicou todo o acontecido depois da mordida de zumbi. Quando contou que ele tinha sido atingido por três disparos no peito feitos por um helicóptero de ataque, Brendan deu um soco no ar.

— Está de sacanagem! A galera do colégio vai pirar quando ficar sabendo — comemorou. — Mas então, onde a gente está? Na Transilvânia? Num vulcão? Em que livro horroroso a gente acabou caindo desta vez?

Não ficou esperando pela resposta, foi correndo até a janela mais próxima a fim de ver por si mesmo. Com base em experiências passadas, pensar no que poderia encontrar lá fora o enchia de nervosismo. Segundos depois, girou nos calcanhares com um sorriso de orelha a orelha no rosto.

— Galera, vem dar uma olhada nisso — chamou. — A gente ganhou na loteria. Não tem floresta transbordando com Guerreiros Selvagens, nem insetos supercrescidos, gigantes em guerra, lobos sedentos por sangue; não tem coliseu cheio de leões e gladiadores, não tem nada de assustador!

O mesmo pensamento ocorreu a Eleanor e Cordelia ao se apressarem para chegar até a janela: *era bom demais para ser verdade!*

Mas aquele cenário *era, sim,* de fato diferente. Quando as meninas espiaram o que havia no lado de fora, viram as mesmas coisas: uma ampla pradaria sob um céu azul-claro. Os campos de grama e filetes de aveia e ervas selvagens, salpicados por faixas de flores amarelas, azuis e roxas aqui e ali, pareciam estender-se para sempre diante deles. Jamais tinham visto uma extensão de grama tão vasta antes.

— Insano, não é? — exclamou Brendan atrás das irmãs. — Estou até começando a me perguntar se Denver chegou a escrever uma imitação de *Os pioneiros* ou coisa do tipo.

Cordelia se afastou da janela.

— Denver nunca escreveu sobre nada que fosse nem remotamente agradável — garantiu. — É melhor a gente descer e ver que coisas grotescas estão à espreita por trás dessa paisagem linda.

— Então, é bom vocês me contarem o que aconteceu depois de eu virar zumbi — comentou Brendan, tomando a dianteira quando o trio começou a descer a escada do sótão. — *Por que* voltamos para o mundo dos livros, afinal de contas?

Cordelia lembrou que Brendan estivera fora do ar durante a maior parte do suplício que enfrentaram. Não tinha lembranças de que o Rei da Tempestade voltara à vida, nem da missão que tinham recebido de recuperar os Protetores de Mundo, nada daquilo. Então, enquanto iam até o saguão da Mansão Kristoff, a menina explicou tudo que tinha se passado enquanto o irmão estava zumbificado.

— Mas o Rei da Tempestade disse mesmo que a gente pode salvar o Gordo Jagger? — indagou Brendan quando chegaram à sala de estar. — Que encontrando esses tais Protetores de Mundo e passando com eles pela Porta dos Caminhos... a gente vai conseguir desfazer todo aquele caos horrível que o pessoal do mundo dos livros criou no real? Inclusive o, hum, vocês sabem, né, o apocalipse zumbi que comecei sem querer?

— É, foi isso que ele disse — respondeu Cordelia, a incerteza transparecendo. — Supostamente tudo de que a gente precisa saber está bem aqui.

A garota ergueu o *Diário de magia e tecnologia*. Brendan estendeu a mão para pegá-lo, mas a irmã o puxou de volta para si por reflexo. Já meio que tinha se outorgado o papel de pesquisadora e líder oficial da missão: era a melhor naquele tipo de coisa. Era assim mesmo que tudo costumava se desenrolar, até para as questões mais insignificantes, como pedir uma pizza pelo delivery quando os pais estavam fora da cidade. Era ela quem sempre tomava as rédeas, e os outros nunca pareciam se incomodar.

Em vez de protestar, Brendan soltou um suspiro.

— O que convenceu você de que a gente pode confiar no Rei da Tempestade? — indagou ele com certa desconfiança. — Aquele saco velho de estrume nunca foi o que se possa chamar de prestativo antes.

— Não sei se *dá* pra confiar *completamente* nele — ressalvou Cordelia. — Mas a gente não tinha muita opção. Aliás, ainda não tem... Ainda mais agora que já estamos os três aqui.

— Ele disse que a gente vai poder salvar o Gordo Jagger! — lembrou Eleanor.

— Eu não acho que o Denver ia querer que os dois mundos coexistissem, não acho mesmo — acrescentou Cordelia. — Por que iria? Só ia acabar em destruição, principalmente para os amados personagens dele, suas criações.

Brendan não levava muita fé naquele argumento. Mas ainda que o feiticeiro estivesse mentindo, viver naquele universo, por ora, estava se provando muito melhor do que no caos do mundo real. Afinal, tinha tecnicamente morrido lá.

— Bom, vamos sair e ver onde estamos — sugeriu ele, respirando fundo ao estender a mão para a maçaneta.

Mas antes mesmo de chegar a tocá-la, alguém começou a dar pancadas violentas do outro lado da porta, com tanta agressividade que quase pareciam disparos de um revólver. Brendan se retraiu, os olhos arregalados.

— Sabemos que estão aí dentro! — gritou uma voz da varanda enquanto um punho batia à porta outra vez. — Agora saiam, ou começaremos a mandar bala!

Os três Walker trocaram olhares apavorados, sem saber o que fazer.

— Sabia que era bom demais para ser verdade — murmurou Cordelia.

CAPÍTULO 31

O som de travas de armas de fogo sendo desarmadas do outro lado da porta fez com que Cordelia entrasse em ação. Foi avançando de maneira furtiva e abriu uma frestinha de cortina com toda a delicadeza.

Parados na varanda da frente encontravam-se três homens de chapéu de caubói e distintivos dourados reluzentes. Dois deles trajavam camisas de flanela e empunhavam rifles Winchester. O homem no centro estava vestido com um enorme casacão feito de pele cinza e tinha um revólver Colt com coronha de madrepérola na mão direita.

Cordelia se virou para Brendan.

— Parecem homens da lei, então vou tentar conversar com eles de modo civilizado — sussurrou ela. — Você leva a Nell para se esconderem na despensa da cozinha.

— Não — protestou o menino. — Você vai com Nell. Eu tenho lábia, sei me virar nessas situações.

— Aquelas pessoas lá fora são caubóis — retorquiu a irmã mais velha. — Do faroeste. Os homens dessa época eram todos machões, o que significa que outros homens só eram vistos como ameaça. Mas o ponto fraco deles são as garotas e a vontade que eles têm de tratá-las com o devido respeito... Como damas. Eu tenho mais chance de me dar bem com eles.

— Mas... — começou Brendan, pouco à vontade com o plano de deixar a irmã ser a heroína do dia enquanto ele próprio se escondia como um covarde. Onde estava a glória naquilo? Mas era mais do que isso: simplesmente não conseguia engolir a ideia de deixar uma das irmãs sozinha para enfrentar homens armados.

— Não dá tempo de discutir — interrompeu-o Cordelia. — Vai agora!

Brendan sabia que ela tinha razão. Pegou a mão de Eleanor e seguiram juntos para a cozinha. Ouviu Cordelia gritar para os intrusos desconhecidos no instante em que fechava a porta da despensa.

— Vou abrir — anunciou ela. — Não atirem, sou uma dama desarmada!

Cordelia abriu a porta da frente devagar e recuou vários passos. Os homens irromperam saguão adentro com as armas em punho. O homem de casaco de pele apontou o revólver para o rosto da menina sem cerimônia alguma.

— Onde ele está? — exigiu saber.

— Ele quem? — indagou Cordelia, tentando manter a voz firme.

— O criminoso letal que atende pelo nome de Canhotinho Payne — respondeu o estranho.

— Canhotinho Payne? — repetiu a adolescente. — Nunca ouvi falar.

— Ele se chama Canhotinho porque só tem um braço, o direito — explicou o homem. — Mas não deixe que isso a engane, é quatro vezes mais mortal do que a maioria dos homens com dois. É um fora da lei procurado por ter cometido pelo menos catorze homicídios injustificados. E sabemos que está escondido aqui.

Cordelia esforçou-se ao máximo para parecer indignada. Como se aquela casa no meio da pradaria fosse seu lugar de direito.

— Bom, espero sinceramente que o senhor consiga pegá-lo — afirmou. — Mas não tem mais ninguém aqui além de mim. Além do mais, o senhor não tem o direito de chegar invadindo a minha casa deste jeito!

— *Eu* não tenho o direito? — repetiu ele como se fosse o Rei da Pradaria. — Você não sabe quem eu sou?

— Receio que não.

— Xerife Burton Abernathy — anunciou o homem, com uma pausa para se empertigar e tentar se fazer mais majestoso.

O rosto de Cordelia permaneceu impassível. O xerife Abernathy começou a ficar claramente agitado.

— Então? — gritou, enfim. — Nunca ouviu falar de mim?

A menina balançou a cabeça em negativa.

— Me chamam de Caça-Lobos — explicou o xerife. — Você deve me conhecer por esse nome, então! Já capturei mais de cento e cinquenta lobos à unha.

— Como é que se captura lobos à unha? — indagou Cordelia, incapaz de reprimir a pergunta. Quando um louco desconhecido de casaco de pele alega ter capturado centenas de lobos desarmado, maiores questionamentos são necessários. É uma lei científica comprovada e incontornável, como a gravidade e a fotossíntese, ou as mudanças climáticas e a evolução.

O Caça-Lobos levantou a mão direita, permitindo que a manga do casaco deslizasse para baixo e revelasse um antebraço musculoso recoberto de cortes e cicatrizes.

— Enfiando este braço pela goela deles abaixo! — explicou, triunfante. — Não deixa que me mordam.

— Que... *macabro* — respondeu Cordelia, fitando as marcas antigas no braço do homem com desconfiança.

Mesmo tendo declarado ser xerife, com um distintivo corroborando a história, a intuição da menina lhe dizia que não era confiável.

O xerife Abernathy olhou ao redor da casa pela primeira vez. A mobília, quadros e iluminação relativamente modernos pareceram deixá-lo um pouco inquieto. O estranho estilo do lugar o deixou ainda mais desconfiado e raivoso do que estivera ao chegar. Empurrou a arma para perto do rosto de Cordelia outra vez, quase enfiando o cano pela narina da menina adentro.

— Se importa se o meu pessoal fizer uma busca? — indagou.

— *Me importo,* quero vocês fora daqui — respondeu ela, surpresa pela própria atitude desafiadora diante daquele louco.

O som de uma tossida baixa foi carregado da cozinha até o saguão. As cabeças dos três homens viraram para aquela direção e depois outra vez para Cordelia.

— Achei que você tivesse dito que tava sozinha — disse um dos capangas.

— Não, que ela *estava* sozinha, oficial Sturgis — corrigiu o xerife.

— É, que seja, ela entendeu — disse o outro com um sorriso ameaçador.

— Sabe, senhoritazinha — começou Abernathy. — Mentir para um agente da lei é uma infração criminosa. Com pena de morte.

Cordelia tinha quase certeza de que aquilo não podia ser verdade. Mas, por outro lado, a lei do Velho Oeste era muito distinta da legislação moderna que estudara em educação cívica no ano anterior, uma vez que xerifes de territórios que sequer tinham se tornado estados ainda podiam criar as próprias leis à medida que as situações iam surgindo. Havia juízes conhecidos por esse tipo de atitude no Velho Oeste. Juízes que atuavam como xerifes, júri e verdugos ao mesmo tempo.

— Não menti — afirmou Cordelia, a voz trêmula. — Não tem mais ninguém aqui além de mim.

— Está *mentindo* de novo — declarou Abernathy com um sorriso maldoso. — Já são duas ofensas cometidas. O que significa que podemos executar sua sentença de morte imediatamente e com violência liberada. Homens, preparem as armas. Atirem ao meu comando.

— *Num vamo* nem chegar a prender a garota primeiro? — inquiriu um dos capangas.

— Não, assistente McCoy — respondeu o xerife —, *não vamos* prender a garota primeiro. Não há tempo; temos que continuar a busca pelo Canhotinho Payne, ou o homem escapa mais uma vez. Fora isso, fazer prisões gera papelada, e você sabe como odeio papelada. Agora, recarreguem os rifles se precisarem. Atiramos no três.

O trio ergueu as armas e as apontou para Cordelia. Ela não podia acreditar que aquela situação tinha saído de controle tão depressa. A única esperança que lhe restava agora era de que Eleanor e Brendan estivessem ocupados encontrando uma maneira de se salvarem.

— Um — começou a contar o xerife Abernathy. — Dois...

— Espera um segundinho aí — pediu McCoy, abaixando o rifle. — Atirar em homem desarmado é uma coisa, mas em mulher desarmada? Bom, parece uma atitude bem pouco honrada mesmo. E eu ia passar o resto dos meus dias carregando uma culpa das grandes. Agora, Sturgis e eu somos farinha do mesmo saco, iguaiszinhos. Por que sou eu quem tem que meter bala na garotinha?

— Até que ele tem razão — concordou Sturgis. — Também *num* quero ter que puxar o gatilho, não...

— *Não* quero — corrigiu o xerife.

— Ela me lembra a minha menininha — comentou Sturgis. — Mas alguém aqui vai ter que fazer o trabalho sujo. Lei é lei e tudo o mais, e ela cometeu um crime. Quem sabe nós não *pode* votar para decidir?

— Ideia batuta, essa! — exclamou McCoy. — Porque, sabe como é, tem três de nós, aí não pode terminar em empate nem nada.

— Não vai ter votação nenhuma! — gritou o xerife Abernathy, silenciando os dois homens. — Também não importa! Eu mesmo atiro!

O xerife levantou a Colt e apontou para Cordelia mais uma vez. Girou o tambor. Desta vez não haveria contagem regressiva. A menina fechou os olhos e rezou para que tudo se desenrolasse depressa.

— Ei, patifes! — gritou alguém atrás deles.

Os três homens giraram nos calcanhares e ficaram cara a cara com duas crianças. A menor deu um passo à frente. Não podia ter mais que oito ou nove anos. Apontou uma faquinha para legumes de lâmina laranja para eles.

— Larguem as armas — rosnou.

Cordelia sorriu ao avistar Brendan e Eleanor empertigados, ombro com ombro, empunhando suas "armas" de maneira tão ameaçadora quanto possível. Seu leque de opções, claro, tinha sido bastante limitado, uma vez que os homens da mudança já tinham transferido a maior parte dos itens da casa para o novo apartamento na noite anterior.

Eleanor empunhava uma faquinha laranja que tinha sido deixada para trás, esquecida nos fundos de uma gaveta agora vazia. E Brendan segurava um aspirador de pó portátil. Tinha o cabo longo com um botão vermelho; o corpo era comprido e de uma cor roxa chamativa, com a mangueira para aspirar estendendo-se da extremidade. Na opinião de Brendan, quase parecia uma espécie de híbrido de rifle e laser saído de uma história de ficção científica. Era um aparelho estranho, até mesmo para os padrões modernos, de modo que o menino estava torcendo para que parecesse mais perigoso do que de fato era.

Os três homens fitaram os Walker em choque durante vários segundos, os queixos caídos. Um caroço molenga de tabaco preto escorregou do lábio inferior de McCoy e caiu no chão com um ruído molhado e baixo.

Foi então que o xerife começou a rir. Era mais uma série de risadinhas agudas histéricas do que uma gargalhada. O que fez com que os assistentes seguissem seu exemplo. Os três ficaram lá, rindo de Brendan e Eleanor por um período de tempo constrangedoramente longo.

A surpresa de Eleanor foi tão grande que a menina abaixou a faca, esquecendo-se por um instante do perigo inerente da situação. Ainda que fosse uma alternativa melhor aos homens terem apenas apontado as armas e disparado, era humilhante ser alvo de risadas tão descaradas.

Os Walker não podiam ter pedido por uma distração melhor. Mas Brendan e Eleanor haviam ficado estarrecidos demais para aproveitá-la.

Já era tarde para as crianças quando os três homens enfim voltaram à realidade e levantaram as armas.

— Pode tentar atacar o quanto quiser, fedelha — disse McCoy, avançando para ela, um fio de saliva preta do tabaco que caíra ao chão manchando seu queixo. — Mas aposto um trocado que a bala do meu rifle aqui corre muito mais rápido do que você.

Levantou a arma e apontou para Eleanor. Ela deixou a faquinha cair e deu um passo para trás. O homem abaixou o braço ligeiramente, parecendo não ter certeza de que tinha coragem o suficiente para atirar em uma garotinha desarmada.

Foi aí que Brendan aproveitou a oportunidade. Acionou o botão do aspirador e escolheu o modo turbo na parte de trás do cabo.

O som do aparelho rugindo arrancou um gritinho assustado de McCoy, fazendo com que derrubasse o rifle no chão com um baque metálico. Os outros dois recuaram um passo por instinto. O pé do xerife Abernathy se enganchou no tapete do saguão, e o homem caiu com um grunhido, plantando o traseiro no chão.

Brendan investiu e pressionou a mangueira contra a bochecha de McCoy quando o assistente tentou recuperar a arma caída. O aspirador se fixou à pele flácida com uma força de sucção surpreendente.

Ele gritou de terror. Jamais ouvira ou sentira algo daquele tipo, e estava apavorado demais para se dar conta de que não chegava a doer. O medo o tinha dominado, e ele berrava, descontrolado.

Sturgis e Abernathy assistiam em choque enquanto o menino infligia dor inimaginável ao assistente McCoy com aquele estranho instrumento de tortura. Giraram nos calcanhares calçados de botas e irromperam porta afora sem pensar duas vezes.

Cordelia avançou para McCoy, que ainda gritava. Deu um encontrão no peito do homem com seu ombro, da maneira como vira Brendan fazer em inúmeras partidas de lacrosse ao longo dos anos. O assistente foi atirado para trás e tombou no chão. Pegou o rifle, levantou-se depressa e correu para a porta atrás dos dois camaradas.

Brendan não perdeu tempo em fechá-la. Usou as três trancas e depois espiou para fora da janela. O trio já estava montado em seus cavalos, galopando para longe da casa como se estivesse em uma corrida de velocidade, competindo com as próprias sombras.

O garoto girou e viu Cordelia praticamente sufocando Eleanor com seus abraços.

— Obrigada por me salvar! — dizia. — Foi tão corajoso!

Brendan tossiu em alto e bom som várias vezes até Cordelia virar os olhos para ele.

— Você sabe que eu tive uma participação considerável na coisa toda também, né? — disse, inflando o peito.

— Ah, Brendanzinho, está se sentindo excluído? — indagou Cordelia como se estivesse falando com um bebezinho. — Então vem, dá um abraço aqui na irmã!

Abriu os braços e correu para Brendan. Ele deu um passo para o lado e girou para evitar a irmã, mas tinha um sorriso nos lábios.

— Um simples "valeu" já está bom. Não precisa vir com sentimentalismo pra cima de mim.

— Anda, dá um abraço nas suas irmãs! — disse Eleanor, movendo-se para cercar Brendan pelo outro lado. — Sanduíche de Walker!

Cordelia costumava fazer aquilo com o irmão com frequência quando tinham oito e cinco anos, respectivamente. Ela o perseguia pela casa inteira, ameaçando-o com muitos abraços. Brendan corria, afetando terror, mas estava sempre rindo durante toda a perseguição. Eleanor tentava engatinhar sem muita perícia atrás dos dois, já sentindo-se de fora mesmo quando ainda não passava de uma criancinha de colo. Mais tarde, quando já tinha tamanho para se juntar aos dois, ambas as irmãs se lançavam atrás de Brendan, batizando a manobra de Sanduíche de Walker.

Por um momento, os três irmãos se viram parados na sala de estar da Mansão Kristoff, perdidos no meio de uma pradaria fictícia do século XIX, com sorrisos largos no rosto. Estavam recordando uma época mais simples e feliz, antes de estarem sempre a um passo de serem mortos a tiro por algum xerife caubói psicopata, estripados por algum capitão pirata psicopata, ou dados como refeição a leões por algum imperador romano psicopata.

A vida tinha de fato mudado para a família Walker desde aqueles tempos, quando a maior ameaça era um Sanduíche de Walker.

— Bom, e agora? — indagou Brendan, desmoronando no sofá da sala minutos depois.

— Estou com fome — reclamou Eleanor, recolhendo as pernas e sentando-se sobre elas na cadeira à frente do irmão. — E sede.

— Idem — respondeu ele. — Queria ter comido um pouco daquela carne toda que a gente comprou para o Gordo Jagger.

À menção do nome do melhor amigo morto, Eleanor olhou para baixo e mordeu o lábio para não chorar. Por alguns segundos, esqueceu a fome.

— Bom, vou começar a ler isto — disse Cordelia, mostrando o *Diário de magia e tecnologia de Denver Kristoff.* — Caso vocês tenham esquecido, precisamos achar aqueles três Protetores de Mundo. E, até o momento, não fazemos a menor ideia do que são, de onde estão nem de como encontrá-los. A menos que você tenha uma ideia melhor, Bren?

O menino deu de ombros. Claro que não. Não era ele quem tinha as boas ideias, nunca. Tirar da cartola pequenos shows de comédia improvisados e performances lendárias de antigos clássicos musicais da década de 1980? Claro, era com ele mesmo. Saber o momento perfeito para soltar pum em público e depois dizer em voz alta que fora Cordelia quando as pessoas enfim sentissem o cheiro? Brendan também era bom naquilo. Mas era a irmã mais velha quem tinha talento para tomar a liderança e arquitetar planos. Não era ele quem ia atrapalhar.

— Hum, Bren? — chamou Cordelia.

— O quê? — perguntou ele. — Estou pensando, está bem? Você acha que passar aspirador de pó na cara de um caubói não acaba com as reservas de energia das pessoas, não?

Cordelia sorriu, revirou os olhos e começou a folhear as páginas do *Diário* de Denver, tentando dar uma lida nelas com a maior velocidade possível. O que se provou muito mais difícil do que ela suspeitara. A letra era pequena, compacta e desnecessariamente elaborada. Tornava quase impossível uma leitura dinâmica.

Mas aos poucos foi ficando mais fácil, à medida que Cordelia ia identificando a maneira como Denver formava as letras e combinava as palavras mais comuns. E a menina acabou conseguindo fazer várias descobertas significativas: primeiro, que Denver criara aquele universo mágico de seus livros a fim de ocultar o *Livro da perdição e do desejo*. Tinha pensado que seria a mesma coisa que sumir com ele, mas com a vantagem de que aquilo permitiria que o recuperasse caso viesse a precisar dele mais uma vez. Fora isso, Denver sempre suspeitara que viagens frequentes entre os dois mundos pudessem começar a corromper a magia por trás de tudo. Os Walker, Will Draper, a Bruxa do Vento e artefatos como o mapa do tesouro nazista nunca deveriam ter feito tantas travessias quanto fizeram. E foi provavelmente por isso que Gordo Jagger e a besta gelada acabaram em São Francisco.

Cordelia tinha decifrado apenas algumas páginas do *Diário*; havia muito mais a ser revelado, muitos detalhes dentro daquele livrinho que os ajudariam a lidar com aquele problemão. Tinha acabado de encontrar a seção que falava sobre os Protetores de Mundo quando os gritos horrorizados de Eleanor arrancaram sua atenção das páginas.

— Délia! — exclamou a menina.

— Não me interrompe assim — repreendeu a irmã. — Estou aqui tentando me concentrar...

— Os seus olhos! — berrou Eleanor.

Cordelia olhou para cima, confusa. Não sentia nada de errado com a visão.

— O que tem eles? — indagou.

Brendan também a encarava agora, a mesma expressão de horror no rosto. Os dois se levantaram, e Cordelia sentiu um buraco se abrir no estômago, o pânico subir à garganta.

— O que é que tem? — repetiu a pergunta. — Anda, alguém me diz de uma vez!

— Os seus olhos, Délia — começou Brendan. — Estão... Estão *azuis*!

— Claro que estão! — respondeu ela. — Você levou doze anos para notar que eles *são* azuis?

Brendan se aproximou e pousou as mãos nos ombros da irmã mais velha.

— O que você está fazendo? — perguntou ela.

— Pode acreditar em mim — respondeu ele com delicadeza. — Você precisa ver isto.

Brendan a guiou até o grande espelho com moldura dourada luxuosa que ficava pendurado ao lado da lareira. Posicionou a irmã diante dele para que pudesse se olhar no reflexo.

Cordelia berrou, aterrorizada.

CAPÍTULO 35

Seus olhos estavam *completamente* azuis, de uma pálpebra à outra. Não apenas azuis, mas translúcidos e reluzentes como se fossem um lago cuja superfície solidificara-se em gelo. Era quase como se tivessem sido congelados dentro do crânio.

Cordelia parou de gritar de súbito, dando-se conta do que estava acontecendo: a Bruxa do Vento a estava possuindo naquele exato instante!

Recuou vários passos para longe de Brendan, que parecia ainda mais assustado e confuso do que antes.

— Não chega perto! — gritou ela.

— Délia, a gente só está tentando ajudar.

— É, a gente não quer machucar você — suplicou Eleanor. — Só estamos preocupados.

— A minha preocupação não é comigo — explicou Cordelia. — É com *vocês*!

— Ahn? — fez Brendan. — Sem querer ofender nem nada, Délia, mas mesmo sendo três anos mais novo do que você, praticar lacrosse durante dois me transformou em um touro feito de força pura. Na verdade, há quem diga que sou mais músculo do que homem...

Cordelia balançou a cabeça com vigor. O azul dos olhos dela já começara a desvanecer, mas o rosto continuava contorcido pelo pânico. —

Você pode até *me* vencer numa luta — interrompeu ela. — Mas a *Bruxa do Vento,* não!

— Ela entrou na sua cabeça de novo? — indagou Brendan.

A irmã fez que sim, os olhos aos poucos recuperando a coloração normal.

— Você não lembra, não? Eu e ela estamos conectadas para sempre. Foi assim que vi o que ela estava fazendo no meu sonho ontem.

— Então é que nem uma doença que pode voltar a qualquer momento? — arriscou Brendan. — Tipo o mau hálito do tio Frank?

— Infelizmente, parece que sim.

— Bom, já pode relaxar por enquanto. Os seus belos olhos azuis de todo dia já voltaram.

— Espera, você chamou os meus olhos de belos? — indagou Cordelia, sorrindo apesar da situação.

— Não! — negou Brendan depressa. — Disse... Disse... os seus *estranhos* olhos azuis.

— Enfim, a Bruxa do Vento não está mais aí dentro — interrompeu Eleanor.

— Por enquanto — acrescentou Cordelia, sombria. — Mas não posso mais ler isto. — Jogou o diário para Brendan. — Esconde esse livro bem longe de mim. De agora em diante, é você quem vai ter que ler e tomar a frente da missão.

Brendan balançou a cabeça e se recusou a aceitar o livro num primeiro momento. Não era que não quisesse ajudar ou que fosse preguiçoso demais para ler um livro, mas, no fundo, tinha medo — pura e simplesmente. Temia que, se tomasse a liderança, se fosse a pessoa a tomar todas as decisões, então também seria o responsável caso suas irmãs acabassem se ferindo. Tinha receio de acabar levando as duas direto para dentro de situações de perigo, como fizera da última vez que estiveram no mundo dos livros. Seu breve flerte com o poder na Roma antiga quase terminara com ele sendo devorado por um par de leões raivosos. O que apenas servia para aumentar sua onipresente insegurança.

— Olha, se eu ficar encarregada de ler o livro e fazer todos os planos, a Bruxa do Vento também vai ficar por dentro de tudo que estamos fazendo. — Cordelia continuou a defender seu ponto de vista. — Ela pode ver o que eu vejo. E conhece este mundo muito melhor do que nós três juntos. A gente vai estar sempre um passo atrás dela. Ela com certeza acabaria achando os Protetores antes, e aí a nossa missão iria por água abaixo... junto com o nosso mundo.

— Você tem certeza de que quer que *eu* faça tudo isso? — indagou Brendan, rezando por uma saída alternativa. — E a Nell?

— Não acho uma boa ideia — retrucou Cordelia, como se Eleanor não estivesse sentada logo ali. — Está nas suas mãos, Bren. E se você vir os meus olhos ficando azuis de novo, está proibido até de falar sobre o que leu ou descobriu. A mesma coisa vale para você, Nell.

A menina fez que sim com a cabeça, mas estava bastante magoada que Cordelia sequer tivesse considerado a hipótese de lhe dar o livro. Não era tão incapaz quanto a irmã mais velha devia acreditar que era. Tinha feito muito progresso em suas leituras recentemente.

Brendan fitou o diário antigo com apreensão, ainda tentado a repassá-lo para Cordelia como se fosse batata quente. Mas a expressão no rosto dela lhe dizia que era melhor nem tentar. Podia ver o quanto a incomodava ter que abrir mão da responsabilidade. A bem da verdade, era a última coisa que ele suspeitaria que Cordelia fosse querer fazer.

A menina estava à beira das lágrimas. Ia além do medo de que pudessem falhar sem sua ajuda e orientação — embora, sem dúvida, parte dela acreditasse que era uma possibilidade real. Sempre fora a líder; era sempre ela quem tomava a frente de tudo, de modo que Brendan e Eleanor não estavam acostumados àquele papel. Mas o que a estava incomodando de fato, deixando-a destruída por dentro, era o sentimento de impotência que se inflamara de súbito nela, a sensação de que estava sendo forçada a abandonar os irmãos. Pois a verdade era que tinha gosto pela liderança, em parte por conta de um senso de responsabilidade inato a ela de proteger os irmãos mais novos como se fosse um urso defendendo seus filhotes. Sempre se sentiu assim — como a mais velha, a segurança dos outros dois estava sempre por conta dela —, não importando se estavam na piscina pública quando eram mais novos ou em um mundo fictício encantado, enfrentando vilões sanguinários. Mas ela agora se sentia completamente impotente e incapaz de protegê-los, e nunca sentira coisa pior.

— Tudo bem, Délia — garantiu Brendan, dando-lhe tapinhas desajeitados no ombro. — A gente vai tirar isso de letra! Não é, Nell?

Eleanor não fez mais do que dar de ombros, ainda ofendida.

— Acredito em você, Bren — disse Cordelia.

— E devia mesmo — mentiu ele, tentando desesperadamente sentir aquela mesma confiança em si mesmo. — Só por cima do meu cadáver que a gente vai deixar a Bruxa do Vento atrapalhar o nosso...

Mas não chegou a terminar a frase. Pois uma voz fria e maligna atrás deles deu um fim abrupto àquela conversa.

— Alguém aí disse o meu nome? — indagou a Bruxa do Vento de onde estava no saguão da casa.

Ela flutuava atrás dos irmãos, próxima à porta da frente, ainda trancada. O rosto continuava tão horrendo quanto de praxe, a pele pútrida retesada contra o crânio como se fosse um peru de Natal mal cozido. Pairava no ar sem fazer esforço, um sorriso largo aberto para os Walker como se tentasse exibir o maior número de dentes amarelos e tortos possível.

— Não tem beijo nem abraço para a sua amada trisavó? — perguntou, abrindo os braços como se esperasse que fossem correndo para ela.

— Você não é bem-vinda aqui — disse Cordelia, baixinho.

— Pode crer — reforçou Brendan. — Volta para a sua vidinha de faz de conta miserável neste mundo de mentirinha onde nada é real.

— Veja bem, é aí que você se engana, seu menininho horroroso — disse a Bruxa, ainda com aquele mesmo sorriso torto. — Se este lugar não tem importância real nenhuma, por que vocês três pirralhos voltaram?

Os meninos trocaram olhares entre si, sem saber ao certo que mentira oferecer a ela.

— Não precisam mentir — disse a Bruxa, lendo suas expressões como se fossem placas de trânsito. — Já *sei* o que os trouxe aqui, que os fez, mais uma vez, invadir o *meu* mundo. Cordelia foi generosa o bastante para me *mostrar* enquanto lia aquele livro.

Cordelia balançou a cabeça, à beira das lágrimas. A culpa por já ter entregado de bandeja informações importantes à inimiga a corroía por dentro. Como podia não ter se dado conta do perigo mais cedo?

— Pois é, li tantas coisas interessantes enquanto via através dos olhos da Cordelia — gabou-se a feiticeira. — Mas sabem qual foi a coisa mais fascinante que fiquei sabendo?

— Qual? — indagou Brendan.

— Os *Protetores de Mundo* — revelou a Bruxa do Vento com toda a calma do universo, ainda sorrindo.

— Protetores de Mundo? — repetiu Brendan, sem convencer ninguém. — O que é isso daí? É tipo um supergoleiro?

— *Não* se faça de sonso comigo! — rosnou a mulher, e quando voou mais para perto dos três, todos se retraíram. — Eu mesma li as palavras, e estavam escritas na letra do meu pai!

— Então você sabe tanto quanto a gente — interveio Cordelia. — Caso tenha esquecido, minha leitura foi interrompida de uma maneira bem rude quando fui possuída por uma certa harpia do mal que não tem alma.

A Bruxa do Vento pareceu achar graça nos termos de Cordelia. Abaixou-se até os pés quase tocarem o chão.

— Também sei que vocês ressuscitaram papai e falaram com ele — disse, enfim. A voz ganhou um tom sério: — Como teriam conseguido voltar para cá? Mas vocês acham mesmo que deviam confiar nele? Afinal, é dele a culpa de eu ter me transformado... *nisto*. Isto tudo que está acontecendo é responsabilidade dele. O que quer que tenha dito a vocês, acham mesmo que ele só quer *ajudá-los*? Está é *usando* os três para colocar as mãos nos Protetores de Mundo e ficar com eles... E tudo faz parte de algum plano terrível. Meu pai não é confiável.

— Pode até ser verdade — concedeu Eleanor, falando pela primeira vez. — Mas como você pode esperar que a gente confie em você? Depois de tudo que fez. Tentou matar a gente da última vez!

— Argumento válido — admitiu a Bruxa. — Mas... e não é fácil para mim admitir isso... desde aquela época... a minha opinião sobre vocês mudou.

— Ela está mentindo — disse Cordelia.

— Com certeza — concordou Brendan.

— Não, é verdade — insistiu a mulher. — Fico muito solitária aqui. E acabei me apegando a vocês três. Somos todos parte da mesma *família*, no fim das contas. Odiaria vê-los morrer, o que, sem dúvida, há de acontecer se continuarem a deixar o meu pai manipulá-los. E é por isso mesmo que gostaria de propor um acordo.

— Que tipo de acordo? — indagou Eleanor.

— Nell, você não pode estar falando sério, né? — protestou Cordelia em um tom agudo. — De jeito nenhum a gente aceitaria fazer um acordo com ela, não importa o que esteja oferecendo.

— Escutar não machuca ninguém! — retrucou a irmã, em desafio. — Cansei de ficar recebendo ordem de todos os lados. Sou dona do meu nariz, sabe?

— A Nell até que tem razão nesse ponto — concordou Brendan.

Cordelia ficou parada lá, alternando o olhar entre os rostos da irmã e do irmão, sem crer no que estava ouvindo. Não havia possibilidade de firmarem qualquer espécie de acordo com a Bruxa do Vento. Nunca. Por que iam querer ouvir do que se tratava? Mas também se deu conta de que era minoria ali. De modo que cruzou os braços e aguardou, a raiva ainda fumegando dentro dela.

— Se vocês me ajudarem a chegar até os Protetores de Mundo primeiro, posso salvar o seu amigo gigante — garantiu a feiticeira. — Mas, além de devolvê-lo à vida, posso oferecer algo ainda mais incrível.

— E o que seria? — indagou Eleanor.

— Posso transformá-lo em ser humano — revelou a Bruxa. — Vai poder ficar no seu mundo e viver junto com vocês e ser seu amiguinho *de verdade*.

— Sério? — Os olhos de Eleanor pareceram se iluminar de uma maneira que Brendan e Cordelia jamais haviam visto antes, e ambos os irmãos acharam o fato inquietante. — Ele pode mesmo se tornar... *real*? Um amigo de carne e osso?

— E o que você faria com os Protetores de Mundo? — cortou Cordelia, tentando ignorar o entusiasmo cheio de esperança de Eleanor.

— Quero colocar um fim neste mundo fictício — respondeu a Bruxa.

— Por quê? Você tem tanto poder aqui... É só isso que você quer, não é? Mais poder?

— Não, quero acabar com ele pois estamos todos encarcerados aqui como se fôssemos prisioneiros — reiterou a mulher, emoção verdadeira insinuando-se na voz. — Chega a ser desumano. Nem os seus amigos Felix e Will são felizes aqui. Como poderiam? Sabendo que sua *existência* não passa de ilusão, que são apenas personagens criados pela imaginação do meu pai. Esses personagens nunca deveriam ter *existido* assim...

— E o que você poderia fazer por eles? — indagou Brendan. — Não pode *transformá-los* em pessoas de verdade.

— Ah, mas eu posso — garantiu. — Como faria com o Gordo Jagger. Posso tornar *reais* todos os personagens daqui. O Will, o Felix, e quem mais vocês quiserem... Me ajudem e vocês vão poder voltar a conviver com os seus melhores amigos no *mundo real*. Será glorioso.

Ninguém falou por vários momentos. Cordelia não parava de balançar a cabeça em negativa. Transformar os personagens de Denver em pessoas de carne e osso era uma péssima ideia. Seus livros tinham mais vilões e monstros do que heróis destemidos e de bom coração como Will Draper. Os bandidos vinham sempre em número muito maior do que os mocinhos nos velhos romances de mau gosto e ainda pior qualidade de Denver. Todos sabiam disso.

Uma lágrima escorreu pela face de Eleanor. A lembrança de ter presenciado a morte de Gordo Jagger ainda estava fresca demais.

— Você pode mesmo salvar o Gordo? — indagou Eleanor.

— Claro que posso, docinho — reafirmou a Bruxa do Vento.

Cordelia e Brendan trocaram um olhar, ambos cientes de que aquilo podia acabar em confusão.

— Nell! — chamou Cordelia, enfim, chacoalhando a irmã com delicadeza. — Você não pode estar realmente considerando isso que ela está dizendo.

— É, é da Bruxa do Vento que estamos falando aqui! — acrescentou Brendan. — Aquela mesma monstra que me apunhalou, o seu irmão, no coração! Isso não tem nenhuma importância para você?

Eleanor olhou para baixo e sacudiu a cabeça. Parecia estar recuperando a razão. Era difícil não se sentir tentada, no entanto.

— Tem toda a importância, Bren — garantiu ela. — Eu te amo.

Depois se virou e encarou a Bruxa do Vento direto nos olhos frios.

— Nunca vamos ajudar você — declarou. — Não posso deixá-la me colocar contra a minha família. Meus irmãos estão certos. Você é má. Má e ponto final. Não passa de uma criatura asquerosa, velha e miserável.

A feiticeira ergueu o queixo com petulância e flutuou em direção ao teto da grandiosa sala de estar da Mansão Kristoff. Abriu um sorriso torto de deboche para os meninos, e seus olhos reluziram com um brilho azul gélido — como os de Cordelia tinham ficado ao ser possuída pela bruxa. A temperatura no cômodo caiu de modo perceptível, e Cordelia jurou que podia até chegar a ver o vapor condensado de sua respiração.

— Muito bem — rosnou. — Tentei oferecer uma saída fácil a vocês. Mas se querem mesmo fazer do jeito difícil, o prazer será todo meu. Tudo que preciso fazer é arrancar aquele livro das mãos frias de morte de vocês!

A Bruxa levantou os braços, e turbilhões de vento se formaram dentro da casa, fazendo com que pinturas saíssem voando até colidirem com as paredes do outro lado da sala, desmantelando-se em uma confusão emaranhada de telas e molduras quebradas. A grande poltrona entre Cordelia e Brendan saiu deslizando pelo chão e foi bater na lareira com força suficiente para derrubar o relógio decorativo de prata e bronze da cornija. O relógio tombou no chão e se espatifou, criando uma cratera do tamanho de uma bola de softbol no piso de madeira.

Esferas azuis de luz se materializaram nas palmas da Bruxa do Vento. Luziam e crepitavam com energia enquanto mais redemoinhos de vento surgiam ao redor delas. As esferas cresceram e iluminaram o rosto da feiticeira, que sorria de uma maneira nauseante, nada além de uma confusão de feições contorcidas de puro ódio e ameaça.

E foi então que ela mergulhou em direção às três crianças com todo o seu poder. Não havia nada que pudessem fazer, salvo se encolherem próximos ao grande sofá e rezarem para que a morte iminente fosse rápida.

CAPÍTULO 37

A Bruxa do Vento atirou-se contra os Walker, levando os globos poderosos de energia azul e vento forte o bastante para arrancar o couro de um jacaré sem qualquer dificuldade. Mas, ao se aproximar, mesmo enquanto tudo no caminho daquele tornado na Mansão Kristoff parecia se despedaçar, as crianças se deram conta de uma sensação cada vez maior de calma.

O ponto onde os três Walker se encolhiam estava, de alguma forma, protegido, quase como se estivessem no olho da tempestade.

E então, de maneira tão abrupta quanto tinha atacado, a feiticeira decrépita estava sendo lançada para trás em direção à lareira por uma força invisível. A expressão de choque no rosto dela revelou aos meninos que não fazia ideia do que estava acontecendo.

Foi sugada para dentro da lareira e atirada chaminé acima, como se fosse uma bala sendo disparada por um canhão.

Uma última rajada de vento assoviou por dentro do canal estreito, carregando consigo a voz minguante da Bruxa do Vento:

— *Eu voltarei... e vou encontrar um jeito de colocar as mãos naqueles Protetores de Mundoooooo....*

Depois, tudo caiu em silêncio.

— O que foi que acabou de acontecer aqui? — indagou Brendan. — Pensei que a gente ia virar fumaça!

Cordelia apenas ficou parada lá, o terror estampado no rosto durante vários segundos, como se ainda estivesse em choque, antes de enfim começar a se recuperar. Alívio tomou conta de seus olhos ao abraçar uma Eleanor estupefata.

— Achei que a gente estava mortinho da silva — admitiu. — Mas... pensando melhor agora, não tínhamos o que temer.

— Como assim? — perguntou Brendan.

— Ela não pode nos machucar, lembra?

— Você acha que a mágica familiar que protege a gente ficou mais forte?

— É possível — disse Cordelia. — Mas mais do que isso, algumas das leis científicas se aplicam à magia. Com base no pouco que li do *Diário* de Denver, a magia dos Guardiões do Conhecimento estava surpreendentemente enraizada nos conceitos e princípios que governam a ciência e a física quântica...

— Será que dá para passar direto para a conclusão, Einstein? — interrompeu o menino.

— É a terceira lei de Newton! — respondeu a irmã, frustrada.

Brendan a fitou, inexpressivo.

— Que aquele biscoitinho Newton com recheio de framboesa é bem melhor do que o original de figo? — arriscou.

O menino podia até ter uma memória exemplar, mas servia apenas para aquilo que o interessava. Física não figurava naquela lista.

Cordelia deixou escapar um grunhido e balançou a cabeça.

— A terceira lei de Newton — recitou. — Cada ação terá uma reação de igual valor, mas com sentido oposto. Em essência, quer dizer que toda a energia despendida tem que ir para algum lugar... Não pode simplesmente desaparecer.

Os olhos de Brendan se acenderam como uma lâmpada.

— Então, quando a Bruxa do Vento atacou — disse —, como não podia machucar a gente, a mágica acabou se virando contra ela própria?

Cordelia fez que sim com a cabeça.

— É a única explicação lógica. Faz sentido, não faz?

— As coisas que você fala são, em geral, tão chatinhas que costumam entrar por um ouvido e sair pelo outro — confessou Brendan. — Mas desta vez até que achei a sua teoria bem sólida mesmo. Nell, o que você acha?

Eleanor, que não estava prestando atenção à conversa, olhou para os irmãos, sobressaltada. Os olhos estavam arregalados de medo e compreensão. Sabia o que tinha acabado de acontecer, mas estivera tentando convencer a si mesma de que não era possível.

— Nell, o que foi? — indagou Cordelia.

— Fui eu — respondeu ela. — Fui eu que fiz aquilo. *Eu* salvei a gente e fiz a Bruxa do Vento ir embora.

CAPÍTULO 38

Eleanor tinha esperado que os irmãos ficassem chocados. Ou confusos. Mas não estivera esperando que rissem dela sem qualquer cerimônia.

— O quê? — perguntou Eleanor enquanto os dois continuavam a dar seus risinhos. — Por que para vocês é tão difícil de acreditar no que falei?

— Porque criança não desenvolve espontaneamente poderes mágicos do nada — respondeu Brendan, tentando ser razoável com ela.

— Mas aconteceu! — Eleanor quase gritava. — Eu estava parada bem ali, vendo aquela monstra chegar mais perto... e eu... eu *senti*. Foi como se eu soubesse que tinha o poder para mandá-la embora. E foi isso que desejei... E ela voou para fora da chaminé!

— Nell, amor... — começou Cordelia.

— Não! — Desta vez, Eleanor gritou de verdade. — Eu *senti*. Foi a mesma sensação que tive quando... Bom.... Das últimas duas vezes que usei o *Livro da perdição e do desejo*!

Brendan e Cordelia trocaram olhares inquietos e confusos, todo e qualquer traço de riso apagado.

— Nell, isso é impossível — argumentou Brendan com delicadeza. — Você sabe disso. O livro não existe mais.

— Você mesma fez aquela coisa desaparecer, lembra? — disse Cordelia.

— Claro que lembro! — explodiu a menina. — Deixa para lá... esquece. Podem acreditar no que vocês quiserem.

Um longo e constrangido silêncio tomou conta da sala.

— Anda, vamos subir para o sótão e dar uma olhada pela janela... ver o que tem lá fora — sugeriu Cordelia, de súbito, tentando mudar de assunto e aliviar o clima tenso. — O terreno aqui é tão plano, aposto que dá para ver quilômetros em todas as direções. Tem que ter uma cidade em algum lugar por perto.

Brendan seguiu Cordelia até o andar de cima. Eleanor soltou um suspiro e depois fez o mesmo. Sentia-se como um acessório, como se nada que fizesse pudesse ajudá-los de fato. Tinha acabado de salvar a vida dos três, e os irmãos sequer se dignaram a agradecer. Em vez disso, tinham rido dela! Sabia que estava sendo irracional, mas havia algo dentro dela impedindo a razão de falar mais alto. Vinha acontecendo com frequência nos últimos dias; Eleanor começara a ter dificuldade em argumentar e debater de forma razoável consigo mesma. Talvez tivesse apenas aberto os olhos para a verdade: os irmãos mais velhos não a respeitavam da mesma forma que faziam mutuamente entre si, e só agora a menina estava aprendendo a como se defender e ser autossuficiente.

Uma vez no sótão, não demoraram muito para avistar de uma das janelas uma cidadezinha no horizonte da pradaria. Não podia ter mais do que algumas poucas centenas de habitantes, mas os três irmãos também viram linhas escuras que Cordelia reconheceu como sendo trilhos de trem passando por ela.

— Perfeito — comemorou Cordelia. — A gente vai mesmo precisar de um jeito mais rápido de dar o fora deste livro quando chegar a hora de ir embora e encontrar os Protetores. Aliás, você não devia estar lendo?

Brendan tirou o *Diário de magia e tecnologia* do bolso traseiro da calça jeans e olhou para ele. Permaneceu fechado. A verdade era que ainda receava ter que ler aquele texto. Leitura não era com ele. Especialmente a leitura das conjecturas secas e tediosas de Denver Kristoff a respeito das origens da magia e da ciência.

— Mas está todo mundo morrendo de fome — reclamou ele. — Será que a gente não devia ir até a cidade primeiro? Encontrar alguma coisa para comer?

— Não é uma boa ideia. O sol já está se pondo — disse Cordelia. — Melhor a gente esperar até amanhã de manhã.

— Ok, está bem. Mas posso tirar um cochilo? Afinal de contas, virar zumbi, ficar nadando num ofurô de saliva de gigante, levar três tiros e depois ressuscitar só para ser atacado por um xerife psicótico e uma bruxa má dão uma ótima receita para um dia supercansativo. Tão cansativo quanto uma partida de lacrosse, no mínimo...

Sentados no sótão aquela noite, a lanterna elétrica da despensa da cozinha iluminando o quarto, Cordelia tentava distrair Eleanor da fome cada vez maior falando sobre Gordo Jagger. Sobre como tinha sido incrível a maneira como ele os salvara, suportando tanta dor e tanto sofrimento. Trouxe lágrimas aos olhos de Eleanor, mas Cordelia lhe garantiu uma e outra vez que conseguiriam retribuir o favor. Era por isso que estavam naquele mundo, afinal.

Brendan, enquanto isso, estava sentado a um canto do cômodo, tentando ler o *Diário*. Mas estava ficando frustrado. Acabou fechando o livro com uma pancada.

— É quase impossível terminar uma página que seja deste lixo! — gemeu. — É que nem tentar ler sânscrito enquanto arrancam as suas unhas uma por uma.

— Você por acaso sabe o que é sânscrito? — indagou Cordelia.

— Pois é, justamente.

— Se concentra, não tem pressa — respondeu Cordelia. — Leia com cuidado. As respostas estão nos detalhes.

Brendan soltou um suspiro e voltou a abrir o *Diário*. Não era muito grosso, mas as folhas eram finas, quase como lenços de papel. E a escrita de Denver era pouco espaçada e diminuta, o que resultava em uma proliferação de longos monólogos a respeito de divagações inúteis dentro daquelas páginas. Havia três folhas inteiras falando sobre a história dos telefones. Parecia que aquela "nova" invenção tinha fascinado Denver Kristoff o bastante para fazê-lo dissecar e estudar os telefones com minúcia interminável. O que por si só já devia ser incrivelmente tedioso de se fazer, mas ainda assim tinha que ser muito mais empolgante do que *ler* a respeito de alguém dissecando os tais telefones antigos:

Este novo meio de comunicação é, de fato, espantoso. Pensar que alguém pode pegar este aparelho para falar com um colega ou familiar a centenas de quilômetros de distância, do outro lado deste vasto país, é uma maravilha digna de assombro. Talvez um dia possamos até adaptar este tipo de tecnologia para possibilitar que as pessoas enxerguem umas às outras também!

Brendan parou e balançou a cabeça devagar. Era provável que aquele bode velho tivesse sido o primeiro ser humano a ter a ideia que resultaria na criação do FaceTime! Brendan virou a página, e seu queixo caiu.

— Opa! — exclamou, desdobrando um grande e grosso pedaço de papel que tinha sido enfiado entre as folhas do *Diário*.

— O que foi? — indagou Cordelia.

— É, tipo, um mapa enorme.

— Mapa do quê? — perguntou Eleanor, sentando-se e esfregando os olhos. Tinha acabado de começar a cochilar apesar do estômago roncando.

— Acho que é do mundo dos livros — disse Brendan, analisando-o. — Ou *mundos*. Vem cá ver só.

Eleanor engatinhou até o irmão.

— Délia? — chamou Brendan, olhando para a irmã mais velha.

Ela o fitou cheia de expectativa.

— Pensando melhor, talvez você queira sair do quarto — retificou ele, nervoso.

— São os meus olhos, não são? — indagou ela. — Ela está dentro da minha cabeça agora?

Eleanor e Brendan assentiram devagar.

— E, sinceramente, consegue ser ainda mais bizarro no escuro — comentou o menino.

— Acho... Acho melhor eu sair, então — concordou Cordelia, relutante.

Ela marchou escada abaixo como se estivesse tentando criar buracos na madeira com cada passo. Ainda mais do que raiva, estava se sentindo impotente e culpada por não poder *contribuir* de modo algum. Deu-se conta, de súbito, que talvez fosse por aquela mesma razão que Eleanor se sentisse tão insegura a maior parte do tempo.

— Parece que todos os livros do Denver Kristoff estão conectados — revelou Brendan à irmã mais nova, no sótão. — Formam um tipo de mapa gigante, e dá para viajar por entre eles sem grandes problemas...

— Maneiro — disse Eleanor, olhando por cima do ombro do menino. — Mas é gigante. Como a gente vai chegar aonde tem que ir?

Brendan ainda não considerara aquele detalhe. Eleanor tinha razão, no entanto, e era um problema real que teriam de enfrentar. Encontrou o mundo para *Guerreiros selvagens*. E era mínimo; ocupava apenas um pedacinho diminuto do mapa, mal chegava a corresponder ao tamanho de uma moedinha. Parecera-lhes tão grande quando estavam lá. Tinham levado quase dois dias para fazer a travessia de uma pequena faixa de terra em uma carroça puxada por cavalos quando foram feitos prisioneiros por Slayne. E havia *centenas* de mundos, cada um com aproximadamente a mesma área. Alguns encontravam-se dentro da água, outros em terra, e havia aqueles que ocupavam ambos. O universo dos livros como um todo era monumental. Em uma estimativa provável, demorariam alguns dias para cruzá-lo de avião. A pé ou a cavalo, levariam *anos*, se não décadas.

Tomar consciência daquilo foi como um soco no estômago que lhe tirou todo o fôlego.

Uma vez descoberta a localização de cada um dos Protetores de Mundo, como fariam para chegar até eles em um período de tempo razoável? Ainda que fosse possível ter acesso a um jatinho ou avião, com certeza não seria dentro do livro no qual se encontravam naquele momento. Estavam no meio de uma pradaria do século XIX; ele duvidava muito que houvesse qualquer aeronave disponível nas cercanias.

Brendan finalmente olhou para Eleanor, cuja expressão preocupada espelhava a sua própria.

— Estamos encrencados.

A menina franziu o cenho. Em geral, costumava ter uma resposta pronta para o pessimismo do irmão. Problemas sem solução não existiam. Ou, pelo menos, era o que o pai sempre lhes ensinara. Era o que tornava o Dr. Walker um excelente cirurgião. E Eleanor sempre acreditara nele.

Mas, desta vez, não conseguia pensar em nada que pudesse dizer. Não havia lado positivo. Tinha a impressão de que suas probabilidades de sucesso pareciam menores e mais obscuras do que nunca.

Nenhum dos três Walker dormiu bem aquela noite. Em parte por conta das "camas" no sótão consistirem majoritariamente de lençóis agrupados que tinham coletado dos cômodos ainda mobiliados da Mansão Kristoff. De modo que os irmãos já estavam de pé e prontos para seguir viagem até a cidadezinha mais próxima à primeira aparição da luz do sol no horizonte ao leste.

— E aquele xerife psicótico? — indagou Brendan enquanto vasculhava as gavetas da cozinha à procura de qualquer resquício de comida que os responsáveis pela mudança pudessem ter deixado para trás. — Será que ele é o manda-chuva daquela cidade?

— Existe uma boa chance de ser o caso — admitiu Cordelia. — Mas a gente não tem muita escolha. Não dá para ficar aqui para sempre.

— Não gostei *nada, nada* daquele cara — comentou Eleanor, recordando-se do casacão de pele. Desprezava qualquer um que aceitasse vestir peles de outros animais como artigos de vestuário.

— Ninguém gostou — concordou Cordelia. — Mas é um risco que vamos ter que correr.

— A gente podia usar disfarces — sugeriu Brendan, apontando para o próprio rosto. — Saca só!

Enquanto conversavam, encontrara um daqueles marcadores permanentes em uma das gavetas e pintara um bigode falso com ele. E tinha até feito um bom trabalho. Cordelia foi obrigada a admitir que, por um segundo, tinha parecido *quase* real. Bom, não fosse pelo fato de que o irmão ainda conservava as feições de um menino de 12 anos.

— Isso aí está ridículo — disse ela com um sorriso relutante. — Agora é que vão notar a gente!

Eleanor soltou uma risadinha.

— Ok, ok, vou lavar o bigode — prometeu Brendan. E então girou e abriu a torneira da cozinha. Não saiu nem uma única gota d'água. — Uh-oh.

— Bren, seu idiota! — riu Cordelia. — A gente está no meio de uma pradaria, antes da existência de água corrente e encanação moderna. Duh!

O garoto tentou esfregar desesperadamente o desenho no rosto. Mas os dedos secos sequer borraram a tinta. Mesmo depois de tê-los lambido e tentado outra vez, o bigode permaneceu intacto.

— É por isso que se chama marcador *permanente* — apontou Cordelia, ainda rindo.

— Anda, gente, estou com fome — pediu Eleanor.

— Está bem — disse Brendan, desistindo. Olhou para seu reflexo no espelho uma última vez. — Pelo menos é um bigode irado. Todos os hipsters de Mission District iam ficar morrendo de inveja se pudessem me ver agora.

Guardou o *Diário* no bolso traseiro da calça jeans. Ficava apertado lá dentro, mas era aceitável. Depois se dirigiu para a porta da frente enquanto fingia pentear o bigode falso com as pontas dos dedos. Cordelia e Eleanor não conseguiram suprimir as gargalhadas ao seguirem-no para fora, para o ar fresco da manhã.

CAPÍTULO 41

A grama crescida e os cereais selvagens na pradaria obrigavam os três a avançar devagar. O orvalho da manhã praticamente ensopava os jeans que vestiam. Mas conseguiram enfim encontrar uma pequena trilha feita para cavalos, bem no instante em que o sol saía detrás da linha do horizonte.

Eleanor ia à frente, cantarolando baixinho enquanto caminhava. Estava pelo menos três ou quatro metros na dianteira. Não conseguia parar de recordar a energia que sentira inundar seu corpo quando banira a Bruxa do Vento da mansão. Ainda que seus irmãos mais velhos não acreditassem nela, sabia o que tinha acontecido. E, no fundo, tudo em que conseguia pensar era no quanto ansiava por sentir aquilo outra vez. Mais do que isso, no entanto, ansiava por comer torta de sorvete ou Cheetos, e apenas a lembrança da comida bastava para lhe trazer lágrimas aos olhos.

Algumas dezenas de passos atrás de Eleanor, Brendan tirou o *Diário* do bolso e começou a folheá-lo enquanto andava, tornando seu progresso ainda mais lento.

— Por que você está demorando tanto para terminar isso? — indagou Cordelia.

— Estou me concentrando muito — respondeu Brendan. — Não quero deixar passar nenhum detalhe. Vai que tem um Protetor escondido nessa cidade aí na frente.

Brendan estava na seção do *Diário* em que Denver especulava a respeito dos verdadeiros efeitos do uso do *Livro da perdição e do desejo*, falando sobre como usá-lo corrompia almas, como acontecera a ele e à filha. Os Walker já sabiam disso, claro, e tinha sido em parte por esse motivo que Eleanor desejara que o livro deixasse de existir usando o poder contido nele contra o próprio artefato. Mas o que Brendan leu naquele trecho o deixou ainda mais assustado. As conclusões mais detalhadas de Denver Kristoff não traziam boas notícias para Eleanor. Brendan fitou a irmã mais nova poucos metros adiante.

— Ei, Délia? — chamou ele, baixinho.

— Oi?

— Você notou alguma coisa estranha na Eleanor recentemente?

— Como assim?

— Tipo... bom — começou Brendan, sem saber ao certo se conseguiria dizer em voz alta o que acabara de descobrir —, segundo este *Diário* aqui, é... deixa pra lá...

— O quê? — insistiu Cordelia.

— Não posso falar agora.

Compreensão se instalou no rosto de Cordelia. Franziu o cenho e desviou os olhos azuis de gelo possuídos para o chão, na esperança de não dar à Bruxa do Vento nem um vislumbre sequer do que estavam fazendo naquele instante. Tentou não pensar no quanto se sentia impotente. Se começasse agora, acabaria chorando, o que apenas tornaria a situação ainda pior.

Após mais de uma hora de caminhada, o trio chegou aos limites de uma cidadezinha pequena e poeirenta que consistia de duas estradas de terra se cruzando e várias dezenas de edificações. O caminho que usavam naquele momento conectava-se a outro, mais largo e comprido. Perto da estrada, estava fincada uma plaquinha de madeira com as palavras "Bem-vindo a Van Hook, território de Dakota" pintadas à mão.

Uma garotinha de vestido amarelo bem vivo, da idade de Brendan talvez, colhia flores do campo que cresciam junto à grama e ervas daninhas altas perto da estrada.

Olhou para cima ao ouvir passos se aproximando e sorriu para eles.

— Nunca vi um menino com bigode tão charmoso quanto o seu antes — comentou, rindo.

Brendan instintivamente cobriu a boca com a mão. Tinha se esquecido do bigode falso.

— Ah, é só uma brincadeira boba — resmungou.

— Foi o que pensei — respondeu a garota, estudando-os de cima a baixo. — Meu nome é Adlaih. Meus amigos me chamam de Adie. Vocês três não parecem ser dos arredores. Perderam-se?

— Mais ou menos — disse Cordelia, depressa. — Viemos aqui mais por conta da fome e da sede...

— Bom, tenho aqui um pouco de comida e água — disse Adie, apontando para uma grande cesta de piquenique que descansava ali perto. — Papai sempre me força a trazer um lanchinho quando saio para colher flores. Às vezes, acabo ficando a tarde inteira fora e sequer me dou conta disso!

Os Walker fitaram a cesta com olhos sôfregos. Brendan lambeu os beiços.

— Podem se servir! — disse Adie, enfim. — Temos muito mais lá em casa.

Os irmãos hesitaram uma vez mais, mas apenas por um segundo. Não tinham se dado conta do verdadeiro estado de sua fome até a oferta de comida e água ter se materializado diante deles. Avançaram com pressa, e Brendan abriu o tampo da cesta com alguma violência. Lá dentro havia biscoitos ainda quentes e uma jarrinha do que parecia ser manteiga fresca que acabara de ser batida. Também encontraram um cantil com água.

Os três levaram apenas alguns minutos para esvaziar a cesta e secar o cantil por completo.

Quase ao final do frenesi alimentar, Brendan deixou escapar um arroto alto. Sorriu em um primeiro momento, satisfeito com a expressão de reprovação e asco de Cordelia. Mas logo em seguida a risadinha delicada de Adie o fez lembrar que uma menina bonita os observava, e ele cobriu a boca depressa.

— Desculpa — murmurou.

— Vocês estavam mesmo famintos — comentou Adie, fitando a cesta de piquenique vazia como se estivesse olhando para o fundo de um poço seco.

— Muito, muito obrigada — agradeceu Cordelia. — Parece até que não comemos há dias.

— O prazer foi meu. Papai sempre diz que é responsabilidade nossa ajudar os menos afortunados.

— O meu nome é Cordelia. Este aqui é o meu irmão, Brendan. E ela é minha irmã, Eleanor.

— Prazer em conhecê-los — respondeu Adie com um sorriso do qual Brendan já considerava impossível tirar os olhos.

— Tem alguma estação de trem aqui perto? — indagou Cordelia.

— Um pouco mais à frente, seguindo a estrada. — Adie apontou para um pequeno prédio branco nos limites da cidade, perto dos trilhos. — Aonde estão indo?

— Não temos certeza ainda.

Adie fez que sim com a cabeça, apesar de ter ficado um pouco confusa com a resposta. Estava prestes a fazer uma nova pergunta quando notou algo na estrada, a apenas alguns metros de onde estavam. Correu até o local e se ajoelhou.

— Ah, não! — exclamou, protegendo algo pequeno nas mãos em concha.

Eleanor inclinou-se para a frente a fim de poder ver melhor e depois tampou a boca em horror.

Adie ficou de pé e girou nos calcanhares. Um pisco pequenino com uma asa torta e ferida estava aninhado nas palmas da menina. Seu sorriso desaparecera enquanto examinava o passarinho com cuidado.

— Espero que encontrem o que precisam — disse aos Walker. — Mas preciso voltar para casa e cuidar deste coitadinho.

Os irmãos assentiram e agradeceram a menina pela comida uma última vez enquanto ela instalava o pássaro ferido com delicadeza no bolso dianteiro do vestidinho. Pegou a cesta de piquenique e saiu correndo para a outra extremidade da cidade.

Os Walker continuaram a caminhada até a estação de trem, amparando as barrigas agora cheias demais.

— Como você sugere que a gente pague pelas passagens? — indagou Brendan.

— Estamos nos tempos do Velho Oeste — respondeu Cordelia. — Talvez o condutor aceite levar a gente em troca de alguma coisa. Tipo, alguns livros da biblioteca do Denver, quem sabe?

— Só se ele quiser cair no sono — comentou Brendan, notando os habitantes da cidade saindo para a rua sob o sol da manhã para encarar, boquiabertos, os recém-chegados. Ver três crianças estranhas com roupas esquisitas perambulando pelo lugar parecia ser algo totalmente fora do comum para Van Hook.

Ao final da estrada de terra nos limites da cidade, subiram alguns degraus até a plataforma de trem. Foram até a bilheteria. A estação em si tinha o tamanho de um galpão. Um moço, de uns 18 ou 19 anos, encontrava-se do outro lado do pequeno buraco na lateral do prédio que servia de guichê. Tinha cabelos ruivos, uma saraivada de sardas, e suor escorria em fios pelo rosto dele, apesar da temperatura amena da manhã.

— Posso ajudá-los? — indagou. A voz falhou, pouco à vontade.

— Sim, senhor — respondeu Cordelia com polidez. — Quando sai o próximo trem, e quanto é a passagem para três?

— Hum, bem... — começou o jovem, nervoso. Olhou de relance para algo atrás dele e mexeu, irrequieto, em uma caneta do seu lado do balcão. — Fiquem aí. Tenho que checar algo. Volto já. Certo?

Sem esperar resposta, desapareceu dentro da pequena estação.

— Por que ele estava tão esquisito? — perguntou Brendan.

— Não sei — respondeu Cordelia.

A garota se escorou contra a parede, e Eleanor sentou-se ao lado da irmã e fechou os olhos, como se estivesse tirando um breve cochilo. Brendan pegou o *Diário* e desdobrou o mapa do mundo dos livros. Podia, pelo menos, tentar descobrir se aquele trem teria como levá-los a algum lugar útil. Mas mal teve tempo de passar os olhos pelo papel antes de uma voz ruidosa quebrar o silêncio da pequena cidade na pradaria.

— Parece que tiramos a sorte grande, rapazes — gritou uma voz conhecida.

Os Walker olharam para cima e se viram frente a frente com o Xerife Burton "Caça-Lobo" Abernathy e seus dois capangas, McCoy e Sturgis. Abriram sorrisos maliciosos para as crianças. Os dentes amarelos brilhavam no sol da manhã com quase tanta intensidade quanto as armas reluzentes.

— Espera um segundo, xerife — disse McCoy. — Esse aí não é o mesmo piá que usou aquele aparelho de tortura esquisito *em eu.* — Cuspiu um grande filete de suco marrom de tabaco no chão. — Esse aí tem até bigode e tudo. E dos *bão*... É melhor até que o do Dan Bigodão.

— Isso aí não é de verdade, imbecil — disse Abernathy. — Foi pintado na cara dele.

— Mas o moleque é artista mesmo — admirou-se Sturgis com um assovio baixo.

— Não interessa — cortou o xerife. — Ele e as irmãs cara de taquara desrespeitaram a lei, e vamos nos certificar de que a justiça seja feita.

Cordelia notou Eleanor cerrando os punhos, como se estivesse pronta para partir para cima dos homens. Pousou a mão sobre o ombro da irmã e a segurou onde estava.

— Espera — pediu Cordelia. — É só vocês deixarem a gente pegar o próximo trem saindo daqui. Depois disso, nunca mais vão ter que olhar para nossa cara.

— É uma pena que nós não *pode* fazer isso — disse McCoy. — Veja bem, fora terem atacado um homem da lei, vocês estavam ajudando e encobrindo um criminoso conhecido do estado, o bandido Canhotinho Payne. Nós pegamos o dito cujo a uma hora de viagem ao sul da casa de vocês. E, de acordo com a lei desta terra abençoada, isso faz de todos os três... hum, ah, o que isso faz deles mesmo, hein, xerife?

— Cúmplices — respondeu Abernathy.

— Isso aí, cúmplices — repetiu o assistente. — E nós não *vai* cumprir a lei deixando três *cúmplice* de bandido dar no pé, vai?

Aquela parecia ser uma pergunta retórica, de modo que os Walker não se deram ao trabalho de responder.

— Pelo poder em mim investido como xerife do condado de Williams, vocês três estão recebendo voz de prisão — anunciou o xerife Abernathy, sacando a pistola mais rápido do que a velocidade do som. — Nem pensem em fugir ou resistir, a menos que queiram ver como ficam com meio quilo de chumbo nas costas. Não existe homem mais ligeiro do que bala, e essa é a mais pura verdade.

O xerife abriu um sorriso quando os três meninos levantaram as mãos, derrotados.

CAPÍTULO 42

— O que a gente faz agora? — indagou Cordelia, andando de um lado a outro da cela. — Temos que encontrar um jeito de dar o fora daqui!

Brendan tirou os olhos do *Diário* para fitar a irmã. Era claro que estava perdendo a cabeça. Era uma controladora inveterada, e sua remoção do cargo de líder *de facto* da família a estava deixando enlouquecida.

— Relaxa, Délia — disse ele. — Estou lendo justamente porque *espero* que tenha alguma coisa aqui dentro para ajudar a gente com isso!

— Não me diz para relaxar! — gritou a menina. — Já cansei de ver você tirar vantagem desta situação!

— Que situação?

— De eu não estar podendo ler o *Diário* — berrou ela. — Você está amando ter mais poder do que eu! E está esfregando isso na minha cara!

— Só estou tentando ajudar — defendeu-se Brendan.

O homem a um canto da cela levantou um pouco a cabeça ao ouvir a discussão entre os irmãos. O chapéu de caubói estava tão baixo que não era possível ver seu rosto. Já estava lá quando os três Walker foram jogados para dentro do cubículo como se fossem bonecas de pano. Mas mal se movera e não tinha aberto a boca desde sua chegada, de modo que os meninos tinham se esquecido de que estava lá.

Eleanor colocou-se entre os dois irmãos.

— Gente! Parem de brigar!

Mas os dois fingiram nem escutar. A menina desistiu segundos mais tarde e foi se sentar perto do homem de preto. Seus braços estavam cruzados diante do peito, e ele cheirava de longe a tabaco e bebida alcoólica — lembrava bastante o tio Frank.

— Ninguém *nunca* me ouve — reclamou Eleanor, derrotada, após ter desmoronado no banco enquanto irmão e irmã continuavam sua discussão.

Não tinha sido assim da última vez. Da última vez que ficaram presos naquele mundo, trabalharam como uma equipe. Como uma família. Eleanor odiava o que estava acontecendo naquele momento.

— Está vendo? — gritou ela quando sequer obteve um grunhido como resposta do estranho com quem compartilhavam o cárcere. — Nem *você* quer me ouvir, e não tem mais ninguém com quem falar!

O pé do homem de preto moveu-se quase nada no chão de terra batida. Havia um desenho complexo bordado em linha vermelha no couro preto dos sapatos.

— Gostei da sua bota — comentou Eleanor. — Você mandou fazer? Parece feita sob medida. Mas afinal, onde é que se compra botas customizadas por aqui?

Pensou ter ouvido um suspiro fraco escapar pelo escudo que a aba do chapéu formava diante do rosto do homem. Mas era difícil dizer ao certo com Cordelia e Brendan ainda brigando do outro lado da cela.

— E por que você está aqui? — continuou Eleanor. — Roubou um trem? Atravessou fora da faixa? Estava fazendo mímica na rua sem permissão da prefeitura?

— Teve um camarada uma vez — disse finalmente o estranho, sem levantar a cabeça. Sua voz era baixa, e as paredes internas de sua garganta pareciam estar cheias de cascalho colado. — Ele não parava de falar, me perturbar com essas perguntas inoportunas. Tinha só um jeito de calar a boca do sujeito.

— Qual? — indagou Eleanor, inquieta.

— Cortei fora a língua dele.

A menina não teve dificuldades para reconhecer as palavras como uma ameaça clara. Deslizou para o outro lado do banco. O homem ainda não levantara a cabeça. Ao ouvirem a voz, Brendan e Cordelia tinham parado de discutir e estavam naquele momento diante do estranho de roupas pretas.

— Você não pode falar com a nossa irmãzinha desse jeito — declarou Brendan, mas a voz falhou um pouco, graças ao medo.

— Posso fazer o que bem entender — retrucou o outro.

— É, bom... não... Não pode, não — insistiu o menino, esforçando-se para pensar em uma resposta à altura. — Ou *não devia*, pelo menos. Está certo que este *é* um país livre e tudo o mais... Mas não é legal ameaçar garotinhas, sabe...

— Não sou nenhuma garotinha — interrompeu Eleanor. — Posso muito bem defender a minha própria honra!

As palavras de Brendan acabaram engasgadas na garganta. Pois o estranho finalmente levantara a cabeça, permitindo que enxergassem seu rosto. E Brendan estava ocupado demais encarando o homem para poder falar. O queixo estava coberto por barba preta por fazer. Uma longa cicatriz aterrorizante dividia o rosto em dois, da têmpora esquerda até o maxilar direito, passando por cima dos lábios no caminho até embaixo. Parecia mais um retrato impressionista do que um ser humano real. Mas havia uma qualidade sombria em suas feições que roubou todo o ar do espaço. Os olhos eram frios e duros como se jamais tivessem visto um segundo sequer de alegria em seus trinta e tantos anos de existência.

— Que honra? — perguntou, descruzando os braços. — Vocês não têm honra nenhuma. Não param de ficar se bicando por causa de nada. Onde está a honra nessas brigas mesquinhas?

Cordelia notou enfim que o homem não tinha mais a mão esquerda. O braço havia sido decepado na altura do cotovelo. A manga fora dobrada no ponto onde o restante do antebraço deveria ter continuado.

— Canhotinho Payne — disse ela baixinho, reconhecendo que aquele só podia ser o criminoso mortal a quem o xerife Abernathy tinha ido procurar na Mansão na noite anterior.

— Ouviram falar de mim? — indagou Payne.

— A gente ouviu dizer que você estava sendo procurado por catorze assassinatos injustificados — comentou Brendan, os olhos arregalados.

— Você sempre acredita em tudo que as pessoas dizem?

— Então não é verdade? — indagou Eleanor, esperançosa.

Canhotinho virou o rosto para ela.

— Não, não é.

— Que alívio — comentou Cordelia.

— Matei algo em torno de 46 pessoas, desde a última vez que contei — acrescentou o homem com tom sombrio. — Claro, nunca fui muito bom de conta. Só de pôquer e de matança.

Um longo silêncio se seguiu enquanto os Walker encontravam dificuldade para engolir, as bocas subitamente mais secas do que um deserto árido. Canhotinho Payne olhou de Eleanor para Cordelia e enfim foi cravar seu olhar duro e afiado em Brendan.

O menino desviou os olhos como um filhotinho que acabara de levar uma bronca.

— O que aconteceu com o seu braço esquerdo? — perguntou Eleanor.

— *Eleanor!* — repreendeu a irmã em um sussurro ríspido. — É grosseria fazer esse tipo de pergunta.

Mas Payne não pareceu se importar. Em vez disso, olhou para o ponto onde a mão deveria estar e balançou a cabeça devagar. Depois fez uma longa pausa, e Cordelia já estava certa de que não responderia.

— Quando era menino ainda, fui ver o circo itinerante de Thomas Cooke — contou ele. — Estiquei a mão para fazer carinho em um elefante bebê... E o monstrinho me mordeu e arrancou parte do braço fora.

Os Walker sequer tiveram a chance de tentar concluir se era piada ou não, pois uma voz aguda vindo da frente da prisão interrompeu a conversa com brusquidão.

— Uuuuuuuuu-huuuuuu! — berrou o xerife Abernathy ao entrar pela porta. — Temos boas notícias para vocês!

Os dois capangas o acompanhavam. Caminharam até a cela e pararam diante das barras de ferro. Sorriam de orelha a orelha, como se tivessem ganhado na loteria com um bilhete compartilhado.

— Acabamos de receber um telegrama do juiz Bentley — revelou o xerife. — Dando permissão para um enforcamento!

— Faz um tempão que não tem um enforcamento dos *bão* por aqui — comentou McCoy com um sorriso, fitando os prisioneiros da maneira como um chef de cozinha faria com os cortes de carne oferecidos pelo açougue local.

Cordelia levantou-se com pânico estampado no rosto.

— Não se preocupe — disse Payne. — A forca é para *mim*, não para vocês.

— Bom, veja só, é aí que você se engana, Canhotinho — respondeu o xerife com seu sorriso doentio. — De acordo com as ordens do bom juiz Bentley, ao meio-dia de hoje vamos poder enforcar *todos os quatro*!

— Não, isso não pode estar certo! — exclamou Cordelia. — Não tem como um juiz ter aprovado a execução de três crianças!

— Crianças? — repetiu McCoy. — Ah, esses cúmplices de criminoso são *crianças*?

— Bem, deixa eu pensar — disse o xerife, levando a mão ao queixo. — Eles têm mesmo a aparência e o comportamento de crianças, mas não consigo me lembrar de ter acrescentado esse detalhezinho ao nosso telegrama para o juiz. Você por acaso acrescentou, Sturgis?

O terceiro capanga pegou um pedacinho de papel e fingiu ler seu conteúdo com grande cuidado.

— Ora bolas, parece mesmo que deixamos essa parte de fora — respondeu ele com falso tom de surpresa e indignação. — Nosso telegrama diz apenas "criminoso procurado Canhotinho Payne e três cúmplices". Melhor mandar outro para esclarecer a questão, *num é*?

Estavam todos com o mesmo sorriso aberto agora, claramente achando graça da piadinha, enquanto Cordelia ia ficando mais e mais enjoada a cada segundo.

— Não, não, não vejo por que desperdiçar os recursos do bom povo do condado de Williams além do que é necessário — respondeu Abernathy.

— Canhotinho, ajuda, por favor — implorou Cordelia ao criminoso. — Diz para eles que você não conhece a gente, que nunca nem nos encontramos antes de hoje.

Payne continuava sentado no banco da cela. Sua expressão estava inalterada pela notícia da própria morte iminente. Na verdade, parecia pronto para outro cochilo.

— Não — respondeu. — Prefiro ter companhia na forca. Homem nenhum quer morrer sozinho.

O xerife e seus homens riram.

— Anda, cara, conta a verdade para eles — pediu Brendan, raivoso. — Somos só crianças! Você não pode deixar essa gente nos enforcar pelos *seus* crimes!

— Não ia importar de um jeito ou de outro, garoto — retrucou o homem, puxando o chapéu para baixo a fim de encobrir os olhos.

McCoy consultou um relógio de bolso. As sobrancelhas subiram, e ele sorriu ao verificar as horas.

— Estamos a catorze minutinhos do meio-dia — anunciou. — Melhor começar os preparativos!

Os três se voltaram para a porta, mas pararam ao avistar uma menina parada na entrada da prisão. Tinha cerca de 12 anos e cabelos castanhos na altura dos ombros. O rosto era fino, mas belo, ornado por uma coleção perfeita de sardinhas discretas. Trajava um vestido amarelo. A garota sorriu ao ver o xerife e seus capangas, estendendo uma cesta de piquenique coberta por um guardanapo de pano.

— Trouxe uns biscoitinhos saídos agorinha mesmo do forno para vocês! — disse Adie com vivacidade.

— Ora, mas quanta gentileza! — exclamou o xerife. — Olhem só, compadres, a pequena Adlaih Stoffirk nos trouxe biscoitos. Vocês sabem como amo biscoitos. *Mas* tenho que sair e providenciar uns pedaços de corda, então aproveitem vocês dois. Como um na volta. Com licença, doçura.

Passou por Adie e saiu do prédio. Enquanto isso, os dois capangas cercavam a menina como abelhas no mel. Enterraram as mãos imundas na cesta e fisgaram dois biscoitos cada, enfiando-os na boca.

Eles fizeram Brendan pensar naqueles campeonatos nacionais de quem come mais cachorros-quentes em menos tempo, que eram exibidos pela

ESPN todos os anos no Dia da Independência dos Estados Unidos. Eram sempre nojentos de se assistir, mas por alguma razão também eram impossíveis de se ignorar. Os dois homens forçavam biscoitos goela abaixo com velocidade tal que deixaria com inveja até os Campeões Mundiais Supremos desses concursos.

Os três Walker observavam com horror enquanto a menina de aparência inocente que lhes oferecera as guloseimas apenas algumas horas mais cedo agora fazia o mesmo com seus futuros carrascos minutos antes da execução. De alguma forma, aquilo deu concretude à realidade da terrível situação dos irmãos de uma forma que não tinha acontecido ainda.

Vários minutos mais tarde, no entanto, os dois capangas despencaram no chão como se tivessem sido nocauteados com chaves de roda.

— O que foi isso? — indagou Eleanor.

Cordelia foi direto ao ponto:

— Você acabou mesmo de *envenenar* esses dois?

— Não exatamente envenenar — corrigiu Adie com exuberância enquanto retirava as chaves do cinto de McCoy. — Papai é o médico da cidade. Só peguei emprestados alguns remedinhos que ele usa para ajudar os pacientes a dormir.

— Por que você está ajudando a gente? — perguntou Brendan.

Adie se aproximou da cela com o chaveiro que continha apenas quatro chaves penduradas.

— Vi o que aconteceu — explicou, tentando a primeira. — Como prenderam vocês por basicamente nada. Além disso, odeio aquele xerife. Ele matou meu cachorrinho, Duffy, a sangue frio. Um dia estava passeando com ele pela cidade, e o xerife Abernathy se abaixou para fazer carinho, mas ele rosnou. Um rosnadinho miúdo de nada, longe de ser ameaçador. O bichinho sempre teve faro para perceber o mal dentro das pessoas... O que suspeito que tenha sido o motivo para ter rosnado, para começo de conversa. Mas o xerife ficou ofendido... E atirou no pobrezinho do Duffy bem ali, em plena rua.

Os olhos de Eleanor se arregalaram.

— Essa é a história mais horrível que já ouvi — disse, apressando-se em sair da cela. — Obrigada por salvar a gente.

Deu um grande abraço em Adie, apesar de ser pouco mais do que uma estranha.

— Acredito que teriam feito o mesmo por mim — disse a menina. — Agora temos que correr; o xerife voltará em breve. Esperem... *ele* também veio com vocês?

Apontou para Canhotinho Payne.

O bandido continuava calmamente sentado no banco como se nada de extraordinário estivesse acontecendo. Mas levantara a cabeça outra vez e os fitava com atenção.

— Para falar a verdade... não? — respondeu Brendan, sem saber ao certo qual era, de fato, a verdade.

Payne se levantou de repente, fazendo com que todos se retraíssem. Passou por eles e pela porta da cela afora, em apenas quatro longos passos suaves. Após recuperar a arma, a prótese de antebraço e mão de madeira de onde estavam guardados em uma gaveta de provas, seguiu em direção à saída da prisão.

Parou pouco antes e se virou para os Walker e Adie.

— Talvez seja do seu interesse me seguir, se quiserem sobreviver — declarou.

Depois, saiu para a luz do sol ofuscante do meio-dia.

A primeira reação dos meninos foi ficar parado, apenas encarando a porta. Ninguém disse uma palavra. Depois, os três irmãos olharam para Adie, como se ela pudesse confirmar ou refutar o argumento de Canhotinho Payne.

— Acho que seria bom segui-lo — disse, dando de ombros.

— Mas ele é um assassino — retrucou Cordelia. — Disse que matou mais de quarenta pessoas!

— Talvez tenha sido merecido — sugeriu Adie. — O que não falta por essas bandas são homens maus. Vocês conheceram o xerife e os capangas dele... E aqueles deveriam ser os mocinhos!

— E você acha mesmo que a gente pode confiar no tal do Canhotinho? — perguntou Brendan.

— Ele me parece confiável — respondeu ela. — Papai sempre diz que a verdadeira honestidade se vê nos olhos de um homem, não em suas ações ou palavras. Vi verdade nos olhos dele.

— É, bom, já eu ouvi morte nas palavras dele — retrucou Brendan enquanto seguia para a porta. — Mas... não temos outra opção.

Brendan sabia que o xerife e seus capangas iriam atrás deles já com armas sacadas. E Payne era a única pessoa ali com a capacidade de fazer frente a eles. As irmãs e Adie o acompanharam, reconhecendo a mesma sabedoria em sua lógica.

Payne os guiou pelas fileiras de construções que ficavam mais ao norte da cidadezinha. Depois de passarem por várias casas, viram um menininho brincando em seu quintal dos fundos. Seus olhos se arregalaram ao avistar o grupo.

Canhotinho levou um único dedo aos lábios. O menino assentiu com a cabeça, devagar.

Enfim terminaram a volta e chegaram a um pequeno estábulo na outra extremidade da cidade. Payne seguiu direto para dois grandes cavalos que tinham sido amarrados perto dos fundos do espaço. Um deles era um enorme corcel preto que mais parecia dragão do que cavalo. O outro tinha pelo castanho-escuro sapecado por várias manchinhas brancas. Payne encontrou duas selas e começou a atá-las ao lombo dos animais.

— Ele é lindo — elogiou Eleanor, passando a mão pelo cavalo negro. Era tão grande, parecia capaz de engoli-la com apenas algumas poucas mordidas rápidas. — Qual é o nome dele?

A garota correu a mão pelo pescoço do animal e depois lhe deu um tapinha de encorajamento no flanco. A Walker mais nova era tão apaixonada por cavalos que apenas a possibilidade de montar em um era suficiente para apagar qualquer receio dos perigos que, sem dúvida, encontrariam à frente.

— Eu o chamo de *Opa!* porque foi difícil de domar — explicou Payne, apontando para Brendan e Cordelia. — Vocês dois vão cavalgar nele. Costuma ser meu cavalo de carga, mas posso abrir mão da bagagem.

— Maravilha — respondeu Brendan, fitando o corcel gigante com desconfiança.

— Acho que ele está só brincando sobre o nome — comentou Cordelia, tentando reconfortar o irmão.

Quase como se tivesse sido ensaiado antes, o animal preto tirou as patas dianteiras do chão e soltou um longo relincho. Voltou à posição normal e bufou diversas vezes como se advertisse Cordelia e Brendan a manterem distância.

— Pensando melhor — disse Payne enquanto continuava a ajeitar as selas —, vai ver é melhor eu e a menorzinha montarmos no *Opa!* Vocês podem ir com o Cria-Viúva. — Apontou para o outro cavalo, que batia os cascos no chão de terra, zangado. — O nome dele vem de...

— Nem precisa contar — interrompeu Brendan. — Não quero saber.

O homem deu de ombros e levantou Eleanor para que ela pudesse se instalar na sela. Depois subiu atrás dela.

— Por que você está ajudando a gente? — Cordelia quis saber. — Não tem cara de ser o tipo caridoso. Ainda mais se tiver que deixar as suas coisas para trás.

— Quatro crianças vão ser bem mais úteis na hora de escapar e passar pela fronteira mexicana do que toda essa porcariada extra. — Indicou um canto do estábulo onde se encontrava a carga que *Opa!* costumava carregar. — Agora fechem a matraca e montem no cavalo!

— Você vem junto? — indagou Brendan a Adie, as bochechas ficando quentes por alguma razão.

— Não, minha família inteira está aqui — respondeu. — Só queria me certificar de que vocês fossem conseguir fugir.

Brendan fez que sim com a cabeça enquanto Cordelia empurrava uma pequena escadinha até o Cria-Viúva. Fitaram o cavalo monumental com cautela; nenhum dos dois tinha muita familiaridade com equinos em geral. Estavam prestes a começar a montar quando um estalo rascante quebrou o silêncio.

Poeira e terra explodiram aos pés deles quando balas cravaram-se no chão a poucos metros de onde estavam. Brendan, Adie e Cordelia procuraram abrigo sob uma manjedoura enquanto mais disparos eram feitos e projéteis zuniam por eles para se fincarem em um suporte onde se amarravam os cavalos, lançando lascas de madeira em todas as direções.

Cria-Viúva e *Opa!* soltaram relinchos nervosos antes de deslancharem para fora do estábulo como se estivessem em uma corrida de velocidade, levando Canhotinho Payne e Eleanor.

— Preparem os rifles, homens! — gritou o xerife Abernathy de onde estava no ponto central da cidade, recarregando o revólver. — Temos foragidos em fuga!

— Ele ainda está carregando a arma — disse Adie em um sussurro alto. — Vamos, esta é a nossa chance. Venham comigo!

Começou a correr para longe da estrutura, em direção à estação de trem, antes que Brendan ou Cordelia pudessem responder. Hesitaram por um instante, preocupados com Eleanor, que cavalgava para longe sozinha com um assassino em série, mas, no fim, acabaram correndo para alcançar a nova amiga. Afinal, não teriam como resgatar Eleanor se estivessem mortos.

Ao se aproximarem da estação, viram um trem partindo, e no mesmo instante souberam o que Adie tinha em mente.

Os três fugitivos correram plataforma acima e depois ao lado da locomotiva em movimento, que ganhava velocidade a cada segundo. Mais disparos ressoaram atrás deles, e Brendan estava convencido de que seria atingido a qualquer segundo.

À frente dele, Adie alcançou o último vagão e pulou, agarrando o corrimão. Conseguiu alçar o corpo para dentro do pequeno deque na traseira do trem. Brendan alcançou a locomotiva segundos mais tarde. Correu ao lado dela por alguns momentos mais e depois estendeu o braço para segurar o corrimão na extremidade do vagão. Os pés ficaram balançando no ar por alguns instantes, e o menino teve visões de estar sendo sugado pelos cadarços para debaixo do veículo. Mas as mãos pequeninas e surpreendentemente fortes de Adie o agarraram pela camiseta e puxaram para cima.

Ele virou depressa e viu Cordelia lutando para acompanhar o trem que acelerava de forma gradual. Brendan segurou-se na balaustrada e se inclinou para fora da lateral do vagão.

— Você tem que pular agora! — berrou para a irmã. — Ou não vai conseguir alcançar mais!

Cordelia fez que sim com a cabeça, determinada, depois deu um passo para a frente e saltou no ar. Mas era tarde; a mão estendida da menina não alcançou o corrimão por pouco.

Tinha perdido o último trem para fora da cidade.

CAPÍTULO 45

Brendan e Adie haviam se preparado para a possibilidade de Cordelia não conseguir alcançá-los. Debruçaram-se sobre o corrimão na traseira do trem, segurando-se nele para não caírem, e tomaram, cada um, as mãos estendidas de Cordelia ao mesmo tempo. Como se trabalhassem como uma dupla de dublês de ação ao longo de anos a fio, puxaram-na para cima com um movimento rápido, sem qualquer dificuldade.

Cordelia desmoronou na plataforma em cima de Brendan.

— Achei — começou, parando um instante para recuperar o fôlego. — Achei que tinha morrido!

— Eu sabia que estava no papo o tempo inteiro — mentiu Brendan com um sorriso aberto. — Agora, hum, será que dá para sair de cima de mim?

Cordelia se levantou e depois ajudou o irmão a fazer o mesmo. Os três sorriram, aliviados. Mas os sorrisos desapareceram quando uma bala passou zunindo por entre as pernas de Brendan e foi se instalar na porta traseira do trem.

Os olhos do menino se esbugalharam, e por um segundo ele pensou que o coração tinha literalmente parado. Mas o som de mais estalos fizeram Brendan voltar à realidade quando uma nova saraivada de tiros esburacou toda a parte posterior do trem.

Uma dúzia de homens a cavalo, todos liderados pelo xerife Abernathy em seu casacão de lobo, cavalgava atrás deles, disparando pistolas e rifles aleatoriamente.

— Ele é insano! — gritou Cordelia, apontando para os vagões de passageiros à frente. — Tem pessoas inocentes ali dentro!

Brendan agarrou a maçaneta da porta e puxou. Não cedeu um centímetro sequer.

— Está trancada! — berrou, balançando ligeiramente à medida que o trem seguia seu caminho, ganhando velocidade.

O chão passava depressa sob seus pés, deixando-os tontos.

— Aqui em cima! — exclamou Adie, já na metade dos degraus de uma escadinha que levava ao teto do vagão.

Brendan olhou para Cordelia. Pela expressão da irmã, podia ver que ela também não estava muito empolgada com a ideia de subir para o teto de uma locomotiva em movimento. Ainda mais com o agravante de balas zunindo por eles. Mas ela deu de ombros logo em seguida.

— A gente não pode ficar parado aqui posando de alvo — gritou e pulou para a escada.

Como se para reforçar o argumento da menina, um projétil amassou a parede onde a cabeça dela estivera segundos antes. Brendan começou a escalar atrás das outras duas. Não tinha apreço especial algum por escadas, que dirá as fixas às traseiras de trens em alta velocidade, mas, por sorte, eram apenas nove degraus até o topo.

Quando Brendan chegou lá em cima, permaneceu com mãos e joelhos firmes no chão. De maneira alguma ia ficar de pé naquilo. Já era difícil o bastante manter o equilíbrio ajoelhado com o vento forte açoitando seu corpo como se houvesse centenas de mãos invisíveis tentando jogá-lo para fora.

O xerife e seus homens ainda perseguiam o trem.

— Brendan! — gritou Cordelia por cima do motor e do vento sibilante. — A gente precisa correr para a frente! Estamos expostos demais aqui atrás!

Ela estava de pé, cambaleando de leve e com os braços estendidos como se fosse uma equilibrista. Se ela era capaz, ele também era, disse Brendan a si mesmo. Era *ele* o irmão imprudente.

Agarrou a mão de Cordelia, que o ajudou a se levantar. Os dois irmãos e Adie começaram a correr no topo dos vagões de passageiro em direção à parte dianteira do trem. Uma vez tomado o embalo, Brendan tinha que admitir que era até mais fácil do que esperara. O espaço entre carros media apenas 45 centímetros, o que equivalia mais a um passo largo do que a um salto de verdade. E o restante dos vagões tinha tetos um pouquinho mais planos, lhes garantindo maior estabilidade. Era mais ou menos como correr por uma esteira rolante de aeroporto ajustada para velocidade turbo.

Estavam seis carros mais próximos da frente da locomotiva quando Brendan avistou Canhotinho Payne e Eleanor cavalgando adiante à direita. Cria-Viúva e *Opa!* ainda estavam amarrados um ao outro.

Brendan começou a agitar os braços com desespero. Eleanor os viu, mas segurava a sela com toda a força e por isso não podia responder. Payne olhou para trás logo depois e fez um movimento único de cabeça para o lado para sinalizar que as crianças continuassem correndo naquela direção.

Os estalos das armas ainda ressoavam atrás deles, e de vez em quando Brendan podia ouvir o assovio de uma bala passando perto de sua cabeça. Não precisava de incentivo mais forte do que aquele. Os três cruzaram a extensão de mais quatro vagões até estarem pareados com os cavalos.

— Pulem! — gritou Payne.

— No cavalo? — berrou Brendan de volta, olhando cheio de dúvida para o lombo de Cria-Viúva. O salto parecia ser de 40 metros, não os dois metros ou menos que tinha na realidade.

— Prefere pular para o chão? — respondeu o homem aos gritos.

Brendan olhou de relance para a pradaria que já não passava de um borrão de verde, dourado e marrom. Com certeza não preferia pular para o chão.

— Sai da frente, eu vou primeiro — disse Cordelia, ultrapassando o irmão.

Mas uma vez lá, a menina pareceu não acreditar que falara sério. Parou na beirada do teto e olhou para as costas de Cria-Viúva como se estivesse na boca de um vulcão em atividade.

Antes que os irmãos pudessem dizer ou fazer algo mais, Adie passou pelos dois e saltou para a sela com facilidade, como se estivesse mergulhando em uma piscina. Pegou as rédeas com apenas uma das mãos e estendeu a outra.

— Andem, é só pular! — gritou. — Agora ou nunca, Brendan!

Ele se aproximou da beirada, até que o lombo do grande cavalo castanho--escuro estivesse próximo o bastante para que o menino pudesse tocá-lo com o pé, se ambos não estivessem se locomovendo a quase 50 quilômetros por hora. Respirou fundo e pulou. Aterrissou com firmeza na sela atrás de Adie, e passou os minutos seguintes se contorcendo de dor e se arrependendo por não ter escolhido usar o equipamento de lacrosse — um item específico em particular.

Brendan ainda uivava de dor quando notou de súbito que Cordelia estava montada no cavalo à sua frente, agarrada aos ombros de Adie como se sua vida dependesse daquilo. Fez o melhor que podia para segurar e estabilizar a irmã. E assim, como mágica, estavam todos firmemente plantados no lombo de Cria-Viúva, distanciando-se do trem e seguindo *Opa!* com Canhotinho Payne e Eleanor. Os dois cavalos cansados galoparam ladeira acima de uma colina pouco íngreme com a carga extra de cinco pessoas em suas costas.

O problema era os doze ou mais homens armados até os dentes que continuavam em seu encalço, ainda atirando. Não fosse pela atenção de Denver Kristoff aos detalhes históricos, respeitando a falta de precisão horrenda dos revólveres antigos, com margem de erro maior do que 18 metros, todos os cinco fugitivos teriam sido decorados com buracos o bastante para se tornarem chafarizes humanos.

Mas o xerife e seus homens estavam se aproximando. Nada poderia ter deixado isso mais evidente do que a bala que atingiu o traseiro de Brendan no instante em que chegavam ao topo da colina baixa.

CAPÍTULO 46

— Me acertaram! — berrou Brendan. — Ah, cara, eles me acertaram! — urrava o menino, a voz cheia de pânico no ouvido de Cordelia.

— Não dá para parar agora! — gritou ela em resposta. — É muito sério? Onde foi que acertou?

— Na bunda! Eles atiraram bem na minha...

Emudeceu. Os braços envolvendo a cintura de Cordelia relaxaram. Pânico cresceu e subiu pela garganta da garota, dificultando a tarefa de engolir ou falar.

— Brendan? — chamou. — *Brendan!*

Seria possível alguém morrer tão depressa após ter sido acertado no traseiro por um tiro? Cordelia não sabia ao certo, mas tinha medo de virar para trás e descobrir.

— Está tudo bem com o seu irmão? — gritou Adie.

— Não sei, mas temos que continuar correndo! — respondeu Cordelia antes de finalmente encontrar coragem para olhar.

Brendan estava se contorcendo inteiro, a mão livre amparando as nádegas. Voltou a encarar a irmã, ainda fazendo caretas de dor. Estava vivo, não havia dúvida.

— Não estou entendendo — gritou por cima do trote ensurdecedor dos cascos dos cavalos. — Senti me acertar, e está doendo pra caramba, mas não tem sangue.

— A gente dá uma olhada quando... *se* conseguir fugir desse bando de caubóis psicóticos — prometeu Cordelia, o alívio permitindo que respirasse outra vez.

Enquanto isso, no cavalo da frente, Eleanor ignorava o fato de que Brendan tinha sido atingido. Estava ocupada demais sondando o horizonte infinito em busca de algum lugar, qualquer lugar, onde pudessem se esconder. Foi então que identificou o local perfeito.

A algumas centenas de metros de onde estavam, escondido atrás de outra colina, avistou o telhado vitoriano pontiagudo inconfundível da Mansão Kristoff. Apontou e gritou para Canhotinho:

— Vai por ali! Aquela é a nossa casa! Vai salvar a gente!

— Como uma casa pode salvar alguém? — retrucou o homem.

— Vai por mim! Corre para a casa!

Eleanor sabia que não os deixaria na mão. Por alguma razão, sempre que se encontravam em uma situação que parecia ser caso perdido, a Mansão Kristoff arrumava uma maneira de salvá-los. Estivera lá para tirá-los de inúmeros becos sem saída incontáveis vezes. O que era em parte a razão pela qual as crianças Walker ainda a consideravam seu lar, apesar de todos os eventos terríveis que tinham lhe acontecido sob aquele mesmo teto.

Payne puxou as rédeas e dirigiu um *Opa!* exausto para a casa. Estava claro que os animais não tinham muito mais energia na reserva. Não podiam continuar cavalgando para sempre. Aquela estranha casa que ele poderia jurar que não estava lá poucos dias antes seria um esconderijo tão bom quanto qualquer outro.

Em questão de minutos, os cavalos pararam diante da varanda da frente da Mansão, gratos pela pausa. Os cinco passageiros desmontaram e se apressaram a entrar. Cordelia bateu a porta e acionou todas as três trancas.

— Brendan! — chamou. — Tudo bem?

Ele foi cambando até o sofá, mancando sem jeito por conta da ferida na nádega e do impacto da sela na região da virilha. Com todo o cuidado, retirou algo do bolso traseiro da calça jeans. O *Diário* de Kristoff. Apresentava um buraco ainda fumegante no centro, atravessando-o quase que de

146

uma capa à outra. Brendan o cutucou com o dedo. Um cotoco preto caiu e tilintou no chão.

— Acho que descobrimos por que não tinha sangue — declarou, sorrindo. — O livro daquele bode velho tirou o meu da reta. Literalmente.

Cordelia fez uma carranca apesar do alívio que sentia.

— Só espero que esse buraco não tenha apagado nada de importante.

— Sério mesmo? É só isso que interessa para você?

— Gente! — chamou Eleanor de onde estava à ampla janela da sala de estar. — Os homens continuam lá fora! Estão vindo para cá!

— Então são, pelo menos, 12 armas de fogo contra... — começou Brendan, deixando a frase pela metade enquanto se virava para o foragido Canhotinho Payne. — Uma?

O criminoso fez que sim com a cabeça devagar, consciente de que, por melhor atirador que fosse, um único revólver não seria capaz de deter uma quadrilha inteira de homens armados por muito tempo.

— O que a gente faz agora? — indagou Cordelia.

— O aspirador? — sugeriu Brendan.

— Não vai funcionar de novo, ainda mais contra uma dúzia de caubóis! — protestou Eleanor.

Batidas altas à porta silenciaram a todos.

— Saiam por bem — gritou o xerife Abernathy. — Ou arrombamos esta porta e atiramos em todos que estiverem aí dentro!

Canhotinho Payne colocou-se diante da entrada e depois olhou para os três Walker.

— A pequenina disse que a casa podia nos salvar? — perguntou com as sobrancelhas erguidas.

— Pode ser — disse Brendan, olhando para o *Diário* em suas mãos. — Vou começar a ler. Tem uma seção aqui com uns esboços das passagens secretas e compartimentos escondidos da casa.

— Se apressa, garoto — recomendou Payne. — Não vou conseguir ganhar muito tempo aqui.

Brendan abriu o *Diário* nas páginas finais e começou a passar os olhos pelo texto o mais rápido que podia, procurando a parte com descrições detalhadas dos muitos segredos da Mansão.

— Esta é a sua última chance de se entregarem, ou então vamos entrar à força — avisou o xerife Abernathy, continuando com as pancadas.

Payne apontou a arma para o centro da porta e disparou quatro vezes em rápida sucessão. As balas perfuraram a madeira. Vários gritos e muitos xingamentos sonoros vindos do lado de fora se seguiram.

— Eles tinham arma, sim! — berrou alguém.

— Para trás e protejam-se! — instruiu o xerife. — Aqueles patifes acertaram o McCoy!

Eleanor, Cordelia e Brendan entreolharam-se em choque.

— Você matou o cara? — indagou Brendan.

— O seu trabalho agora é ler — explodiu Payne.

Brendan forçou-se a voltar para o *Diário*.

Sem aviso, uma tempestade de disparos retumbou do lado de fora, e balas perfuraram as laterais da casa como se as paredes fossem feitas de papel. Vidraças se estilhaçaram e gesso e madeira cobriram o chão da sala de estar. Os ocupantes se abaixaram. A saraivada era ininterrupta, como se houvesse uma centena de homens do outro lado, e não apenas um punhado.

— Lá para cima! — gritou Cordelia. — O banheiro do corredor não tem nenhuma parede dando lá para fora!

A garota guiou o grupo enquanto Adie, Eleanor, Brendan e Payne a seguiam. Subiram depressa a majestosa escadaria no saguão que levava ao corredor do segundo piso. Cordelia estava certa de que alguém acabaria sendo atingido no caminho, mas por milagre chegaram todos sãos e salvos ao banheiro.

Sua intuição estava certa; projétil algum penetrara as várias paredes do banheiro. Parecia que Denver Kristoff de fato se mantivera leal aos estereótipos dos *westerns* clássicos, pois os homens lá fora pareciam ter um estoque infinito de munição e estavam mais do que satisfeitos em descarregá-lo no perímetro da Mansão Kristoff de forma ininterrupta ao longo de 15 minutos inteiros. Os ocupantes da casa se agacharam e aguardaram, Brendan ainda lendo o *Diário*, enquanto os outros tentavam armar alguma espécie de plano B.

Payne foi o primeiro a sentir cheiro de fumaça. Em pouco tempo, todos puderam senti-lo. No instante em que Cordelia abriu uma frestinha de porta a fim de investigar, ouviram o crepitar de chamas no térreo e viram cortinas de fumaça espessa e cinzenta subindo e dominando o corredor.

Cordelia bateu a porta outra vez e girou para encarar os outros com olhos cheios de pânico.

— Colocaram fogo na casa!

— Tem que ter alguma saída! — berrou Eleanor. Cordelia balançou a cabeça em negativa, desesperada, enquanto fumaça começava a entrar no banheiro pelos vãos na porta.

— As escadas lá para baixo já pegaram fogo — disse. — A única coisa que podemos fazer agora é subir.

— Maravilha! — exclamou Brendan, ficando de pé em um pulo. — A gente precisa subir para o sótão! Acho que acabei de descobrir uma coisa que pode ajudar na nossa situação.

Cobriram os rostos com camisetas, lenços e toalhas antes de saírem correndo do banheiro para o corredor. A fumaça já era tão densa, que os meninos mal conseguiam enxergar a pessoa que estava logo à sua frente. Mas, com Brendan guiando o caminho, chegaram ao sótão em segurança.

— E agora, Bren? — indagou Cordelia enquanto puxava e fechava a escadinha retrátil com a ajuda de Payne.

Brendan ignorou a pergunta; estava ocupado demais tateando uma das paredes de madeira do cômodo. Conferia o conteúdo do *Diário* aberto na mão esquerda enquanto inspecionava a superfície com a direita. A cada poucos centímetros, fazia pressão e resmungava consigo mesmo.

— O que ele está fazendo? — perguntou Eleanor, preocupada com a possibilidade de o irmão ter respirado fumaça demais. Ou talvez fosse algum efeito duradouro da transformação em zumbi?

— Com sorte, salvando todo mundo — respondeu Cordelia, levando a irmã mais nova ao canto do sótão que ficava mais distante da escada. Já podia escutar o estalido das chamas debaixo deles, mesmo com a saraivada de tiros que ainda castigava a casa por todos os lados, sem contar os disparos em retaliação que Payne fazia da janela do cômodo.

Brendan estava pronto para desistir e alegar que o que tinha descoberto no *Diário* de Kristoff não passava de um punhado de planos e projetos que o velhote nunca chegara a completar de fato. Mas então sua mão passou por cima de uma junção diferente entre as tábuas de madeira. Chegou mais perto e examinou a pequena fissura. Era quase invisível, reta e formava um retângulo do tamanho de um caderno. Apertou a parte central e depois empurrou para a direita. A parede não cedeu inicialmente, mas soltou uma espécie de grunhido, depois rangeu, e uma chapa de madeira deslizou para o lado para se abrir.

O espacinho escondia um cubículo das dimensões de uma caixa de sapatos. Grande o bastante para abrigar uma manivela de aço revestida de borracha com as palavras "Ejetor Aéreo de Emergência" pintadas nela.

Brendan segurou a haste e puxou. O metal antigo produziu um rangido quando a manivela foi forçada para a posição vertical. Nada aconteceu por alguns segundos, mas depois a casa inteira pareceu começar a vibrar. Várias pancadas e tinidos sonoros ribombaram acima deles, vindos do telhado. A Mansão estremeceu e chacoalhou como se estivesse prestes a se desintegrar.

— *Bren-n-n-nd-d-a-a-a-a-n!* — gritou Cordelia, as palavras trêmulas como se alguém estivesse batendo em suas costas em rápida sucessão. — *O q-q-q-ue f-f-f-o-i qu-e vo-o-o-cê fe-e-eez?*

O menino virou no instante em que algo explodiu acima deles. Uma sombra gigantesca cobriu todas as janelas, bloqueando o sol por inteiro e mergulhando o sótão em escuridão enquanto os ocupantes berravam, aterrorizados.

CAPÍTULO 48

Lá fora, o xerife Abernathy, os capangas e vários justiceiros da cidade de Van Hook pararam de atirar na casa. As armas fumegantes estavam esquecidas em suas mãos, caídas nas laterais do corpo, enquanto olhavam para o céu.

A casa enorme estava sapecada por centenas de buracos de bala. O primeiro piso pegava fogo, e a fumaça negra vazava das janelas quebradas. Mas ninguém notava esses detalhes naquele instante.

Fitavam boquiabertos o balão monumental que se inflava acima do telhado da construção. Era vermelho com listras prateadas, refletindo a luz do sol de maneira tão ofuscante, que vários dos homens deixaram cair suas armas a fim de proteger os olhos do brilho forte espelhado pelo tecido.

Encheu-se tão depressa que todos os espectadores mais tarde jurariam que ou tinha sido fruto de algum tipo de magia negra ou obra divina. O balão era gigantesco, e nenhum deles jamais seria capaz de descrever seu tamanho com precisão ao recontarem o acontecido.

A própria casa parecia uma miniatura em comparação ao tecido vermelho e prateado cheio de ar. Tinha no mínimo 15 vezes o tamanho da grande mansão. Era fixo ao telhado e, ao se inflar por completo e alçar voo, levou a estranha construção consigo, ainda queimando e cuspindo fumaça por todas as janelas espatifadas.

O xerife Burton "Caça-Lobos" Abernathy forçou a boca estupefata a se fechar e levantou a pistola de cabo de madrepérola. Armou o cão e recomeçou a disparar na casa que se elevava cada vez mais.

— O que vocês estão olhando? — berrou para os homens enquanto recarregava a arma. — Continuem atirando! Vamos estourar aquele balão!

— Aquilo não é balão coisa nenhuma — retrucou um dos homens da cidade que se oferecera para ajudar a prender os fugitivos. — É a mão de Deus salvando aquelas *criança* do mal. Não quero mais tomar parte nisto.

Vários dos outros presentes concordaram com a opinião do primeiro e seguiram seu exemplo quando montou no cavalo e deu meia-volta em direção à cidade.

Mas os capangas remanescentes do xerife e alguns outros homens seguiram as ordens e recomeçaram os disparos, o térreo da casa ainda deixando um rastro de fumaça pelo caminho. Atiraram até a munição acabar. E quando terminaram de descarregar o último projétil, não só o balão monstruoso permanecia intacto, como já não passava de um pontinho em meio às nuvens, quase tão pequeno quanto a maior estrela no céu noturno.

— Ah, deixem para lá — disse o xerife Abernathy, voltando a guardar a arma no coldre. — Os fedelhos e o criminoso Payne não *vai* durar muito mais lá em cima mesmo.

— O senhor quis dizer não *vão* durar — corrigiu Sturgis.

O xerife lançou ao subordinado um olhar frio como aço.

— O quê? O senhor devia era estar orgulhoso — defendeu-se o outro. — Que *nós está* aprendendo a falar direito, ó!

— Para o inferno com isso, vamos embora — rosnou o xerife. — Como já disse, eles não vão continuar nesta vida por muito mais tempo. Se o fogo não acabar com eles primeiro, a falta de oxigênio vai.

— Falta de oxigênio? — indagou Sturgis.

— É, vocês nunca leem nada que preste? — explodiu Abernathy. — Uns ingleses resolveram voar tão alto num balão que quase bateram as botas. Um desmaiou porque não tem ar para respirar tão lá em cima. É fato, verdade mais sagrada. — O xerife olhou para a Mansão Kristoff uma última vez e abriu um sorriso doentio. — Vão todos é sufocar lá no alto.

CAPÍTULO 49

— Estamos voando de verdade! — exclamou Brendan da janela do sótão.

Cordelia espremia o rosto contra uma vidraça adjacente e olhava para baixo. Os caubóis continuavam a atirar. Os pequenos filetes de fumaça saídos dos canos das armas ficavam cada vez menores à medida que a antiga casa subia. Os homens lá embaixo pareciam diminutos bonequinhos de ação segurando buquês de rosas cinzentas.

Estavam mesmo voando.

Adie tinha caído em uma espécie de choque mudo quando a casa começara a subida. Permaneceu imóvel, os olhos arregalados e a boca aberta, enquanto a construção continuava sua escalada.

Canhotinho Payne estava sentado com as costas contra a parede, o medo abrandando os olhos de aço.

— Que espécie de magia negra é esta? — gritou.

Cordelia não respondeu. Em vez disso, abriu a janela. Uma rajada de vento gélido atingiu seu rosto. Ela lutou contra e colocou a cabeça para fora, olhando para cima. Um balão vermelho e prateado colossal estava preso na casa por uma série de cabos. No centro da base, perto do ponto mais alto do telhado da Mansão, uma enorme bucha acesa cuspia chamas azuis para dentro do buraco no tecido. A menina fitou o mecanismo por vários segundos antes de se dar conta de que podia enxergar a condensação produzida por sua respiração. Estava congelante lá em cima.

Cordelia voltou a cabeça para dentro e fechou o vidro.

— Estamos subindo demais! — exclamou, interrompendo a celebração triunfante de Brendan e Eleanor. — Vamos morrer congelados aqui, isso se o nosso oxigênio não acabar antes! Não tem oxigênio suficiente para um ser humano sobreviver depois de ultrapassar 30 mil pés de altitude.

— Como você sabe essas coisas? — perguntou Brendan.

— Livros — respondeu a irmã. — Eu leio.

— Bom, pois eu também, Délia! — retorquiu o menino. — E, de acordo com o livro que *eu* estou lendo, o Kristoff instalou esse balão aí para o caso das boias embaixo da casa falharem. Por que ele faria isso se fosse deixar a gente continuar flutuando até o espaço para morrer?

— Vai ver tem algum jeito de controlar a direção — sugeriu Cordelia. — Continua lendo.

O irmão recomeçou sua leitura, tentando ignorar a fumaça negra que passava pela janela do lado de fora, como um lembrete de que a casa ainda estava se incendiando. Mas afastou o pensamento. Não conseguia ler a escrita quase indecifrável de Denver sem concentração total.

Enquanto isso, Canhotinho Payne permanecia sentado no chão. O choque inicial tinha passado, mas ainda assim ele estava mais confuso e aterrorizado do que jamais se sentira na vida, mesmo que nunca fosse admiti-lo. Estar dentro daquela casa voadora era como estar no pico de uma montanha em movimento, mas ainda mais alto. Deixava-o muito inquieto. Não eram muitas as coisas que assustavam Canhotinho Payne. Mas altura era uma delas. A bem da verdade, havia apenas três coisas no mundo que o assustavam:

Lugares altos

Encarceramento (preferiria a forca)

Elefantes de circo

Adie, por outro lado, teria que ter sido arrastada à força para longe da janela. Após o choque do primeiro momento, tinha corrido para a vidraça a fim de descobrir como era o mundo de tão alto no ar. Adorou ver tudo lá embaixo parecendo tão minúsculo. Era assombroso. Mas, no fundo, estava pensando no pai e na mãe, como deveriam estar morrendo de preocupação por causa dela. Devia ter voltado para casa havia mais de uma hora. Além disso, se nunca tivesse a chance de retornar, quem terminaria de cuidar do pobrezinho do pisco ferido até recobrar sua saúde?

A temperatura dentro do sótão da Mansão Kristoff caía rapidamente, alertando-os para o fato de que tinham pouco tempo antes de serem privados de ar respirável ou morrerem congelados. Suas respirações já tinham começado a ficar mais rasas, rápidas e visíveis.

Brendan encontrou dificuldade crescente para se concentrar no *Diário*. Tinha chegado à seção correta; era apenas uma questão de decifrar a letrinha diminuta e os esboços apagados tendo que depender de um cérebro com oxigenação deficiente.

— Acho que a gente precisa descer — declarou ele, enfim, arfando como se estivesse no meio de uma maratona.

— Enlouqueceu? — respondeu Cordelia. — Está tudo pegando fogo lá embaixo!

— Não é descer para o primeiro andar — corrigiu ele. — Só até o segundo. O *Diário* está dizendo que os controles ficam no escritório.

Cordelia fez que sim com a cabeça, e os dois correram para abaixar a escadinha. Nuvens de fumaça invadiram o sótão, tornando ainda mais difíceis as tarefas de enxergar e respirar. Adie tossiu, e Eleanor a empurrou para se abaixar rente ao chão.

— A fumaça vai sempre para cima — disse, repetindo o que aprendera na escola. — É por isso que recomendam que as pessoas fiquem perto do chão em caso de incêndio.

— O fogo continua só no térreo! — gritou Brendan através da malha da camiseta, que cobria seu rosto como se fosse um bandido.

— Temos que correr! — berrou Cordelia em resposta. — A fumaça está tão espessa que vamos morrer em questão de minutos assim. Sabe, há mais mortes por inalação de fumaça do que...

— A gente não tem tempo para uma palestra agora! — interrompeu o irmão. — Continua andando!

Brendan desceu correndo os degraus, desaparecendo dentro da cortina cinzenta de gás. Cordelia deixou escapar um suspiro e seguiu atrás do irmão com Eleanor, Adie e Payne logo em seu encalço. Brendan manteve-se próximo ao chão, mas continuou locomovendo-se depressa, engatinhando pelo corredor em direção ao escritório. A porta estava fechada, o que lhes garantiu um pouco mais de tempo, uma vez que a fumaça ainda não invadira o cômodo em grandes quantidades.

Brendan tossiu ao entrar, aguardando ao lado da porta enquanto o restante do grupo passava por ela. Depois ele a fechou com força, tirou o moletom de capuz e o enfiou no vão sob a porta. O espaço estava frio e nebuloso, como se estivessem em um flashback cinematográfico, mas nem se equiparava ao cinza impenetrável do corredor fumacento. O escritório da Mansão Kristoff era menor e menos impressionante do que a monumental biblioteca do primeiro andar, mas ainda assim comportava cinco ocupantes com conforto, e o pé-direito alto ajudava a distribuir a fumaça que se acumulara.

Cordelia seguiu para a janela lateral e a abriu. O ar gélido que entrou lhe tirou o fôlego tal qual um soco no estômago. Mas também ajudou a dispersar o restante da fumaça por ali. Fechou o vidro outra vez após vários segundos, as mãos dormentes do frio. A temperatura já devia estar abaixo de zero àquela altitude, o que não era bom sinal.

— Anda, Brendan! — exclamou.

Brendan e Payne se agacharam diante do peitoril da grande janela saliente que ficava em frente à enorme escrivaninha. Fizeram força para puxar uma das tábuas de madeira, que rangeu sob a pressão, como se fosse sua missão de vida se manter no lugar. Depois rachou e enfim se deslocou com um estalo.

— Isso! — comemorou Brendan, espiando dentro do buraquinho diminuto que ficou.

Levou a mão para dentro do peitoril e puxou uma alavanca para cima. O ronco de engrenagens centenárias se movimentando ressoou abaixo deles. O guincho de metal antigo e polias com esteiras de borracha os cumprimentou como um uivo de advertência. Em seguida, a estrutura onde ficavam as almofadas sob a janela, quase do tamanho de um divã, se dobrou e girou nos eixos de dobradiças reforçadas. O lado de baixo girou para cima, revelando um leme de madeira com uma série de tocos equidistantes estendendo-se dos raios na circunferência, exatamente o que se esperaria encontrar em um antigo navio pirata. Ao lado do leme ficavam várias alavancas grandes, como marchas de carro maiores que o normal, e três instrumentos medidores protegidos por visores de vidro.

Brendan consultou algo no *Diário*, os dentes rangendo e batendo, a respiração rarefeita explodindo diante dele em pequenas lufadas de fumaça visíveis. Depois segurou uma das alavancas e puxou para baixo.

A casa parou o movimento de ascensão quase que de imediato, e a mudança de direção fez seus ocupantes cambalearem de leve. Payne apertou a barriga com expressão perturbada quando a Mansão começou a descida.

— Você conseguiu! — gritou Eleanor, envolvendo a cintura do irmão com os braços.

— Não estamos fora de perigo ainda — lembrou ele. — O primeiro andar continua pegando fogo.

Cordelia pulou para cima da janela saliente, aterrissando em frente ao leme, e abriu as cortinas que cobriam as três vidraças impressionantes. Olhou para fora. Estavam acima de uma série de nuvens finas e rareadas que lembravam algodão desfiado. Por entre os espaços livres, descobriu que as terras planas amarelas e verdes que formavam a paisagem quando começaram a subida não estavam mais lá. Embaixo havia agora uma superfície de um tom azul profundo, reluzindo sob o sol como se estivesse coberta por uma camada de glitter.

— Estamos em cima de um oceano! — gritou Cordelia. — Vai mais para baixo.

— E a família Walker finalmente recebe um merecido descanso — celebrou Brendan, puxando ainda mais a alavanca responsável pelo controle de altitude.

Encontrou o pequeno altímetro e observou enquanto a agulha vermelha dava uma guinada para a direita, de volta à casa dos 20 mil pés e depois menos. Deixou escapar um suspiro aliviado. Após mais alguns minutos, tinha passado dos dez mil. Olhou para fora da janela quando os ouvidos se abriram. O oceano era de um azul profundo e escuro. O movimento das ondas mal era visível, elas mais pareciam pequenas fissuras na superfície lisa do mar.

Adie, Canhotinho e Eleanor estavam amontoados perto da escrivaninha. O segundo estava amedrontado demais para sequer se aproximar de outra janela, e a primeira se dedicava a tentar acalmar uma Eleanor em pânico.

— Estamos indo rápido demais! — exclamou Brendan. — Nesta velocidade, a casa vai quebrar inteira quando bater na água!

— Não tem como ter certeza disso — protestou Cordelia. — Esta mansão já sobreviveu a dois terremotos poderosos.

Ainda assim, nem ela própria acreditava em suas palavras. Mordeu o lábio inferior e olhou para fora outra vez, cheia de ansiedade.

— Acho que é uma boa ideia todo mundo fazer as pazes antes de morrer — sugeriu Brendan. — Eu começo, porque fiz um monte de besteira nesta vida...

Cordelia olhou feio para ele.

— O quê? Só estou sendo sincero aqui.

— Você acha mesmo que vamos morrer? — indagou Eleanor, a voz trêmula.

— Não dê ouvidos a ele — disse Adie, abraçando a Walker mais nova com um braço. — O seu irmão tem esse hábito de ver o lado mais sombrio de todas as situações. Mas chegamos até aqui; não é agora que vamos morrer.

Brendan sentiu o rosto pegar fogo e desviou os olhos. Com certeza não queria ser visto como o deprê do grupo. Especialmente não por Adie.

— Só mil pés! — interrompeu Cordelia. — Todo mundo se prepare para o impacto.

Adie e Eleanor correram para a grande mesa e se abrigaram debaixo dela. Canhotinho Payne foi se esconder com elas logo depois.

— Tem espaço para mais um! — avisou Eleanor.

— Vai você. — Brendan fez um movimento de cabeça para Cordelia, tentando ser destemido. — Ia ser ironia demais se uma dessas enciclopédias gigantes daqui voasse da estante e acabasse te nocauteando!

A irmã lhe deu um sorriso. E foi naquele instante que o menino se deu conta de como aquela viagem ao mundo dos livros vinha sendo difícil para ela. Brendan sentiu um nó inesperado formar-se em sua garganta.

— Brendan, me escuta... Você *tem* que sobreviver — disse Cordelia. — Só você pode ler o *Diário* e encontrar os Protetores de Mundo. Agora vai para baixo daquela mesa! Eu fico. Anda, só temos alguns segundos até a casa bater na água!

Brendan compreendeu que não conseguiria vencer aquele debate com a irmã mais velha. Além do mais, ela tinha razão, e ter que admiti-lo mais uma vez o incomodava. Correu para a escrivaninha e se espremeu sob o tampo junto com os outros três, entre as gavetas da direita e Payne, que cheirava a uma mistura de tabaco, uísque e vestiário escolar.

— Foragidos não têm muita oportunidade de tomar banho, né? — indagou o menino.

O rosnado sonoro do homem foi a última coisa que ouviram antes do impacto ruidoso da Mansão Kristoff com o mar. A casa colidiu com a superfície da água salgada com força suficiente para fazer os esqueletos de todos tremerem. E a verdade se evidenciou com clareza para Brendan: não havia chance de eles, ou a casa, sobreviverem.

Brendan abriu os olhos devagar, vagamente consciente de um latejo longínquo no crânio, como se homenzinhos minúsculos estivessem batendo em seu cérebro com seus martelos miúdos. Ele se sentou direito e cobriu os olhos com a mão. A visão estava embaçada demais para que conseguisse enxergar qualquer coisa, salvo por uma luz ofuscante.

— Morri? — indagou.

— Infelizmente, não — respondeu uma voz.

— *Infelizmente?*

— Isso. Só preciso de um ou dois de vocês para usar como reféns quando chegarmos à fronteira mexicana — disse a voz. — Se tivesse morrido, me pouparia das suas piadinhas infames.

Foi então que Brendan entendeu que estava conversando com Canhotinho. Não se deu ao trabalho de dizer a ele que, entre todos os lugares para onde era provável que estivessem flutuando, o México, com certeza, não estava na lista. Começou a se levantar, mas balançou e perdeu o equilíbrio. A mão forte de Payne o segurou pelo ombro e o endireitou.

— Cordelia? — chamou Brendan, esfregando os olhos.

— Estou aqui — respondeu ela. — Está todo mundo bem.

Um par de braços pequeninos envolveu a cintura de Brendan.

— Achei que você tinha morrido — disse Eleanor.

— *Infelizmente* não — ironizou o menino, abraçando-a também.

Devagar, os olhos foram se adaptando à claridade. Continuavam no escritório do segundo andar. Luz do sol forte entrava sem cerimônia pelas janelas quebradas. Brendan cambaleou até a janela saliente, cuidando para evitar todos os estilhaços de vidro, e olhou para fora. Estavam no ar outra vez, o mar azul reluzindo sob eles. Podia ver a sombra distorcida que a casa e o balão lançavam no espelho da água.

— E o fogo?

— Apagou — respondeu Cordelia. — A gente bateu com força suficiente para quase inundar o primeiro andar inteiro. Na verdade, estávamos afundando até eu aumentar a chama para o máximo, e aí voltamos a subir.

— A cozinha está toda queimada — comentou Eleanor. — Junto com praticamente todo o resto das coisas lá embaixo.

— Pelo menos a gente está vivo — disse Brendan.

Adie deu um passo à frente, a expressão culpada.

— Me desculpa pelo que falei antes — pediu. — Sobre você só ver o pior lado das coisas sempre. Estou feliz que esteja bem. Você nos deu um baita susto!

Brendan sentiu as bochechas queimarem. Teve presença de espírito suficiente para abrir um sorriso constrangido para a menina e depois virou-se para a janela, querendo esconder o rosto.

— Bom, acho que eu devia começar a ler o *Diário* de novo — declarou, tentando ignorar a dor de cabeça. — Para decidirmos aonde vamos agora.

O garoto se jogou no chão, se recostando contra a parede. Fez uma careta de dor e voltou a inclinar o tronco para a frente. Havia um galo enorme na parte posterior do crânio do menino onde batera na mesa durante a colisão com o mar. Brendan fez o melhor que pôde para ignorá-lo e continuou a leitura. Em um primeiro momento, ficaram todos parados em volta, observando enquanto ele lia. Ter uma plateia provou-se uma distração considerável.

Mas, ao mesmo tempo, parte do menino estava deleitada por conta de toda a atenção. Por ser aquele a quem todos se viravam em busca de respostas. Fazia com que se sentisse especial e heroico. Não apenas seria o salvador da própria família, mas também de dois universos inteiros! Nem mesmo receber o título de Jogador Mais Valioso do campeonato estadual de lacrosse se aproximava daquela sensação. Continuou lendo, procurando mais informações a respeito dos Protetores de Mundo, enquanto a Mansão Kristoff voava em meio a umas poucas nuvens e ao sol, acima do mar aberto que se estendia diante deles e desaparecia na linha do horizonte.

A casa caíra em silêncio. Cordelia, Eleanor e Adie aventuraram-se a desbravar a cozinha parcialmente inundada e quase inteiramente queimada no andar de baixo a fim de conferir o que tinha restado dela. Payne permaneceu no escritório com Brendan, tirando das estantes volumes gigantes de enciclopédias escritas décadas após sua era, folheando-os com fascínio.

As três meninas estavam quase desistindo da busca por comida quando ouviram Brendan gritar do andar de cima. Correram para fora da cozinha, os passos vagarosos pelos vários centímetros de água do mar, e seguiram escada acima até o escritório para encontrar Brendan de pé com o peito inflado como se fosse um super-herói.

— Achei! — exclamou com um sorriso desprovido de qualquer modéstia. — Já sei aonde a gente precisa ir para encontrar os Protetores!

Antes que pudesse seguir com a explicação, um guincho de arrepiar vindo do lado de fora os forçou a tampar as orelhas. Segundos mais tarde, uma cabeça fina com bico longo e pontudo entrou no escritório através da janela saliente quebrada.

Fileiras e fileiras de dentes afiados dentro de um par de mandíbulas sinistras abocanharam Brendan e começaram a puxá-lo para fora enquanto o menino gritava por socorro.

CAPÍTULO 51

— Bren! — berrou Cordelia, correndo para a janela. Mas Canhotinho chegou lá primeiro. Golpeou a cabeça do monstro com o punho direito, acertando o olho do animal gigante com força o bastante para fazê-lo sair da casa.

Brendan caiu para a frente no chão e não perdeu tempo em ficar de pé outra vez.

— Tudo bem? — indagou Cordelia, a lembrança dos dentes tão grandes quanto a sua mão ainda muito viva.

— Tudo — respondeu o irmão. — Só pegou na minha camiseta. Estou bem, graças ao Canhotinho. Uau, cara, você tem um gancho de direita de responsa. Dava para nocautear até o Mike Tyson no auge da carreira com um desses!

— O meu gancho de esquerda era ainda melhor — gabou-se Payne, olhando para a prótese de madeira que ocupava o lugar da mão.

— Mas o que *era* aquela coisa? — indagou Adie, os olhos tão arregalados que pareciam ter perdido a capacidade de piscar.

— Acho que pode ter sido um... — começou Cordelia, mas foi interrompida por outro guincho aterrorizante.

Espiaram todos pelas janelas, com cuidado para não se aproximarem demais. Dezenas de aves pré-históricas cercavam a Mansão. Pterodátilos tão gigantescos que as asas chegavam a ser mais compridas do que um ônibus. Guinchavam enquanto voavam em movimentos giratórios, investigativos, as cabeças finas e pontudas balançando de um lado a outro, fixas nos longos pescoços.

À distância, Cordelia avistou uma pequena ilha coberta por vegetação vibrante.

— Ali! — disse, apontando. — Vamos tentar chegar naquela ilha lá. Tem um monte de árvores... Não vão conseguir chegar perto se estivermos no chão.

Brendan assentiu e ajustou as alavancas e o leme até os medidores indicarem que estavam seguindo em frente em linha reta.

— Comece a descer também — sugeriu Cordelia. — Não queremos passar direto.

Ele fez que sim mais uma vez, voltando-se para o painel de controle. Começou a levar a mão à alavanca da altitude, mas, antes que pudesse alcançá-la, um pterodátilo cinza-amarelado monumental irrompeu janela adentro com um grande impacto, atirando para trás o menino, que colidiu com Payne. Caíram os dois no chão enquanto o dinossauro investia contra Cordelia.

Ela mergulhou para a esquerda, por pouco escapando da mordida da criatura.

A ave pré-histórica era enorme. Quando tentou bater asas dentro do cômodo, perdeu o equilíbrio e caiu por cima da escrivaninha, agitando o bico durante a queda e quase pegando os cabelos de Eleanor com ele.

A criatura tinha mais de dois metros de altura, e o bico era longo o suficiente para fazer espetinho dos três Walker, Payne e Adie juntos — e ainda sobrar um espacinho para alguns pedaços de legumes.

— Canhotinho, você não pode simplesmente atirar naquela coisa? — indagou Adie, em desespero.

— Estou sem munição — respondeu ele, franzindo o cenho para o tambor vazio da pistola.

— Vamos virar kebab de Walker! — gritou Brendan.

— Não se dermos o fora daqui — retrucou Cordelia, agarrando o braço do irmão e puxando-o para ficar de pé. — Anda!

— Para o sótão de novo? — sugeriu Payne, embainhando a arma inútil no coldre.

— Estamos quilômetros na sua frente! — berrou Eleanor do corredor, com Adie em seu encalço.

Os cinco subiram correndo para o cômodo mais alto. Brendan girou nos calcanhares, pegou a escadinha e tentou fechá-la. Não se moveu.

— A escada não quer subir!

Já podiam escutar o pterodátilo guinchante seguindo desajeitado pelo corredor em sua direção.

Canhotinho foi até Brendan a fim de ajudá-lo. A escada não queria ceder um centímetro sequer. Cordelia se ajoelhou perto dela e examinou as dobradiças.

— Está emperrada — concluiu. — As dobradiças devem ter se envergado quando a casa bateu no mar.

A criatura surgiu bem abaixo deles. Olhou para cima, inclinou a cabeça para o lado e soltou um som agudo alto, fazendo com que todos protegessem os ouvidos. O pterodátilo começou a subir os degraus de maneira destrambelhada.

Brendan, Cordelia e Payne apressaram-se para a parede contra a qual Eleanor e Adie já estavam agachadas, com expressões aterrorizadas nos rostos.

— Bom, agora conseguimos mesmo ficar encurralados aqui — disse Brendan. — Parabéns, galera.

Ninguém respondeu.

No silêncio, escutaram sons de rasgo altos acima deles, como se um gigante tivesse aberto um buraco na calça depois de ter se abaixado para pegar algo do chão. Mais ruídos similares se seguiram, e, segundos mais tarde, ficou claro que estavam descendo com grande velocidade — rápido demais para serem capazes de sobreviver ao impacto desta vez.

— Estão estourando o balão! — berrou Cordelia.

Brendan girou. Canhotinho Payne, que estivera a seu lado segundos antes, tinha desaparecido.

— Onde é que o Payne... — começou o menino, mas parou de falar quando avistou o foragido do outro lado do cômodo, atrás do pterodátilo.

O dinossauro já tinha entrado de corpo inteiro no sótão e movia-se na direção das crianças, o bico imenso se abrindo e fechando repetida e furiosamente.

Brendan olhou em desespero para Payne, que avançava com passos lentos e silenciosos, a poucos metros da criatura. O criminoso fez uma mímica de um empurrão e um movimento de cabeça para Brendan.

O menino se virou e viu uma grande janela atrás deles.

— Pessoal! — gritou Brendan a fim de ser ouvido por cima dos berros de Eleanor e Adie. — Fica todo mundo onde está, o mais imóvel possível. Quando eu disser *já*, vocês abaixam e cobrem a cabeça. Ok? — Lançaram--lhe olhares confusos. — Só confiem em mim. Digam *Ok* se vocês entenderam!

— Ok — disse Cordelia com a voz trêmula.

— Adie, Eleanor?

As duas meninas fizeram que sim com as cabeças. O que bastava para ele.

Brendan se virou para encarar o dinossauro outra vez. Estava a apenas três metros deles, quase próximo o bastante para poder esticar o comprido bico para a frente e arrancar um dos olhos de Brendan da órbita. O garoto afastou a imagem da mente e se concentrou em Canhotinho, um único passo atrás do monstro feroz.

O pterodátilo tomou impulso com um movimento para trás, pronto para o bote. De canto de olho, Brendan viu Eleanor se retrair inteira.

— Esperem o sinal! — avisou, a voz tremida.

A criatura voltou a cabeça para o som da voz estridente. Soltou outro guincho horrível e investiu, o bico apontado direto para o coração de Brendan. O menino deixou escapar seu próprio grito e se lançou para a direita. Eleanor, Cordelia e Adie seguiram o exemplo dele, mergulhando para fora do caminho da criatura.

Payne jogou-se contra as costas do animal. Bateu com o ombro na criatura, atirando-a para a parede do sótão, pouco abaixo da janela.

A ave monumental atravessou a parede fina, voando para o lado de fora outra vez e abrindo um buraco enorme, cheio de lascas de madeira irregulares, na lateral da casa. Em conjunto com a janela, a abertura era larga o suficiente para que um carro pudesse passar, e, sem dúvida, larga o suficiente para permitir a entrada de um bando de aves vorazes, quase como se a Mansão tivesse acabado de abrir as portas para um bufê de almoço preparado especialmente para os pterodátilos.

Brendan se levantou.

— Foi mal, é, hum, tomara que vocês tenham percebido que aquele grito era o sinal — disse.

Cordelia revirou os olhos enquanto todos se colocavam de pé e iam se reunir em volta do buraco.

Os cinco ficaram parados lá e se deram conta de que um pterodátilo pequenino era o menor de seus problemas. O balão tinha sido furado de maneira irreparável. Um paredão de mar azul-escuro se aproximava deles em alta velocidade. Não apenas isso, mas aves pré-históricas ainda maiores circundavam a casa. Várias já tinham percebido o buraco no sótão e estavam mergulhando no ar direto para ele.

Mesmo que sobrevivessem à queda, ainda teriam o problema dos predadores carnívoros atrás deles. Havia apenas uma única pergunta a confrontarem.

— Bom — começou Brendan, tentando forçar uma risada nervosa. — Vocês preferem encarar o impacto ou virar comida de pterodátilo gigante?

Ninguém respondeu, pois um estalo de eletricidade pareceu cortar o ar, abafando todos os demais ruídos. Um lampejo de luz azul ofuscante ziguezagueou pelo céu como se fosse vidro estilhaçado. Ouviram um estouro molhado nauseante acima deles quando um dos pterodátilos em pleno mergulho explodiu em vários pedacinhos vermelhos e cinza que crepitavam ao cair na água, deixando rastros finos de fumaça para trás.

Os cinco ocupantes do sótão recuaram um passo.

— O que foi aquilo? — berrou Eleanor.

Como se quisessem responder, vários outros estalos rasgaram o céu, e raios azuis foram descarregados acima deles, incinerando mais três criaturas.

Em seguida, uma esfera de metal colossal flutuou para baixo e entrou no campo de visão do grupo enquanto os pterodátilos restantes fugiam, espalhando-se em todas as direções. Era perfeitamente redonda e prateada, refletindo a luz do sol da tarde, a água e a forma distorcida da Mansão Kristoff com a precisão de um espelho. A superfície metálica se agitou, quase como se fosse líquida, ou feita de mercúrio, não sólida. Pairou diante deles, e vários outros relâmpagos foram disparados de todos os lados. Acertaram três aves em fuga, reduzindo-as a um zilhão de pedacinhos fumegantes.

— O que é aquela coisa? — indagou Adie.

Os Walker pareciam ter muito mais familiaridade com tudo o que a menina tinha visto aquele dia, de modo que esperava que também soubessem o que era a tal presença estranha. Mas a indagação foi recebida com silêncio. Os Walker estavam chocados e confusos demais para sequer tentarem oferecer uma resposta, que, de qualquer forma, eles próprios não tinham.

O globo flutuou na frente deles por mais alguns segundos, enquanto a casa continuava seu mergulho fatal para o oceano. E depois, da mesma forma súbita com que tinha surgido, zuniu para fora do campo de visão deles.

Os ocupantes da casa olharam para baixo e ficaram chocados ao verem que estavam a apenas 10 ou 15 segundos do impacto. Desciam com tanta velocidade que os estômagos foram parar nas gargantas e os ouvidos estalaram.

Mal tiveram tempo de berrar.

Mas a casa desacelerou. Foi uma mudança brusca o suficiente para fazê-los tombar no chão do sótão e mandar os estômagos na direção contrária, quase para os pés.

Cordelia se deu conta, vagamente, de leves vibrações roncando debaixo deles, como se houvesse um motor gigantesco, ainda que silencioso, em atividade em algum ponto do primeiro andar da Mansão.

— Aquela esfera metálica — disse ela. — Acho que está, de alguma forma, diminuindo a nossa velocidade.

Como se quisesse colocar um ponto final à afirmação, a casa fez contato com o mar outra vez. Mas, desta vez, foi um pouso mais gentil do que o melhor dos aviões teria sido capaz de realizar. Um estremecimento pequeno agitou as tábuas do piso que já tinham ficado um pouco soltas do primeiro impacto, mas os cinco ocupantes mal se moveram.

Cordelia ficou de pé e correu para a janela mais próxima. Não viu nem sinal do estranho globo que acabara de salvar suas vidas.

— Para onde ela foi? — gritou Brendan de onde estava junto ao buraco que o pterodátilo criara. — Vocês estão vendo?

— Não — respondeu Cordelia, olhando a abertura na parede com certo receio. — Mas vamos dar o fora daqui logo.

Os cinco voltaram para o escritório no segundo andar. Da janela saliente, identificaram a pequena ilha que tinham avistado no começo do ataque dos dinossauros. Estavam a apenas algumas centenas de metros da praia e flutuando para ela.

— Que linda! — exclamou Eleanor, maravilhada.

De fato, o lugar era diferente de tudo que já tinham visto. A areia à beira-mar era preta e reluzente, como se fosse feita de cinzas e pedras preciosas. As plantas e vegetação logo depois da praia eram de uma variedade de cores vibrantes e formas estranhas que quase pareciam iluminadas de trás por luz neon. Havia videiras de um tom vivo de roxo, árvores verdes e amarelas de formatos psicodélicos e plantas rosa-choque carregando flores cinza do tamanho de casas. A ilha inteira quase parecia brilhar de forma pouco natural.

Brendan pegou o mapa dos mundos fictícios e o estudou com atenção. Agora que sabia a localização dos Protetores de Mundo, o próximo passo era descobrir em que lugar do mapa eles próprios se encontravam naquele momento. Os olhos varreram os três grandes oceanos na carta. No meio de um deles ficava uma ilhota intitulada Ilha dos Dinossauros, que presumiu ser também o nome de um dos muitos romances de Denver. Centímetros dali, havia outra ilha maior com um nome que o deixou aterrorizado. E estava quase certo de que era para esta última que o grupo estava seguindo.

Retornou à seção do *Diário* em que Denver Kristoff descrevia os três Protetores e comparou as informações com o que via no mapa. Um pouco mais tarde, sentiram a parte inferior da casa ser arranhada quando entrou em contato com a orla. A construção inclinou-se de leve, e os cinco escorregaram em direção à mesma parede. Depois, finalmente, se assentou na areia negra que formava o litoral e parou de se mover por completo.

— Vamos descer e ver onde estamos — disse Cordelia.

Brendan já sabia onde estavam, e aquele dado quase o tentou a sugerir que voltassem correndo para o sótão e se escondessem como covardes. Mas sabia que não seria certo. Sabia que teriam que sair da casa a fim de encontrar os Protetores de Mundo, de modo que podiam muito bem parar de adiar o inevitável.

Com cuidado, desceram os degraus frágeis e enegrecidos da escada em espiral, chegando aos grandiosos saguão e sala de estar. A Mansão Kristoff vira dias melhores, sem dúvida. Tinha sido assolada por buracos de balas o suficiente para poder lhe render o título de escorredor de macarrão gigante. O primeiro andar continuava inundado por água até as canelas, balançando de modo precário, com um balão vermelho e prateado rasgado e murcho caído sobre as janelas quebradas na lateral esquerda e descambando para o mar como um tentáculo gigante. O andar térreo inteiro parecia um marshmallow crocante e queimado que tinha caído do espeto para dentro da fogueira. Mas, de alguma forma, os Walker ainda pensavam nela como seu lar. Ainda carregavam consigo a segurança inerente que a maioria dos lares inspira.

— Ok, eu vou primeiro... — disse Brendan, avançando para a porta da frente. Não queria aquele papel, mas parecia caber a ele como o novo líder da família.

Abriu-a devagar e fitou em choque a cena que o recebeu do outro lado. Era... *Ele mesmo.* Uma réplica exata de Brendan Walker estava parada do lado de fora da porta, encarando-o boquiaberto.

CAPÍTULO 53

Brendan inclinou-se para a frente a fim de examinar melhor sua duplicata. Clone-Brendan fez o mesmo, no mesmo instante. O que fez com que o garoto percebesse que não era clone algum que ele estava vendo, mas sim um reflexo assustadoramente nítido.

— É a esfera — disse Eleanor, baixinho.

A Walker mais nova tinha razão. O globo gigante de metal líquido estacionara diante da porta da Mansão. Os irmãos fitaram o objeto, cada vez mais inquietos ao se recordarem com que rapidez e facilidade aquele treco havia vaporizado meia dúzia de pterodátilos gigantescos. O enorme poder do ato os espantava e assustava, mesmo tendo salvado suas vidas duas vezes.

Adie deu um passo à frente; sem jamais ter visto filme algum de ficção científica ou terror, era talvez a pessoa com menos motivos para temer o objeto. Passou por Brendan e encarou a estranha esfera com uma expressão de encanto e assombro estampada no rosto. Estendeu a mão como se quisesse tocá-la, mas a abaixou depressa.

— Obrigada por salvar as nossas vidas — agradeceu.

— Não tem absolutamente de quê — respondeu o metal.

A voz falava inglês e era muito mais normal do que qualquer um deles antecipara.

— Ela fala — sussurrou Eleanor.

A esfera começou a se agitar, o metal líquido da parte inferior ondulou, formando círculos concêntricos até crescerem e criarem uma pequena abertura retangular, de apenas 120 centímetros de altura. Um alienígena pequenino emergiu de lá de dentro. Não podia ter mais do que um metro e algo em torno de 30 quilos. Tinha pele roxa-acinzentada, que parecia cintilar e mudar de cor como um holograma barato ou a parte interna de uma concha de ostra. Tinha dois grandes olhos negros, nenhum nariz que fosse visível e uma aberturazinha perto da base da cabeça oval que devia fazer de boca. O extraterrestre tinha duas pernas, dois braços, duas mãos com quatro dedos cada e uma roupa espacial prateada com estranhos símbolos verdes e azuis gravados.

— Olá, organismos não especificados — cumprimentou ele, acenando com ambos os braços. — Meu título acústico é Gilbert.

— Gilbert? — repetiu Brendan. — Mas que tipo de nome para E.T. é Gilbert?

— É um título de sete letras cujo significado é "promessa brilhante" e se origina dos elementos germânicos *Gisil* e *Beraht* — explicou Gilbert com tranquilidade. — Os normandos do planeta Terra apresentaram este nome à nação intitulada Inglaterra, onde tornou-se comum durante a Idade Média. Foi o nome dado a um santo britânico do século XII, pai da ordem religiosa conhecida como os gilbertinos. Também é o nome de Gilbert du Motier, um dos maiores heróis de guerra que já existiu. E também...

— Deixa para lá — cortou Brendan. — Esquece que perguntei.

— Por que perguntar se não era seu desejo receber uma resposta? — retrucou Gilbert.

— Era o que a gente chama de pergunta retórica.

— Não seja antipático — sussurrou Cordelia. — Esse cara acabou de salvar a gente... duas vezes.

— Mas ele é tão pretensioso — retorquiu Brendan. — Consegue até ser pior do que você!

— Coopera e não reclama — respondeu a irmã.

Brendan fez que sim com a cabeça e voltou a encarar Gilbert.

— Ok, então você é... um alien, óbvio. Certo?

Gilbert soltou uma mistura de risadinha com um bufo surpreendentemente humana, como se fosse a pergunta mais estúpida que jamais escutara.

— A precisão de tal conclusão me parece altamente duvidosa — respondeu. — *Vocês* são os seres extraterrestres aqui, sem dúvida alguma. Ademais, sou uma forma avançada que se encontra muito além dos seus conceitos de existência.

— Sério mesmo? — resmungou Brendan para Cordelia.

— Sou ao mesmo tempo *tudo* e *nada* — continuou Gilbert, jogando os dois braços para cima de maneira dramática, como se estivesse se esforçando demais na encenação de uma peça teatral ruim de ensino médio. — Sou o fim de toda a vida e a definição de infinitude. Vou aonde nada mais pode existir e existo onde tudo o mais começa. Sou o *TODO*.

Durante o discurso extravagante, Brendan fitava Gilbert como se não tivesse certeza se deveria encará-lo como piada ou não.

Canhotinho Payne carregava uma expressão indiferente, nem um pouco impressionado com os floreios. Cruzou os braços e balançou a cabeça devagar.

— Basta algumas palavrinhas bestas para falar a verdade, camarada — disse.

— Mas é necessária uma miríade delas para expressar todas as verdades em todos os lugares — retrucou Gilbert. — O ônus do conhecimento infinito é opressivo de uma maneira que nenhum de vocês poderia conceber.

— A minha irmã Cordelia pode — desafiou Brendan.

Cordelia balançou a cabeça em negativa e fez uma carranca para Brendan.

— Isso é excessivamente implausível — respondeu Gilbert, não entendendo que não passava de uma brincadeira.

Para um ser que alegava saber tudo, ele com certeza tinha um entendimento duvidoso do humor. Ou falta de entendimento.

— Então, você é tipo superpoderoso e onisciente... que nem um tipo de ser supremo? — indagou Eleanor.

— Estou acima até do mais supremo dos seres. Sou excepcionalmente mais sábio, extraordinariamente mais poderoso. E mais garboso.

— Não se esqueça do "mais humilde" — acrescentou Brendan.

Cordelia lançou um olhar feio para o irmão. Presumiu que o garoto devia ter se esquecido do fato de que Gilbert havia pouco incinerara uma dúzia de pterodátilos como se fosse nada. Não achava que zombar de uma criatura daquelas era algo prudente a se fazer. Para a sorte deles todos, o sarcasmo passou despercebido pelo pequeno alienígena.

— Estou descrevendo minha existência com bastante acurácia, a bem da verdade — afirmou Gilbert, uma pontinha de preocupação detectável na voz firme. — Não subestimo ou superestimo minhas qualidades. Posso, no entanto, traduzir a magnitude total de meu conhecimento para a forma de uma tabela binária, se tal se provar mais detalhada e adequada à sua análise.

— Esquece — respondeu Brendan. — Foi só uma piada.

— Então, com todo esse seu grande conhecimento — começou Cordelia —, você com certeza já sabe quem somos, de onde viemos e o motivo de estarmos aqui... Certo?

Gilbert hesitou por vários segundos antes de lhe dar uma resposta.

— Correto.

— Maravilha! — exclamou Brendan. — Porque a gente está mesmo precisando de uma ajudinha. Você deve poder contar para a gente o que, exatamente, os três Protetores de Mundo são e onde encontrá-los, né?

— Correto! — respondeu Gilbert com muito mais rapidez desta vez. — Mas não posso revelar a localização exata.

— Por que não? — indagou o menino, suspeitando que o diminuto alienígena arrogante não tivesse ideia de que objetos estavam falando e do que eram.

— Pois lhes dar esta informação retiraria o valor inerente da exploração subsequente — explicou. — A verdadeira significância do tempo limitado de vida de um ser humano reside na *trajetória*, não no *desfecho*.

Cordelia deixou escapar um grunhido sonoro. Odiava o ditado "é a jornada que importa, não o ponto de chegada" mais do que tudo, incluindo o fato repulsivo de que a Bruxa do Vento era sua parente. Claro que o mais importante na vida era *o ponto de chegada*, pois o que seria das pessoas sem objetivos a que se agarrar? Ainda assim, Gilbert tinha um imenso poder que, com certeza, seria extremamente útil em algum momento — de modo que decidiu que seria simpática, apesar de tudo.

— Bom — disse ela. — Quem sabe não seria de seu agrado acompanhar a gente nesta *trajetória*? Mesmo que já saiba o que vai acontecer, pode ser engraçado estar lá para testemunhar tudo em primeira mão.

— Precisamente — concordou Gilbert. — Vou suplementá-los de tal forma.

— Beleza, bem-vindo a bordo! — disse Brendan, cheio de sarcasmo.

— A bordo de quê? — indagou o outro, fitando a Mansão Kristoff. — Isto aparenta ser um domicílio, não uma nave aquática ou intergaláctica de qualquer espécie.

— Não, quis dizer bem-vindo ao time, obrigado por se juntar a nós, blá-blá-blá — explicou o menino.

— Qual é o significado deste... *blá-blá-blá*?

— Explico depois — prometeu Brendan com um suspiro, depois se voltou para o restante do grupo. — Galera, tenho duas notícias para vocês, uma é boa e a outra, ruim.

— Qual é a boa? — indagou Eleanor.

— Descobri onde estão os três Protetores antes do ataque dos pterodátilos.

— E a ruim?

— Estão cada um em um livro totalmente diferente do outro, espalhados pelo mapa — revelou. — O que significa que vamos ter que nos dividir para conseguir pegar todos.

— *N*ão — suplicou Eleanor.
— Tem que ter algum outro jeito, Bren — acrescentou Cordelia.
— Fiquei tentando pensar em alguma coisa — disse ele. — Mas parece que essa é mesmo a única solução.
— E ele? — indagou Eleanor, apontando para o alienígena.
— O Gilbert? Como ele vai resolver o nosso problema?
— Vai ver todo mundo cabe dentro daquela esfera dele — sugeriu a menina. — Aposto que aquela coisa pode atingir, sei lá, velocidade da luz galáctica hipersônica... A gente com certeza conseguiria achar todos os três Protetores num piscar de olhos.
— Não existe valor quantificável denominado velocidade da luz galáctica hipersônica — respondeu Gilbert. — Ademais, minha nave espacial é equipada para transportar um único passageiro. Especialmente considerando-se seres de circunferência tão substancial e considerável quanto vocês.
— Ele está chamando a gente de gordo? — indagou Cordelia, puxando a camiseta para baixo, envergonhada.
— Não se preocupe — tranquilizou-a Adie. — Aos olhos dele, todos são gordos.
— A gente tem mesmo que se separar, Bren? — indagou Eleanor.

— Infelizmente, acho que sim. Queria mesmo que a gente não precisasse fazer isso... Queria que tivesse outro jeito. Mas... hum, Cordelia, acho que seria melhor se você esperasse em outra sala enquanto explico...

— Por quê? — perguntou Adie.

— Porque ela está conectada com a nossa arqui-inimiga mortal, a Bruxa do Vento — respondeu Brendan. — Não dá para correr o risco daquela velha sebosa ficar sabendo de mais detalhes sobre a nossa missão... Dá uma olhada nos olhos da minha irmã.

— Vejo que se transmutaram para uma tonalidade inquietante de azul — observou Gilbert. — Mas não é de todo repulsivo, até mesmo para criaturas de constituição tão ampla e pouco atraente como vocês.

— Quando isso acontece — explicou Brendan —, quer dizer que a Bruxa do Vento consegue ouvir e ver tudo o que está acontecendo. Então, Délia... É melhor você sair agora.

A menina hesitou antes de seguir o conselho, mas logo depois franziu o cenho e saiu para a biblioteca enegrecida pelo incêndio. Deixar os irmãos sozinhos era a coisa certa a se fazer quando a Bruxa do Vento estava dentro de sua cabeça, claro. Mas não tornava a dor de ter que fazê-lo nem um pouco mais branda. A pior parte era saber que era ela a culpada pela ligação — visto que tudo indica que sua própria mente era o lugar mais terrível do mundo, uma vez que Eleanor escolhera precisamente aquelas palavras quando tentara banir a Bruxa do Vento por usar o *Livro da perdição e do desejo*.

De volta à sala de estar, Brendan encarava Eleanor, Adie, Canhotinho Payne e Gilbert. Respirou fundo. Havia muito o que explicar. Juntara várias informações novas durante aquela curta viagem até a ilha, mas ainda havia muito que precisavam descobrir.

— O grande problema é que ainda não sei *o que*, exatamente, os Protetores são — começou ele. — O *Diário* do Denver é um pouco... vago nessa questão.

— Como é?! — Eleanor quase gritou. — Então como vamos conseguir encontrar todos?

— O livro diz em quais livros eles estão escondidos — respondeu o irmão.

— Mas diz *onde* a gente consegue achar os Protetores dentro dos livros?

— Para ser sincero, não. Mas tem algumas pistas.

— Não, espera um segundinho aí — disse Adie alto, a voz distorcida por uma mistura de frustração e confusão. — Mas o que diabos são esses tais Protetores de Mundo... e que história é essa de estarmos dentro de livros? Isso tudo está ficando estranho por demais... e agora quero algumas explicações!

Brendan tinha que admitir que quando ficava frustrada e raivosa, Adie conseguia, de alguma forma, ser ainda mais lindinha do que quando estava toda sorridente e feliz. Era uma grande fonte de distração para ele.

— A gente está no mundo dos livros neste exato segundo — disse, escolhendo as palavras com cuidado.

— Mas e o *nosso* mundo? — perguntou Adie, gesticulando para si mesma e Canhotinho. — De onde nós somos?

— Também preciso levantar minhas dúvidas a respeito desta questão — concordou Gilbert. — Por intermédio de que mecanismo adentramos o supracitado "mundo dos livros"?

— No que vocês foram me meter, fedelhos? — acrescentou Payne com um tom sombrio.

Brendan fez uma pausa, debatendo consigo mesmo como deveria prosseguir.

— Hum, bom, é complicado — disse, enfim.

Brendan e Eleanor trocaram um olhar. Tinham fresco na memória como tinha sido difícil para outros personagens, como Will e Felix, encarar aquela notícia — e outros não tinham sido sequer capazes de compreendê-la. Brendan observou o rosto agoniado de Adie, depois olhou para Payne e Gilbert, que o observavam com atenção. E Brendan se deu conta de que tinha que mentir. Simplesmente não havia tempo para tentar explicar a duas pessoas e um extraterrestre que eram todos frutos da imaginação de um sujeito morto.

— Isto tudo não tem *nada* a ver com vocês... E foi mal ter carregado todo mundo para dentro dessa bagunça, mesmo... — disse ele. — Mas então, explicar tudo agora seria uma grande perda de tempo, que é uma coisa que a gente já não tem. Mas prometo que, se vocês ajudarem a gente a encontrar esses Protetores, vamos levá-los de volta para casa logo, logo. Vai voltar tudo ao normal.

Eleanor pareceu surpresa, mas depois abriu um sorriso forçado e assentiu, reiterando a mentira.

Adie hesitou, ainda com o cenho franzido. Canhotinho estudou o rosto de Brendan com os olhos cinzentos duros, sem vacilar. Como se pudesse identificar com clareza cristalina todas as mentiras que já ouvira. Mas, no fim, os dois também fizeram que sim com a cabeça, aceitando. Gilbert observava tudo com grande interesse, pronto para partir para ação, sem se importar com método ou motivo.

— Ainda não acho justo que vocês tenham entrado assim na nossa vida e nos envolvido nesta confusão — declarou Adie, enfim. — E que depois sequer se dignem a explicar o que está acontecendo. Não é certo. Mas se precisam de ajuda e estão dizendo que é importante, e se isso for nos levar de volta para casa mais rápido, farei tudo que estiver ao meu alcance.

— Canhotinho? — indagou Brendan, virando-se para o criminoso de um braço só.

Os olhos do homem pareciam brilhar sob a sombra do chapéu de aba larga. A mão falsa estava escondida dentro da camisa, onde Brendan notara que preferia deixá-la.

— Ok — rosnou ele. — Vou ajudar vocês a encontrar esses tais Protetores. Mas é só por uma questão de *sobrevivência, e minha*. Ainda acho que vocês fedelhos têm mais valor para mim vivos do que mortos.

— Registrado — garantiu Brendan. — Gilbert?

— Vocês terão a honra suprema de contar com a minha companhia — respondeu.

— Adoro toda essa sua modéstia. Ok, então...

Brendan limpou a garganta, sedento por um gole de água que fosse. Coisa que não bebia fazia quase 24 horas. Ergueu o *Diário* outra vez e começou a ler a passagem a respeito dos Protetores de Mundo em voz alta:

— "O primeiro Protetor" —, leu, nas palavras de Denver, — "está escondido dentro de meu romance de fantasia *A cidade perdida*. Descansa no fundo do Abismo Eterno, na Zona Proibida."

— O que é essa Zona Proibida? — interrompeu Eleanor. — Não me parece um lugar muito bom para irmos.

— Fica supostamente perto da cidade de Atlântida em *A cidade perdida* — explicou o irmão, consultando as páginas do *Diário* outra vez. — Os moradores de Atlântida morrem de medo da tal Zona Proibida. O Kristoff criou uma "criatura temível e malévola" chamada Iku-Turso, que é o guardião do Protetor que fica lá.

— Mas não descreve como a coisa é? — perguntou Eleanor.

— Pior que não. É aí que a escrita do velho Denver começa a ficar um pouco confusa. Ele diz o seguinte: "Este Protetor é um talismã que constitui uma parte do total de três. Quando combinadas, as partes formam uma chave entre dois mundos. Mas, por conta própria, também é um poderoso emblema da verdade. Aqueles que usam o talismã da maneira correta ganham a habilidade de enxergar as almas de amigos ou inimigos."

Brendan parou de ler, permitindo que Eleanor, Adie, Canhotinho e Gilbert tivessem tempo de processar tudo. Esperava que estivessem menos confusos do que ele próprio estava. Embora Denver qualificasse o item como um talismã, Brendan tinha que admitir que não sabia bem o que era aquilo. Ao menos tinham à sua disposição uma descrição detalhada de onde encontrá-lo: dentro do Abismo Eterno, que ficava na Zona Proibida, perto da Cidade Perdida de Atlântida. Claro, ainda teriam que passar pelo aterrorizante Iku-Turso.

Momentos mais tarde, Brendan limpou a garganta outra vez e começou a ler a descrição de Denver para o segundo objeto.

— "O segundo Protetor de Mundo encontra-se dentro de meu romance de ficção científica *Terror no Planeta 5X*. Este Protetor em particular nunca descansa. Está sempre em movimento: vai aos locais em que é mais necessário enquanto mantém seu hospedeiro vivo. Entretanto, quando este Protetor se liberta da couraça, torna-se ainda mais poderoso."

— Diz poderoso como? — indagou Eleanor.

— Pelo que entendi, parece que a pessoa que "liberta" o Protetor recebe a oportunidade de viajar no tempo uma vez e desfazer um erro terrível — explicou Brendan.

A garganta do menino estava começando a arranhar, de modo que se apressou em seguir para a descrição de Denver Kristoff do terceiro e último Protetor.

— "O Protetor de Mundo final está enterrado dentro de meu romance *A vingança de Wazner*. O livro conta a história de um milenar rei egípcio que guarda seus bens mais preciosos, mesmo após a morte. Este item é o mais poderoso dos três. Pode ser usado para realizar atos incríveis derivados tanto do mal quanto da virtude. Está sepultado em um labirinto de armadilhas traiçoeiras e passagens secretas. Localizá-lo será impossível sem a ajuda de um mapa secreto, projetado talvez pela mais perversa das organizações já existentes ao longo da história da humanidade a fim de guiar seus membros de volta para o local onde jazem seus espólios de guerra roubados. Este Protetor tem poder infinito. Substância nenhuma feita por mãos mortais pode suportar contato com seus gumes ímpios."

— Agora como diabos vamos conseguir pegar esse daí? — indagou Payne. — A menos que um de vocês tenha um dos tais mapas do tesouro.

Brendan fitou o foragido com alguma reticência. Seus olhos tinham brilhado de maneira estranha quando dissera as palavras "mapas do tesouro". Lembrava-se do que Cordelia havia lhe dito, que o Rei da Tempestade os advertira a não confiar em ninguém dentro daqueles mundos fictícios, de modo que agora, de súbito, começava a se arrepender de ter permitido que três relativos estranhos fizessem parte de seu grupo.

— Não sei bem — respondeu ele. — Mas a gente tem que tentar, pelo menos.

— Se vou ajudar vocês, então fico com metade desses espólios de guerra tão falados aí — declarou Canhotinho.

— Combinado — concordou Brendan.

Eleanor também notara a luz gananciosa que acendera os olhos de Payne e também se recordava da advertência do Rei da Tempestade... Motivo pelo qual permaneceu em silêncio, ainda que tivesse quase certeza de que já tinha descoberto como iam chegar ao terceiro Protetor de Mundo. Mas sabia que seria mais seguro confidenciá-lo a Brendan mais tarde, a sós.

Brendan olhou ao redor do cômodo. O grupo estava quieto e pensativo, todos intimidados pelo desafio aparentemente impossível que seria tentar obter aqueles três itens mágicos. Mas ele não podia deixar seus pensamentos se demorarem no lado negativo. Se não decifrassem as pistas enigmáticas a respeito dos Protetores, se não os localizassem e enfim passassem com eles pela Porta dos Caminhos, jamais teriam a chance de separar e resguardar o mundo real do mundo fictício. Era a única maneira de salvarem São Francisco... e o restante do planeta.

— E agora? — indagou Adie.

— A gente pode começar indo até a biblioteca e pegando os três romances que Kristoff mencionou — sugeriu Brendan. — Vão nos ajudar a planejar os grupos. A boa notícia é que já estamos dentro de um desses três livros. Tenho quase certeza de que esta ilha aqui é de *Terror no Planeta 5X.*

Eleanor engoliu em seco, não gostando nada de saber daquilo.

Seguiram Brendan até as ruínas estéreis e enegrecidas do que era antes a biblioteca, onde Cordelia vasculhava os destroços incendiados. Ficou evidente que a busca pelos tais três volumes seria uma completa perda de tempo. O cômodo inteiro tinha sido consumido pelo fogo. Os poucos livros que restavam não passavam de pedaços chamuscados e rasgados de papel amarelo amarronzado, colados juntos de um lado. *A cidade perdida* era a única das três obras que sobrevivera. E *sobrevivera* provavelmente não era o termo mais preciso para descrever a situação. Na verdade, era a única que não tinha sido destruída por completo. Restava apenas a lombada sustentando a maior parte da capa da frente e cerca de metade do número total de páginas, que estavam escuras e quase de todo ilegíveis.

— Melhor do que nada — comentou Brendan, entregando o livro a Eleanor. — Agora vamos tentar pensar em um plano. Rápido.

Sabia que a família Walker não poderia permanecer unida, uma vez que eram os únicos três que tinham noção verdadeira de quais eram as circunstâncias. Cada uma das três equipes de busca teria que ter um Walker como membro, o que era apenas mais um argumento reforçando a necessidade de se separarem.

— Adie e Cordelia, vocês ficam com *A cidade perdida* — decidiu Brendan enfim, tirando o romance das mãos da irmã mais nova e o entregando a Adie. — Lê o máximo disso aí que você conseguir, e, não importa o que aconteça, não deixe Cordelia olhar, principalmente se os olhos dela ficarem daquele azul-gelo de novo.

— E se eles ficarem azul-gelo quando eu não estiver lendo?

— Como assim?

— Por exemplo, quando chegarmos à tal Zona Proibida — explicou Adie. — E estivermos quase conseguindo pegar o Protetor de Mundo, mas os olhos dela ficarem daquele jeito. Você também não ia querer que a Bruxa do Vento visse isso, certo?

— Bem lembrado — concordou o menino. Então se virou e arrancou o lenço preto do pescoço de Canhotinho.

— Ei — protestou o homem. — Isso aí era do meu avô!

— É só tampar os olhos dela com esta venda — instruiu Brendan, estendendo o pedaço de pano a Adie.

Ela fez que sim com a cabeça.

— Como chegaremos lá? — indagou Cordelia. — E para onde vamos depois?

— Vou desenhar um mapa para vocês — disse o irmão enquanto desdobrava o mapa do mundo literário. — Segundo isto aqui, a Cidade Perdida fica debaixo do mar... Na verdade, até que fica bem pertinho daqui. Vocês podiam chegar lá flutuando na casa.

— Não tem como dirigir uma casa vitoriana que flutua sobre boias, Bren — protestou a irmã mais velha.

— Não há motivo para apreensão — interrompeu Gilbert. — Posso assisti-los.

— Como? — perguntou Brendan.

— Permitam-me exibir minhas aptidões a vocês — disse Gilbert, fechando os olhos. Levantou as mãos para o céu devagar e, segundos depois, sons de madeira estalando e se partindo se seguiram, vindos dos andares superiores da Mansão Kristoff.

Os ruídos eram repetitivos e breves, quase como um martelo pneumático feito de madeira sólida batendo em outra superfície também de madeira, mas ainda mais dura. O grupo ouviu um espirro de água do lado de fora. Eleanor correu até a janela mais próxima na sala de estar a fim de investigar.

— Não acredito! — exclamou.

O resto do grupo foi atrás dela para ver também.

Flutuando na água, atado à varanda da frente da Mansão Kristoff por uma corda feita com as cortinas do andar de cima, estava um pequeno veleiro. A madeira era da mesma cor das tábuas do piso do sótão. Ou das tábuas que *costumavam* estar lá. A vela tinha sido tecida por um amálgama das cortinas que não tinham sido queimadas de vários cômodos da Mansão.

— Você acabou de construir aquele barco por telepatia, usando a madeira do nosso sótão? — indagou Brendan com voz estridente.

— De fato.

— Prometo que nunca mais vou subestimá-lo de novo — jurou o menino, dando tapinhas nas costas diminutas do alienígena. — Você pode ser um fanfarrão egoísta, mas é mesmo um carinha cheio dos poderes bizarros.

— Vou aceitar o fragmento lisonjeiro de tal testemunho e desconsiderar o insultante — disse Gilbert.

— Ok! — exclamou Brendan. — Então, a Cordelia e a Adie vão de barco até a Cidade Perdida para achar o primeiro Protetor de Mundo. O livro *A vingança de Wazner* é o que fica mais longe daqui, então eu e Gilbert vamos usar a nave espacial esférica dele para chegar lá.

— Tem certeza, Bren? — indagou Eleanor. — É o Protetor mais poderoso.

— E também o lugar onde tem mais probabilidade da Bruxa do Vento resolver aparecer — concordou Brendan. — E o Gilbert aqui é quem tem mais chance de derrotar aquela monstra.

— Eu indubitavelmente seria capaz de destruir o ser ao qual você se refere — afirmou o extraterrestre.

— E eu e o Canhotinho? — perguntou Eleanor.

— Vocês dois ficam aqui mesmo. No *Terror no Planeta 5X*. Têm que encontrar o Protetor que está por aí... O que está sempre se movendo de um lado para o outro. Parece difícil, eu sei, mas este é o menorzinho dos três mundos, então é só uma questão de tempo até vocês acharem.

— E onde nos encontramos depois? — indagou ela.

— Kristoff disse que a gente precisa levar os três objetos para o irmão dele em Tinz — lembrou Cordelia.

Brendan estudou o mapa por mais um momento e depois fez um aceno afirmativo de cabeça.

— Então a gente se encontra lá mesmo. É o lugar mais perto dos três Protetores e da Porta dos Caminhos. Que a gente conheça, pelo menos.

— O que, com certeza, não foi acidental — comentou Cordelia.

— Como chegaremos lá? — voltou a perguntar Eleanor, indicando a si mesma e Payne.

— Nave subsequente completa sem demora — garantiu Gilbert, segundos antes de outro alto espirro de água soar do lado de fora.

Voltaram a olhar pela janela e viram uma pequena canoa com dois remos atracada próxima ao veleiro.

— Você é o máximo! — exclamou Eleanor para o pequeno alienígena, incapaz de disfarçar a admiração.

— É uma afirmação precisa — concordou Gilbert, assentindo com a cabeça. — De fato, sou um ser máximo.

— Ok, preciso desenhar os mapas para vocês logo — interrompeu Brendan. — Vão fazendo o que precisarem para ficarem prontos. É melhor a gente se dividir e sair assim que eu tiver terminado.

Brendan não esperou resposta. Subiu a escada em direção ao escritório para conseguir papel e caneta.

Eleanor e Cordelia voltaram-se uma para a outra por um instante, antes de desviarem os olhares depressa. Ouvir Brendan repetir aquelas palavras em alto e bom som pareceu ter concretizado em suas cabeças a ideia de que teriam que se separar. Abraçaram-se, não querendo ter que deixar os braços uma da outra. As duas compreendiam que, desta vez, não teriam como confiar e depender uns dos outros.

Desta vez, cada um dos três irmãos Walker teria que fazer sua parte para salvar o mundo, sozinhos.

— Aqui — disse Brendan, entregando várias folhas de papel a Cordelia. Levara quase uma hora para transcrever todas as descrições dos três Protetores de Mundo e desenhar uma série de mapas grosseiros, mostrando como chegar a Tinz e a seus respectivos mundos de fantasia.

— Quase não dá para ler isto — reclamou Cordelia. — A sua letra é um horror.

— Não é para você ver nada disso mesmo — retrucou o irmão, arrancando as páginas da mão dela. — Nunca se sabe quando os seus olhos vão ficar azuis!

Brendan entregou os papéis a Adie.

— Dane-se isso — resmungou Cordelia, tensão insinuando-se na voz.

— Aqui estão os de vocês — continuou o garoto, entregando algumas folhas a Eleanor.

— E isto aqui é para você — disse ela, puxando-o para um canto e lhe dando um pedaço de papel diferente.

— O que é? — indagou o irmão baixinho, entendendo que a menina não queria que o restante do grupo os ouvisse.

— É o mapa do tesouro nazi — respondeu ela.

— Você trouxe isto para cá?

— Estava guardado no meu bolso ainda — explicou. — Acho que você vai precisar dele.

— Por quê?

— Por causa do que o Denver Kristoff escreveu sobre o terceiro Protetor de Mundo. Fiquei pensando enquanto você estava desenhando os mapas, e, para mim, faz sentido.

Brendan abriu o *Diário* e releu a passagem sobre o terceiro Protetor de Mundo, escondido em *A vingança de Wazner*. Parou e passou os olhos por um curto fragmento diversas vezes:

Localizá-lo será impossível sem a ajuda de um mapa secreto, projetado talvez pela mais perversa das organizações já existentes ao longo da história da humanidade a fim de guiar seus membros de volta para o local onde jazem seus espólios de guerra roubados.

Voltou os olhos para Eleanor com uma expressão admirada.

— Você tem toda a razão! — exclamou. — Estou impressionado, Nell.

— Nem *sempre* sou só uma menininha, sabe.

— Não foi isso que quis dizer — defendeu-se ele. — É só que...

A frase não foi finalizada. Um ronco sonoro fez o chão tremer com violência suficiente para que seus cérebros vibrassem como se fossem liquidificadores.

— O que foi isso? — indagou Adie.

— Provavelmente a nossa deixa para dar o fora daqui — respondeu Brendan, de súbito, muito preocupado com a ideia de ter que deixar Eleanor naquele lugar cheio de perigos.

Envolveu-a com um braço, querendo protegê-la. Por maior que fosse sua sede por independência, naquele momento, Eleanor se permitiu perder-se no conforto do abraço do irmão mais velho.

Canhotinho era um homem destemido e sagaz; Brendan apenas rezava para que o criminoso estivesse disposto a proteger sua irmãzinha de quaisquer que fossem os horrores com que se deparassem por lá.

Os três Walker deram um estranho abraço de grupo, com Eleanor espremida no meio. Cordelia vira a vulnerabilidade repentina no rosto da irmãzinha e o gesto protetor de Brendan, e teve que se esforçar ao máximo para não cair no choro ali mesmo, naquele momento.

— Boa sorte para vocês dois — desejou Cordelia, esforçando-se para reprimir a vontade de chorar. — E cuidado, ok? Vejo os dois no mercado de Tinz daqui a pouquinho.

Eleanor fez que sim com a cabeça, secando uma lágrima do rosto.

— Infelizmente para vocês, também estarei lá — disse Brendan, com um sorriso largo apesar dos olhos lacrimejantes. — E já até terei começado minha performance espetacular de outro clássico do Springsteen quando chegarem.

A afirmação serviu apenas para fazer Eleanor chorar mais. Ainda assim, permitiu que Canhotinho a puxasse e separasse dos irmãos. Ficaram os dois para trás, à porta da Mansão Kristoff, o céu noturno lá em cima sapecado de bilhões de estrelas, e assistiram enquanto o restante dos amigos partia.

Brendan se agachou e seguiu Gilbert para dentro da estranha nave especial esférica. A entrada se fechou, desaparecendo dentro da superfície líquida brilhante. O globo pairou no ar por vários segundos, ascendendo com lentidão, e, no piscar de olhos seguinte, já tinha se evaporado, deixando para trás uma única faixa evanescente de prata riscando o céu negro.

Cordelia e Adie puxaram o veleiro mais para perto da varanda meio submersa e subiram a bordo. Cordelia desatou a corda enquanto Adie tomava o remo e as empurrava para longe da Mansão. Começaram flutuando devagar, as velas de cortina flácidas. Logo em seguida, uma brisa bateu no tecido, fazendo com que se inflasse e ficasse esticado. O barco navegou para longe com velocidade surpreendente. Cordelia levantou a mão e acenou, despedindo-se. Eleanor respondeu da mesma forma, esfregando os olhos com a outra mão.

E rápido assim, tanto o irmão quanto a irmã de Eleanor a deixaram para trás. A garota respirou fundo e ordenou a si mesma que parasse de chorar. Uma prótese de madeira imitando mão pousou com gentileza sobre seu ombro.

— Não se preocupe, garota — disse Canhotinho, de modo tranquilizador. — Você tem dois irmãos duros na queda. E são espertos também. Costumo odiar fedelhos. Mas vocês três me deixaram impressionados. Agora anda, temos uma missão a cumprir. Vamos encontrar aquele tal Protetor de Mundo de uma vez. Quanto mais rápido terminarmos, mais rápido vamos poder dar no pé desta ilha estranha e devolver você para a sua família. E vou poder voltar para o meu tesouro enterrado no Texas.

Eleanor fez que sim com a cabeça, secando os olhos enquanto seguia Payne de volta para dentro da casa. Olhou para os papéis que o irmão lhe entregara momentos antes. Cordelia tinha razão; a letra de Brendan era quase tão indecifrável quanto o manuscrito centenário de Denver Kristoff. Mas ela era irmã dele, de modo que era capaz de lê-la como se estivesse desvendando os mistérios de alguma espécie de código secreto.

Antes que pudesse terminar a primeira frase, no entanto, uma enorme esfera vermelha vibrante surgiu do lado de fora da janela logo ao lado de onde estavam.

Eleanor e Canhotinho recuaram um passo enquanto o globo vermelho gigante pairava no ar, ocupando o espaço inteiro da janela saliente de forma ameaçadora. A luz vermelha dava a Eleanor uma sensação invasiva, quase como se... Foi aí que entendeu que era um olho. Um colossal olho vermelho reluzente, espiando dentro da Mansão Kristoff. O que significava que quem quer que fosse o dono dele também tinha que ser gigantesco, talvez quase tanto quanto Gordo Jagger.

O globo desapareceu e, segundos depois, a parede inteira ruiu quando uma garra de metal abriu a lateral da casa como se fosse uma lata de feijões em conserva. Lascas de madeira voaram pelo céu noturno, revelando a verdadeira natureza do atacante.

Eleanor gritou.

CAPÍTULO 56

Canhotinho Payne agarrou Eleanor e a puxou em direção à porta da frente enquanto o cérebro da menina tentava aceitar o que acabara de presenciar.

Era um robô enorme com longas pernas metálicas cujo comprimento ultrapassava o teto da casa. O torso era curto e quadrado, com dois braços estendendo-se para ambos os lados. Um deles era equipado com uma grande garra de metal com sete dedos afiados e devastadores. O outro tinha um estranho lança-chamas no lugar da mão, que emitia uma insólita chama verde fina, bruxuleando contra o escuro do céu noturno. A máquina tinha uma cabeça oval com um único olho vermelho brilhante, que ficava logo abaixo de um domo de vidro. Dentro da redoma encontrava-se o piloto, um alienígena arroxeado com, pelo menos, sete ou oito tentáculos operando os controles.

Fogo verde explodiu da mão direita do robô e engoliu a Mansão Kristoff. Payne e Eleanor mergulharam de onde estavam na varanda para o mar gelado. Eleanor voltou à superfície, engasgando com a água marinha salgada. Canhotinho a pegou e colocou os bracinhos da menina ao redor de seu pescoço. Ela se segurou e Payne a levou para o litoral.

Enquanto nadavam, Eleanor olhou para trás e viu que as chamas verdes não eram feitas de fogo. A Mansão parecia estar *derretendo* em meio aos feixes giratórios de cor verde, emitidos de modo ininterrupto pela mão direita do robô gigantesco.

Eleanor assistiu horrorizada enquanto sua casa, o único lugar que os Walker podiam chamar de oásis de segurança em meio a todas as aventuras perigosas, lentamente se desintegrava e implodia, afundando sobre si mesma como se fosse um balão perdendo ar. Não apenas isso, mas a canoa que Gilbert construíra para eles, sua única rota de fuga, também tinha sido devorada pela chama esverdeada e agora já não passava de uma poça marrom em miniatura.

Chegaram à orla, e Canhotinho puxou Eleanor para que ficasse de pé. A areia negra cintilante era quente, o calor alcançando os pés da menina mesmo com a proteção dos sapatos. A combinação do abandono dos irmãos com a visão da casa se derretendo inteira no intervalo de poucos minutos a deixara em estado de puro pânico.

— Eleanor! — chamou Canhotinho aos berros quando o robô girou, o olho vermelho aceso virado para os dois como um holofote. — Eleanor, está me ouvindo?

Ele a chacoalhou com delicadeza, arrancando-a do transe.

— Temos que dar no pé — disse quando teve certeza de que capturara a atenção da menina. — Vem comigo.

Agarrou a mão dela e correu para dentro da estranha e densa vegetação cheia de cores que margeava o litoral da ilha. Eleanor forçou as pernas a funcionarem enquanto corria atrás dele. Ele a puxava, obrigando suas perninhas a se movimentarem mais rápido do que ela acreditara ser possível.

Sem aviso, Eleanor sentiu um bafo quente explosivo quando uma onda de chamas verdes derreteu um segmento inteiro de troncos de árvore logo atrás de onde ela estava.

— Mais rápido! — gritou Payne. — Corre mais rápido!

Puxou-a, forçando Eleanor a acompanhar seu ritmo. A menina tinha a impressão de que o braço sairia do lugar a qualquer momento.

Uma parede de fogo verde estourou logo acima deles, a meros centímetros da cabeça deles. O topo do chapéu de Canhotinho derreteu até a aba como se fosse cera de vela. Mas continuaram correndo.

Após uma curta distância, Payne soltou a mão de Eleanor. A menina conseguiu manter o passo, seu tamanho relativamente pequeno facilitando seu caminho sinuoso por entre a folhagem espessa. Isto é, se é que se podia chamar aquilo de folhagem. Para Eleanor, parecia mais que estavam desbravando um campo de balas e doces gigantes e psicodélicos. Havia tubos amarelos translúcidos tão altos quanto elevadores, cheios de frutas ou sementes de um vermelho vivo e do tamanho de bolas de beisebol. Via também enormes flores laranja, algumas das quais a menina podia jurar que tinha visto se movendo por vontade própria quando a dupla passou por elas às pressas. O solo tinha mudado e estava agora macio e esponjoso, como se fosse isopor. E, para completar, havia ainda videiras fluorescentes de tons roxo e turquesa estendendo-se por cima de tudo.

Canhotinho seguia alguns passos à frente dela, virando e correndo cheio de determinação, quase como se soubesse aonde estavam indo.

Depois de correrem o que lhes pareceu quilômetros e quilômetros, mas que na verdade não podia ter sido mais do que o equivalente a algumas voltas ao redor de uma pista de corrida, Eleanor se deu conta de que não conseguia mais ouvir os passos esmagadores do robô gigante atrás deles. Payne, enfim, desacelerou e parou ao chegarem a uma pequena clareira.

Estavam cercados por dezenas de plantas altas que lembravam cactos, a não ser pelo fato de que tinham o dobro de seu tamanho, eram vermelhos e em vez de serem recobertos por uma pele grossa cheia de espinhos, eram lisos e brilhantes como se fossem feitos de borracha molhada.

— Conseguimos despistar aquela coisa? — indagou Eleanor a Canhotinho, cheia de esperança na voz.

— Não completamente. Ainda estou ouvindo os passos dele para lá. — Apontou para a direita. — Estamos atrás daquilo agora, mas é questão de tempo até nos encontrar de novo. Acho que o olho vermelho daquele monstro de metal consegue ver através das coisas.

Eleanor concordou com a cabeça. Ainda que não compreendesse a verdadeira natureza científica do robô gigante, Payne tinha perspicácia suficiente para entender que devia possuir algum tipo de sistema rastreador de alta tecnologia. Como se quisesse comprovar o argumento do homem, identificaram o zumbido mecânico de componentes hidráulicos vindo do lado que Payne indicara segundos antes. Em seguida, os passos estrondosos recomeçaram. Tinham sido detectados outra vez.

— Tem uma caverna — disse Canhotinho, apontando com a mão de madeira para uma pequena abertura entre os cactos vermelhos monumentais — a algumas centenas de passos naquela direção. Vi quando fizemos a volta para flanquear a máquina. Vai lá e se esconde. Espera até eu estar longe daqui, aí você vai poder sair em segurança. E vai poder continuar a sua busca.

— E o que você vai fazer? — gemeu ela.

— Distrair aquela lata velha para você poder chegar à caverna — respondeu Payne.

Eleanor sabia que ele não conseguiria distrair o robô para sempre.

— Não — suplicou, aterrorizada com a ideia de ser deixada completamente só. — Vem comigo. A gente vai junto.

Canhotinho balançou a cabeça em negativa e a surpreendeu com um sorriso caloroso.

— Não há tempo; nós dois não conseguiríamos chegar lá sem a ajuda de uma distração. Agora vai! — O criminoso deu-lhe um empurrão na direção da caverna.

Antes que a menina tivesse oportunidade de responder, ele já estava longe. Tinha virado e desaparecido dentro da estranha floresta de cactos gigantes.

Apesar das lágrimas, Eleanor também se virou e correu na direção em que Canhotinho a instruíra a seguir. Atrás dela, o robô esmagava a floresta alienígena enquanto abria caminho por ela. Estava se movendo para longe da menina, perseguindo o foragido.

Eleanor não demorou muito para encontrar a pequena caverna. Não era nem bem isso, era mais uma fissura fina na lateral de uma parede feita de pedra negra lisa e polida cuja superfície brilhava e parecia ondular, opalescente, com um arco-íris de cores, como se estivesse viva.

Eleanor estendeu a mão e tateou; era fria, dura e agradável ao toque. Agachou-se e se espremeu pelo vão estreito da parede de pedra. Uma vez dentro dele, descobriu que havia mais espaço em seu interior do que suspeitara em um primeiro instante. Espaço suficiente para permitir que se deitasse, bastava dobrar o corpo em uma bolinha como se fosse um gato. Ela se deitou no chão frio e olhou para a floresta de outro mundo através da abertura diminuta.

Acima dos topos das plantas mais próximas, lá longe, o brilho esmaecido do olho vermelho do gigante virava e girava como a luz de um holofote, entrando e saindo do campo de visão da menina, enquanto caçava Canhotinho

Payne. E então, vários momentos depois, um lampejo de chamas esverdeadas subiu para o céu noturno.

Eleanor ouviu gritos de desafio, cheios de xingamento.

Era Canhotinho.

À gritaria, logo se seguiram estalidos crepitantes de embargar o estômago. Depois, silêncio.

Foi assim que Eleanor soube que, a partir daquele momento, estava de fato completamente só.

CAPÍTULO 57

Enquanto isso, a vários quilômetros da costa da estranha ilha onde Eleanor escondia-se dentro de uma caverna — com frio, solitária e aterrorizada —, Cordelia e Adie estavam sentadas no pequeno veleiro, olhando para o céu noturno surpreendentemente claro.

Ambas buscavam a constelação que Brendan as instruíra a procurar antes de partirem. Decidiram que seu ponto de referência seria um conjunto de estrelas vibrantes que criavam um círculo parcial, quase como uma torta faltando uma fatia. Brendan rira e a chamara de constelação Pac-Man.

— Para ir direto ao ponto — tinha explicado o menino pouco antes da partida —, o mundo de *A cidade perdida* é enorme. Engloba este oceano inteiro. Então, se vocês não saírem da rota e usarem a Pac-Man como guia, pela manhã já vão estar bem no meio de onde precisam estar. Quase não tem erro.

Quando as duas avistaram a constelação outra vez acima de suas cabeças, Cordelia teve que admitir que estava muito impressionada com Brendan. Não fazia ideia que o irmão sabia como usar as estrelas para navegar em alto-mar.

As palavras tranquilizadoras tinham sido reconfortantes naquele momento. Mas agora que ela e Adie estavam lá, em um barquinho a vela no meio da noite em um vasto oceano que abrigava sabe lá que tipo de horrores, Cordelia se viu mais amedrontada do que esperara. Não apenas por conta dos perigos que podiam ou não estar à espreita logo abaixo da superfície. Mas também pela possibilidade de estarem flutuando a esmo na direção errada. Usar uma constelação como guia de navegação parecia fácil na teoria, mas, na realidade, sentia-se como se não fizesse ideia de para onde estavam indo.

— Você acha que a gente continua no caminho certo? — perguntou ela a Adie.

— Acho que sim — respondeu a menina. — Digo, seu irmão mesmo disse que não tinha erro.

— É, bom, você não o conhece como eu — comentou a outra. — Brendan não é exatamente famoso por estar sempre certo.

— Você devia ser mais generosa com ele. Brendan se importa de verdade com você. Comeria 50 lagartos se isso me fizesse ter um irmão como ele.

Cordelia riu apesar da ansiedade crescente. E deu-se conta de algo. Algo que deveria ter sido óbvio para ela desde o início.

— Ai. Meu. Deus! — exclamou. — *Você está totalmente na dele,* não está?

— O quê? — perguntou Adie confusa. — Por que eu estaria dentro de qualquer coisa dele?

— Foi mal, de onde venho, essa é uma expressão que a gente usa quando quer dizer que uma pessoa gosta de outra — explicou Cordelia.

— Mas é claro que gosto dele. O seu irmão é uma boa pessoa, um bom irmão para vocês...

— Não, é para quando você gosta de alguém mais do que só como amigo.

— Você... você quer dizer... *Romanticamente?* — indagou Adie, afetando horror à menção da ideia.

Cordelia fez que sim com a cabeça.

— Do Brendan? — exclamou a menina, virando-se a fim de esconder a vergonha. — Ele não é meu tipo. Você não sabe do que está falando.

— Se você diz... — retrucou Cordelia com um sorriso largo.

Silêncio se fez entre as duas. Os únicos ruídos eram o uivo baixo da brisa e a quebra das ondinhas no casco do barco.

Foi apenas quando uma ponta laranja de sol surgiu no horizonte roxo e vermelho que as duas voltaram a falar.

Cordelia se sentou e esfregou os olhos enquanto o sol continuava a subir no céu, ultrapassando o horizonte com velocidade tal, que parecia impossível. Já não podia enxergar a ilha. Ou as estrelas. O que significava que a constelação de Pac-Man sumira. Os únicos indicadores de sua localização não estavam mais visíveis. De modo que agora tinha que torcer e rezar para que Brendan estivesse certo acerca de como seria fácil dirigir aquele veleiro em direção à Cidade Perdida.

— Acho que já chegamos — anunciou Adie.

— Mas como vamos sair deste barquinho para chegar a uma cidade que foi parar no fundo do oceano e ninguém sabe onde?

— Está mais do que claro que não pensamos em tudo — concordou Adie, fitando as profundezas hipnotizantes das águas cristalinas do oceano.

— O que o livro diz?

Adie pegou os restos chamuscados do romance. Folheou as páginas com lentidão, como se não tivesse lido muitos livros ao longo da vida, o que só fez com que Cordelia quisesse tomar a tarefa das mãos dela. Mas, de algum modo, forçou-se a ficar ancorada ao banco. Sabia que tinha que se segurar. Não podiam entregar ainda mais pistas de bandeja à Bruxa do Vento do que a monstra já tinha recebido. Ainda que seus olhos não estivessem azuis naquele instante, poderiam mudar a qualquer segundo, e ela não podia arriscar estar no meio da leitura de algo importante quando acontecesse.

— Aqui diz — começou Adie minutos mais tarde — que os explorado-res tinham uma espécie de sub... submarino experimental, que usaram para chegar à Cidade Perdida. Você sabe o que é um *submarino*?

Cordelia soltou um suspiro e fez que sim com a cabeça.

— Sei. E é uma coisa que nem eu, nem você temos. Então, basicamente, estamos ferradas.

Adie debruçou-se sobre seu lado do barco e encarou o oceano azul infinito, derrotada. Deixou as pontas dos dedos correrem pela superfície do espelho da água, mal tocando, mas criando agitações ao redor delas. Ficou tão mesmerizada observando as pequenas ondulações que demorou um tanto para notar a presença da luz azul sob a embarcação.

— O que é aquilo? — indagou, sentando-se ereta.

Cordelia se aproximou da lateral e olhou para baixo. A luz era discreta, apenas um pontinho nas profundezas azul-escuras do mar. Mas estava aumentando. Quase como se fosse uma lanterna de LED flutuando devagar até a superfície. Salvo pelo fato de que aquela luz azul em particular não estava flutuando *devagar* até elas.

Subia zunindo como se tivesse sido disparada de uma arma de fogo.

— Ah, não — exclamou Cordelia quando a luz continuou a crescer.

Ela fazia giros e rotações enquanto subia do fundo. Já ficara claro que, o que quer que fosse, era tão grande quanto o veleiro, se não maior. Cordelia levantou-se enquanto o ponto de luminosidade corria para elas, sem saber ao certo o que deveria fazer. Adie foi para o lado dela.

— O que está havendo? — perguntou ela, em pânico.

— Nada de bom — respondeu Cordelia.

— Talvez fosse melhor abandonar o navio — sugeriu Adie.

— Não. Aquilo está se movendo rápido demais. A gente não ia conseguir nadar com velocidade o suficiente para evitar o que...

Mas não teve a oportunidade de terminar seu pensamento.

A estranha luz azul deu um encontrão no pequeno veleiro, fazendo-o desaparecer da face da Terra como se jamais tivesse existido antes que suas ocupantes pudessem emitir um único grito por socorro.

CAPÍTULO 58

A quilômetros dali, uma estranha esfera de metal voava pelo céu sem quaisquer dificuldades, passando rapidamente acima de dúzias de mundos habitados por personagens dos romances de Denver Kristoff.

Brendan não sabia mais quanto tempo seria capaz de suportar sozinho com o alienígena esquisito conhecido como Gilbert. Aquele serzinho nunca calava a boca. Falava de modo contínuo, como se fosse a forma que sua espécie tinha de respirar.

— Certa vez, durante uma viagem — recomeçou ele, logo depois de ter concluído uma história sobre como tinha feito uma lua pequena explodir apenas com o poder da mente —, entrei em contato com um organismo muito peculiar cuja composição era das mais inusitadas, e a disposição, das mais pestilentas possíveis. Compunha-se de um torso rotundo de penugem negra, com duas pernas finas e nodosas cor de laranja, e pés com garras. As asas eram inexplicavelmente insignificantes e inúteis, a despeito da natureza obviamente aviária da criatura. Um pescoço alongado projetava-se para fora da plumagem esferoide, com uma cabeça diminuta e bico robusto na extremidade.

— Está parecendo um avestruz — comentou Brendan.

— Um *ave*-struz? — repetiu Gilbert devagar, experimentando vocalizar a palavra pela primeira vez. — Bem, o temperamento deste seu *avestruz* era de desprazer e hostilidade extremos, e ele me perseguiu agressivamente até eu ser forçado a desintegrá-lo com meus comandos intelectuais.

— Por que todas as suas histórias sempre terminam com você estourando as coisas por telepatia?

— É um desenvolvimento de eventos absolutamente natural quando se está em uma situação de perigo, obviamente — respondeu Gilbert. — Ademais, não estouro os objetos, eles são desintegrados por meio de um processo chamado implosão por vetor-força, que, tecnicamente, significa...

— Gilbert, você por acaso *não* repete em voz alta o que está pensando em algum momento? — interrompeu Brendan.

— É claro, muitas vezes — afirmou o outro com toda a calma. — O cérebro humano médio processa 50 mil pensamentos por dia, o que corresponde a algo próximo de um pensamento por segundo. *Meu* cérebro processa 14 bilhões deles por dia, mais de 150 mil por segundo. Entretanto, só sou capaz de falar cinco palavras por segundo, mesmo quando não tenho que desacelerar meu padrão oral o suficiente para permitir a sua compreensão. De modo que, na realidade, sequer seria possível enunciar tudo o que penso. Algo assim não seria factível nem mesmo para a sua espécie inferior, a bem da verda...

— Ok, ok, já saquei. Desculpa ter perguntado.

— Desculpas aceitas.

Gilbert estendeu o braço direito e pressionou alguns botões na lateral da nave espacial. Símbolos estranhos, acompanhados de bipes, lampejaram por um monitor de computador de aparência antiquíssima. Era bege-escuro e robusto, como um forno de micro-ondas ultrapassado. Brendan presumiu que Denver devia ter escrito o livro do qual Gilbert se originava muito antes da invenção dos computadores modernos. A espaçonave era singular, bizarra e interessante por fora, mas por dentro era surpreendentemente tediosa. Mesmo tendo sido pensada para ser futurística, Brendan tinha a impressão de que estava dentro de um filme de ficção científica cafona produzido na década de 1970.

— De acordo com meus cálculos navegacionais, chegamos — anunciou Gilbert, apertando outro botão em seu painel de instrumentos.

Uma janela de visualização se abriu diante deles. Ainda estavam bem alto no céu, em altitudes similares às que um avião voaria. Mas distante deles, na terra, se estendia um deserto dourado infinito, salpicado de pirâmides enormes e uma cidadezinha pequena no horizonte.

— Um mapa do tesouro nazista para o Egito antigo? — conjecturou Brendan, encarando com sobrancelhas erguidas o mapa que Eleanor lhe dera.

— Os alemães ocuparam partes da África durante a Segunda Guerra Mundial do planeta Terra — comentou Gilbert. — É altamente provável que alguns resquícios de sua presença tenham sobrevivido anos ou décadas após sua retirada.

Brendan inclinou a cabeça para o lado, fitando o pequeno extraterrestre.

— Como você sabe tanto sobre o nosso planeta?

— Porque eu...

— Sabe de tudo — disse Brendan, terminando o pensamento do alienígena. — Verdade.

A boca de Gilbert era pequenina e não se movia muito, nem mesmo quando falava. Mas Brendan podia jurar que estava sorrindo para ele. Voltou a olhar para o mapa em suas mãos. Era evidente que representava a Europa, o grande *X* localizado em algum ponto próximo ao calcanhar da bota da Itália. Não fazia sentido... A menos que a teoria de Eleanor de que o mapa do tesouro tinha alguma relação com o terceiro Protetor de Mundo estivesse errada, o que era muito possível.

— Tem certeza de que esta é mesmo a área certa? — conferiu Brendan.

— Sim, estamos atualmente pairando acima do ponto central da região rotulada como *A vingança de Wazner* em seu mapa do mundo dos livros — respondeu Gilbert enquanto apertava alguns controles, fazendo a esfera desacelerar até parar, flutuando no ar milhares de pés acima de uma cidade no meio do deserto. — Wazner foi um faraó do Egito Antigo, sepultado em uma das pirâmides perdidas fora dos limites de Aswan, Egito. Em aproximadamente 3100 a.C., Wazner chegou em...

— Não preciso da biografia completa, valeu — cortou Brendan, cada vez mais ansioso pelo momento em que poderia se separar do alienígena.

— Tecnicamente, você não *precisa* de coisa alguma, à exceção dos materiais orgânicos suplementares que servem de sustento à sua energia vital — argumentou Gilbert.

Brendan soltou um suspiro e guardou o mapa do tesouro nazista de volta em seu bolso traseiro, junto com o *Diário*. Tinha chegado à conclusão de que não seria relevante, no final das contas, mas aquilo também não significava que o jogaria fora. Afinal, não existe razão boa o suficiente para justificar o descarte de um mapa do tesouro. A não ser, claro, depois de já se ter encontrado e recuperado as tais riquezas.

Estava prestes a pedir a Gilbert que os levasse para a cidade quando lhe ocorreu que os habitantes locais, sem dúvida, ficariam perturbados ao se defrontarem com um pequeno extraterrestre voando dentro de uma esfera de metal líquido — para dizer o mínimo. Uma situação assim poderia se provar um grande empecilho para Brendan em sua investigação ao redor do local a fim de encontrar o Protetor de Mundo. Concluiu que seria melhor começar a busca sozinho.

— Pode me deixar logo na entrada da cidade — instruiu o menino.

— Posso acompanhá-lo.

— Acho que não vai ser boa ideia verem a gente junto — explicou Brendan. — A maioria das pessoas lá embaixo se parece comigo. Não com você.

— Correto — concordou Gilbert. — Minha beleza incomparável inspiraria em todos suprema inveja.

— Exato — disse o menino, tentando não revirar os olhos.

— Mas é essencial adverti-lo. Tenha cautela caso se depare com as criaturas locais bárbaras e ferozes conhecidas como camelos. Têm a capacidade de consumir pessoas humanas em questão de 11 segundos.

— Espera, como é? — engasgou Brendan. — Não acho que os camelos comam carne.

— Pois comem! Minha base de dados interna jamais comete equívocos.

Foi aí que Brendan entendeu que Gilbert estava legitimamente assustado. A voz do serzinho tremia de leve ao falar, e as mãos não pareciam mais tão firmes enquanto manuseava os controles da espaçonave. Temia não apenas por si próprio, mas também por Brendan. Ficou claro naquele momento que o pequeno extraterrestre bizarro não queria que nada de ruim acontecesse ao menino. Brendan foi pego de surpresa ao sentir um nó se formando na garganta.

Mas supôs que era natural que Gilbert estivesse amedrontado. Era apenas um personagem de livro, ainda por cima um que acreditava, de fato, que era um explorador do espaço onisciente. E agora que seu mundo tinha sido virado de cabeça para baixo pela viagem que estavam fazendo, não podia sequer estar seguro da veracidade de sua própria existência.

— Olha, pode ser que eu precise da sua ajuda alguma hora. Como posso entrar em contato?

Gilbert estendeu um aparelho pequeno com uma das mãos enquanto a nave parava em uma estradinha de terra a algumas centenas de metros dos limites do centro urbano. A máquina parecia surpreendentemente semelhante aos comunicadores dos filmes originais da antiga série de *Jornada nas Estrelas*.

— Basta pressionar o botão indicado. Aterrissarei na sua posição em poucos segundos.

— Valeu — agradeceu Brendan, e uma porta de saída baixa se materializou atrás dele.

— Prevejo que você será muito bem-sucedido nesta missão — afirmou Gilbert. — Não se defrontará com qualquer tipo de dificuldade... contanto que evite os camelos.

Naquele momento, Brendan desejou que Gilbert fosse, de fato, um ser onisciente. Teria se provado extraordinariamente útil na tarefa de encontrar o Protetor de Mundo. Ainda assim, sorriu para a criaturinha e fez que sim com a cabeça, fingindo que acreditava.

— Até daqui a pouco — despediu-se o menino, depois parou e acrescentou um "obrigado" genuíno à despedida antes de engatinhar para fora da espaçonave e para dentro do deserto quente.

O calor o atingiu tal qual um chute no rosto. Quase o derrubou no chão. Jamais sentira nada igual. A calça jeans começou a grudar nas pernas, e suor escorreu por suas costas após meros segundos. Girou nos calcanhares a fim de perguntar a Gilbert se tinha algum cantil de água que pudesse levar consigo, mas a esfera já estava subindo para o céu outra vez.

Brendan virou-se para encarar a cidade. A estrada tinha marcas gêmeas, paralelas uma à outra, impressas na terra por pneus. Deu-se conta de que não fazia ideia de em que época o livro era ambientado, ou do que se tratava, só sabia que tinha algo a ver com um faraó vingativo chamado Wazner. O que queria dizer que Brendan estava no escuro acerca do que encontraria pelo caminho.

A grande área urbana cintilava, as ondas de calor fazendo com que parecesse dançar e tremelicar no sol, como se fosse uma ilusão de ótica. Brendan inspirou a fim de soltar o ar em um suspiro em seguida, mas o ar quente era tão denso, que o garoto gorgolejou e tossiu, sufocado.

Seguiu pela estrada em direção à cidade. Ao se aproximar, notou uma quantidade surpreendente de verde para um deserto. O lugar tinha sido construído perto de um rio, situado em um vale raso de colinas baixas e douradas. As planícies em cada margem do rio eram cobertas por construções e borrões de palmeiras verdes e outras plantas. Deu a Brendan esperança de encontrar água fresca por lá.

Ao se aproximar, avistou um camelo parado ao lado da estrada, amarrado a uma cerca. O animal parecia contente, até sonolento. Brendan abriu um sorriso largo.

— Uau, Gilbert — disse com sarcasmo. — Esses camelos são mesmo seres comedores de gente assustadores!

O garoto estendeu a mão a fim de acariciar a criatura, quando, sem aviso, ela abriu a boca, revelando duas fileiras de dentes afiadíssimos. Soltou um rugido que soou mais ameaçador do que o de um puma. A cabeça do camelo voou para a frente com a intenção de tirar um pedaço do braço de Brendan, mas estava atado com firmeza à cerca e não conseguiu chegar perto o suficiente.

— Ok, acho que vou ter que ficar devendo uma àquele carinha — resmungou Brendan para si mesmo enquanto se apressava a continuar pela estrada. — Nunca se sabe como as coisas vão acabar deturpadas dentro dos livros do Kristoff.

Pneus esmagaram o cascalho atrás dele segundos antes de uma buzina alta estourar em seus ouvidos. Brendan se virou e deu de cara com dois faróis. Um jipe zunia pela estradinha, direto para ele, em velocidade que seria mais adequada a uma pista de corrida do que a uma estrada de terra esburacada no deserto. A buzina voltou a berrar; o veículo não estava desacelerando, e terra e areia subiam atrás dele como se formassem uma capa amarela esvoaçante.

Brendan ficou parado, olhando embasbacado para o automóvel que estava a meros segundos de transformá-lo em parte integrante do solo. Perguntou-se brevemente se alguém passaria por lá mais tarde e recolheria sua carcaça achatada para depois jogá-la dentro de uma caçamba de lixo acoplada a alguma picape. Talvez fosse o calor, a sede crescente ou quem sabe o mesmo fenômeno que fazia com que veados empacassem no meio de ruas quando carros se aproximavam, mas Brendan não se moveu, não *podia* se mover.

Era como se seus pés estivessem grudados ao chão.

Ficou lá e assistiu enquanto o jipe corria para ele em velocidade alucinante, ainda exagerando na buzina.

CAPÍTULO 59

Em uma pequena caverna numa estranha ilha que servia de cenário para o romance de ficção científica *Terror no Planeta 5X*, de Denver Kristoff, Eleanor Walker se encontrava encolhida em uma bolinha, com frio e sozinha, e chorava. Chorava pelos amigos mortos, Canhotinho Payne e Gordo Jagger, e pelo irmão e irmã que a tinham abandonado ali.

A exaustão enfim venceu, e a menina dormiu um sono inquieto. Eleanor sonhou com monstros terríveis que derretiam sua casa, a família e os amigos. Sonhou com Brendan e Cordelia, que confessavam um ao outro durante uma conversa particular que Eleanor não passava de um obstáculo em sua missão e que desejavam ter podido deixá-la para trás, em São Francisco. Sonhou com tudo que ainda não tinha: um cavalo só seu, amigos reais, de carne e osso e de sua idade, irmãos que a respeitavam e uma família feliz, que morava em uma grande casa, com todas as coisas que já desejaram ter.

Em algum momento durante o sono, Eleanor tomou ciência de vozes falando acima dela. Vozes normais. Vozes *humanas*.

— O que é? — indagou um homem.

— Como assim, "o que é"? — Uma voz feminina ríspida respondeu. — É uma menininha.

— Uma menina no Planeta 5X? Impossível.

Uma terceira voz, mais dura e vazia de qualquer emoção detectável, como se viesse de uma máquina e não de uma pessoa, falou:

— A probabilidade de existência de vida humana no Planeta 5X é de quatorze bilhões, cento e setenta milhões, oitocentos e setenta e seis mil e seiscentos para um.

— Não me interessa qual é a probabilidade — retrucou a mulher outra vez. — Confio nos meus olhos, e eles estão me dizendo que estão vendo uma menininha dormindo aí nesta caverna.

— Acho que ela está é morta — comentou o homem.

— De acordo com meus sensores, ela está bem viva — refutou a voz mecânica. — Sua frequência cardíaca subiu para 85 batimentos por minuto. Está seriamente desidratada, mas ainda não faleceu.

Eleanor soltou um grunhido e rolou para o lado. Dois rostos a encaravam de onde estavam do outro lado da abertura estreita da caverna. Um homem e uma mulher. Deram um passo para trás, como se uma garotinha de oito anos fosse a coisa mais assustadora que já tinham visto em suas vidas.

— Quem são vocês? — indagou Eleanor, também se perguntando de onde a terceira voz robótica viera.

A mulher deu um passo em direção a Eleanor.

— Não — advertiu o homem. — Ela pode estar armada.

— Armada? — repetiu a moça, incrédula. — É só uma criança!

— Mesmo assim, eu não chegaria muito perto dela — disse o homem. — Pode estar infectada com alguma doença ou algum vírus do planeta natal dela...

— Também não precisa ser tão cauteloso assim — retrucou a mulher.

— Só me preocupo com o seu bem-estar. Como todo bom irmão mais velho deveria fazer.

Ela revirou os olhos e deu um passo para mais perto. Sorriu para Eleanor ao estender a mão. Tinha longos cabelos ruivos que caíam por cima dos ombros como se fossem labaredas e olhos verdes que ardiam com tanta intensidade que Eleanor quase teve vontade de gritar, certa de que lançariam aquelas mesmas chamas esverdeadas que derreteram a Mansão Kristoff... e Canhotinho Payne. Os lábios sorridentes da mulher eram brilhantes, de um vermelho vivo do batom que usava.

— Está tudo bem, menina — garantiu. — Qual é o seu nome?

— Eleanor.

— Como você chegou aqui, Eleanor? — indagou ela.

— É uma longa história.

— Por que não vem conosco? Assim você tem tempo de nos contar.

— Acho que não é boa ideia — interferiu o homem.

A voz robótica se intrometeu, parecendo vir de lugar nenhum:

— Talvez seja recomendável realizar um rápido exame de rotina antes de...

— Chega! Parem vocês dois — cortou a mulher antes de se virar para Eleanor novamente. — Você vai estar segura com a gente. Vamos tomar conta de você, prometo.

Ela hesitou, mas apenas por um ou dois segundos. A moça parecia gentil. Eleanor já gostava dela. Era forte e não parecia deixar que ninguém a controlasse ou influenciasse. Além do mais, qualquer coisa era melhor do que continuar só. Eleanor estivera prestes a simplesmente desistir e continuar encolhida dentro daquela caverna pelo resto de seus dias.

Esticou a mão, e a mulher a tomou na sua, que estava protegida por uma luva de couro cinza. O toque dela era firme ao ajudar Eleanor a ficar de pé e depois a sair da caverna, de volta à estranha floresta alienígena. Do lado de fora, Eleanor pôde ter uma ideia muito melhor de como eram seus novos amigos.

A moça era alta e vestia uma roupa bem justa, do mesmo couro cinza, a ponto de parecer muito mais eficiente na tarefa de exibir sua forma física do que na de funcionar como bom traje espacial. As botas da mesma cor tinham saltos finos, quase tão longos quanto os antebraços de Eleanor, e a postura da mulher era cheia de autoconfiança, como se não houvesse nada com que não pudesse lidar. Havia um cinto amarelo vibrante ao redor de sua cintura, carregando um pequeno aparelho, e uma arma de raio laser que pareciam ter saído de um filme de ficção científica da década de 1950.

O homem era pouco mais alto do que ela, com o mesmo cabelo ruivo profundo. Era cortado rente à cabeça nas laterais e subia em um topete no topo, que depois caía como uma onda vermelha diante da testa. Trajava uma roupa cinza tão justa quanto a da irmã, mas o rapaz exibia músculos salientes, e o mesmo cinto amarelo com arma de raio. Abriu um sorriso cauteloso quando Eleanor olhou para ele, e seus dentes eram grandes e brancos.

— Quem são vocês?

— O meu nome é Zoe — apresentou-se a mulher. — O camarada superprotetor aqui é o meu irmão, Deke. E aquela voz que você estava ouvindo no nosso aparelho de comunicação remota é do computador-mãe que fica na nossa espaçonave, Rodney.

— Rodney? — repetiu a menina com uma risada. — É um nome meio bobo para um computador.

De repente, um zumbido grave se fez ouvir dos alto-falantes nos cintos dos astronautas. Era curioso, mas se parecia muito com uma lamúria eletrônica. Um assovio baixo que soava espantosamente humano e triste veio logo em seguida.

— Olha só o que você fez agora, garota — repreendeu Deke. — Conseguiu magoar o Rodney.

Zoe inclinou-se mais para perto de Eleanor e colocou a mão em concha sobre a boca.

— Tente não ser tão dura com o Rodney — sussurrou. — Ele é muito sensível... para um computador.

A menina fez que sim com a cabeça e, em tom de voz delicado, emendou:

— Desculpa, Rodney. Gostei do seu nome, mesmo. É bem bonitinho.

— Acha mesmo? — indagou ele. — Também tenho muito apreço por ele.

Mais zumbidos e uma série de bipes baixos foram emitidos através das caixinhas de som. Estavam cheios de evidente deleite mecânico.

— Mas o que vocês estão fazendo aqui, afinal? — indagou Eleanor.

— Somos guardiões do espaço — explicou Zoe. — Estamos à caça de um extraterrestre que rastreamos aqui neste planeta, conhecido como Planeta 5X.

— Esse extraterrestre por acaso fez alguma coisa de errado? Por que estão atrás dele?

— *Dele?* — perguntou Zoe. — Por que já presumiu que é do sexo masculino? É um alienígena; pode ser até que nem tenha gênero. Mas mulheres também podem ser fugitivas, sabia? De onde foi que você saiu, da Idade Média?

— Desculpa, não quis presumir nada — garantiu Eleanor, temendo que tivesse perdido a chance de fazer novos amigos e de não ter que ficar só outra vez.

— Não liga para a minha irmã — disse Deke. — Tenho que ficar sempre no pé dela para dar uma maneirada nessa história de mulher, o sexo forte, ou vai acabar não encontrando marido nunca.

— Marido! — bufou Zoe. — Não preciso de marido nenhum. Só se fosse para lavar a roupa, quem sabe... Mas é para isso que criamos os robôs! Estou ótima solteira. Sei me virar muito bem sozinha, obrigada.

— Verdade! — aventurou-se Eleanor com um sorriso, supondo que aquela era a resposta que Zoe queria ouvir.

— Viu só? — exclamou a mulher, em triunfo. — Ela entende! Acho que você e eu vamos nos dar muito bem, Eleanor.

— Também acho — concordou a menina, sorrindo.

— Mas a grande questão é: o que *você* está fazendo aqui, e sozinha? — indagou Zoe. — E como foi que chegou ao planeta? Ainda é um mundo supostamente inexplorado.

— Como disse a vocês... é uma longa e complicada história.

A dupla de exploradores olhou para ela como se tivesse todo o tempo do universo.

— Detesto ser forçado a interromper — disse Rodney em sua voz monótona. — Mas meus sensores detectaram três OANIs aproximando-se das suas coordenadas em alta velocidade.

— Você não quis dizer OVNIs? — perguntou Eleanor no instante em que o chão começou a vibrar sob seus pés.

— Negativo. O acrônimo utilizado é indicativo de Objetos *Andantes* Não Identificados.

— Ah — fez Eleanor, enquanto o chão continuava tremendo. Em seguida, seus olhos se arregalaram de medo e compreensão. — AAAaaah! Você está falando daqueles robôs gigantes que jogam fogo verde corrosivo nas coisas!

— Você já os viu? — indagou Zoe.

Eleanor fez que sim com a cabeça.

— Mataram o meu amigo e derreteram a minha casa.

— Você *mora* aqui?

— Não temos tempo para isto! — gritou Deke, sacando a arma do cinto. — Rodney, qual é a nossa melhor rota de fuga?

— Calculando — respondeu o computador roboticamente. — Calculando.

Os cálculos pareceram durar séculos para Eleanor. Usando um smartphone, ela já poderia ter pesquisado que caminho fazer para chegar a Omaha,

Nebraska, saindo de Fisherman's Wharf, com estimativa de trânsito e número de pedágios existentes.

— Rota de fuga inexistente — respondeu Rodney, enfim. — Janela para evasão expirada. Os OANIs cercaram sua posição. Probabilidade de sobrevivência é de 14 mil...

— Não tem tempo para ficar fazendo mais cálculos agora — berrou Zoe, puxando Eleanor para perto.

Os três se aninharam contra a parede da caverna enquanto os colossais robôs cuspidores de fogo verde marchavam, rápidos como raios, em meio às altas árvores e densa vegetação alienígena. Três deles emergiram ao mesmo tempo da floresta, formando um semicírculo ao redor do penhasco de pedra lisa negra, bloqueando qualquer chance de escaparem. Em seguida, como se tivessem treinado seu sincronismo ao longo de semanas a fio, os OANIs levantaram as mãos de lança-chamas verdes e miraram nos exploradores.

Os gritos estridentes de Eleanor ecoaram pelo espaço, quase o perfuraram, quando o fogo explodiu dos braços robóticos e coloriu o mundo de verde neon.

CAPÍTULO 60

Em alto-mar, não muito distante do "planeta" denominado Planeta 5X, Cordelia e Adie berravam em choque ao caírem no oceano gelado. Quando a ofuscante bola de luz topou com o casco do veleiro que Gilbert construíra para elas, o barco simplesmente se desmantelou como se jamais tivesse existido, atirando suas duas ocupantes vários metros no ar acima do espelho de água por uma fração de segundo.

Foi apenas quando Cordelia mergulhou no oceano salgado que recomeçou a ter sensibilidade no corpo. A água era tão fria que lhe roubou o fôlego, e a menina só pensava em recuperá-lo enquanto tentava nadar para a superfície.

Adie se debatia com violência ao lado, gritando que não sabia nadar. Cordelia foi até ela, grata por ter algo mais urgente para distraí-la da temperatura gélida. Enganchou o braço sob a axila da menina e a puxou a fim de manter sua cabeça acima da superfície.

— Fica calma, fica calma — disse ela devagar, tentando manter a própria voz tão firme quanto possível. Já tinha feito algo parecido antes, quando ensinara Eleanor a nadar, anos antes. — Quanto mais você se agitar, mais vai afundar. Mova os seus pés em círculos lentos e constantes, sem parar nunca.

Adie fez que sim com a cabeça e, aos poucos, os movimentos frenéticos foram diminuindo até pararem, tornando-a quase um peso morto na água.

Cordelia viu os pés descalços da menina batendo sob a saia flutuante do vestido amarelo.

— Vou soltar agora — avisou, com dificuldade para flutuar enquanto sustentava a outra.

— Não! — gritou Adie, os olhos se arregalando.

Cordelia disse a si mesma para ser paciente, lembrando que a menina não devia ter muitas piscinas disponíveis em uma pradaria da Dakota do final do século XIX. Lagos, talvez, mas viajar 50 quilômetros sem carro até um lago não era das tarefas mais simples.

— Vai ficar tudo bem, juro para você — assegurou-lhe Cordelia. — Estou bem aqui.

Adie assentiu, cuspindo um pouco da água que engolira por acidente enquanto se debatia.

— Isto tem um gosto horrível — reclamou.

— É água salgada.

— Li que os oceanos eram salgados, mas nunca imaginei uma coisa assim — admitiu a menina. — Estou nadando no mar de verdade!

Cordelia fez que sim com a cabeça, feliz que o humor de Adie tivesse melhorado. Mas ainda estava preocupada com a origem misteriosa daquela luz azul. A tendência de Adie de olhar sempre o lado bom das coisas primeiro era incrível. Devia ser a pessoa mais otimista que Cordelia já conhecera.

Cordelia nadou um pouco adiante e olhou para dentro do oceano profundo e cristalino. Não parecia haver nada debaixo delas. Mas era muito mais difícil enxergar com o rosto a centímetros da superfície.

— Ah, não — fez Adie.

— O quê?

— Tem outra luz vindo aí.

Cordelia virou. Outro pontinho de luminosidade azulada subia lá do fundo. Mas era diferente. Parecia estar desacelerando à medida que se aproximava. Além disso, quando chegou mais perto, Cordelia pôde ver com clareza que era um objeto maior, com uma silhueta menor e escurecida dentro dele, não apenas uma bola de luz.

Assistiram em silêncio assombrado enquanto a luz crescia sob seus pés. Era do tamanho de um cômodo. Cordelia se deu conta então de que era alguma espécie de embarcação. Mas diferente de tudo que já vira antes. Era longa e fina, quase do mesmo comprimento de um ônibus escolar, e completamente transparente, com apenas algumas luzinhas azuis espalhadas pela parte inferior. E dava para ver uma pessoa lá dentro.

O veículo continuou a subir, muito mais rápido que antes, e, por um instante, Cordelia teve certeza de que quebraria seus tornozelos. Fechou os olhos e retesou-se, preparando-se para o impacto. Que não veio.

Em vez disso, Adie e Cordelia foram sugadas para baixo da superfície e para dentro do estranho submarino, passando através de seu exterior como se não fosse feito de matéria sólida.

Viram-se esparramadas em um chão seco e duro logo depois. Cordelia estremeceu com um arrepio e olhou para cima, para a ocupante solitária da embarcação. A mulher de pé diante delas tinha aparência muito mais humana do que Cordelia esperara. Tinha um rosto lindo, estonteante até, com braços e pernas normais. A única diferença real estava na cor de sua pele. Tinha tonalidade azul-clara e cintilava como se estivesse constantemente mudando de cor. Os longos cabelos esvoaçantes eram negros. As íris eram vermelhas, com pupilas tão pequenas que mais pareciam um pinguinho de preto esquecido no centro de seus olhos.

Aparentava ser atemporal e vestia um traje perolado iridescente que parecia mais adequado a uma modelo na passarela do que a um piloto de submarino. A mulher também tinha uma coroa feita de conchas reluzentes na cabeça e uma aura de realeza a envolvendo, como se tivesse mais dignidade e graça na mão direita do que um ser humano jamais poderia aspirar a ter no período de uma vida inteira.

Pressionou um símbolo brilhante em uma parede invisível do estranho meio de transporte. As laterais do submarino eram feitas de vidro, e o veículo deixou Cordelia e Adie aterrorizadas quando começou a descer para as profundezas do oceano outra vez.

— Sorte a sua que eu as tenha encontrado — começou a mulher. — Estamos quase na época de acasalamento dos tubarões de nove guelras. São criaturas marinhas belíssimas, magníficas mesmo. Mas, durante esta época, refestelam-se com tudo que lhes aparece pelo caminho. E aquele barquinho onde vocês estavam não seria grande coisa na hora de protegê-las.

Cordelia e Adie olharam para sua salvadora com expressões vazias de quem não entendia o que estava sendo dito. Ainda estavam chocadas demais para processar tudo o que estava acontecendo, que dirá oferecer respostas coerentes.

— Perdão — pediu a mulher após alguns momentos de silêncio. — Estão com dificuldade para me entender? Falam uma língua diferente?

Olhou para Adie e Cordelia ainda sentadas no chão, tremendo e molhadas. Sua expressão tinha mudado ligeiramente. Ainda sorria, mas agora seu sorriso tinha uma pontinha de pena, algo semelhante à forma como alguém olharia para um bebê se esforçando para dar seus primeiros passos.

— Conseguimos entender, sim — afirmou Adie, se levantando. — O meu nome é Adie! E esta aqui é a minha amiga Cordelia.

— Que maravilha conhecê-las, Adie e Cordelia — disse a mulher. — As duas têm lindos nomes. Sou a Máxima Ministra Annex Democritus, a humilde serva eleita do povo de Atlântida.

— Você é a *líder* de Atlântida? — indagou Cordelia. — Eleita, tipo, como se fosse a presidente?

— Ora, sim, isso mesmo — respondeu Democritus com polidez. — Você parece confusa. Por que algo assim a deixa inquieta?

— Bom — explicou a menina —, de onde venho, seria bem estranho ver o governante de um país passeando por aí sozinho sem uma grande comitiva e equipe de segurança.

— Por que eu precisaria de segurança? — indagou a mulher. — É mais do que justo que eu tenha liberdade para explorar meu mundo, tanto quanto qualquer outro cidadão da nossa grande cidade.

— Você não tem medo de que alguém possa querer machucá-la? — perguntou Cordelia.

— Não, mas é claro que não! — respondeu Democritus, horrorizada com a ideia. — Por que teria?

— De onde sou, nem todo mundo concorda com os governantes — disse Cordelia. — Os presidentes de cada país nunca vão a lugar nenhum sem, tipo, duas dúzias de guarda-costas atrás deles, porque existe muita gente que ia querer matá-los se tivesse a chance.

Os olhos de Democritus se arregalaram.

— Que horror! — exclamou. — Foi o próprio povo quem me elegeu. Por que iam querer me machucar? Até mesmo os cidadãos que votaram contra mim reconhecem que não aceitar os resultados democráticos é o mesmo que

não aceitar a democracia em sua totalidade. O seu mundo me parece *terrível*!
Em Atlântida, a única coisa que receamos de verdade é a Zona Proibida, lar
do temível Iku-Turso.

Adie e Cordelia se empertigaram com a menção da Zona Proibida.
Sabiam que era para lá que precisariam ir a fim de encontrar o Protetor de
Mundo. Mas Democritus voltou a falar antes que tivessem a chance de fazer
qualquer pergunta.

— Mas chega desta conversa; estamos quase em casa! — anunciou,
apontando para além das paredes transparentes do submarino.

Cordelia teve dificuldade em desviar os olhos do largo sorriso da governante. Algo nele parecia quase simpático demais. Por que a líder de Atlântida
seria tão gentil com duas perfeitas estranhas originárias de outro mundo?
Os políticos da era de Cordelia não confiariam em ninguém que estivesse
fora de seu círculo. A solicitude e simpatia de Democritus não transmitiam
à menina a sensação de serem de todo genuínas.

A Walker mais velha enfim conseguiu arrancar o olhar do rosto sorridente da mulher, recordando-se do fato de que estavam se aventurando pelas
profundezas do oceano dentro de um submarino de vista panorâmica. Já
devia até ter perdido a oportunidade de presenciar uma variedade de cenas
incríveis no tempo que deixara de olhar para fora.

Cordelia virou o rosto para baixo e teve que tomar fôlego, surpresa. Adie
ficou tensa a seu lado e agarrou a mão da amiga. Apertava com tanta força
que quase chegava a doer. Mas Cordelia estava maravilhada demais para
sentir qualquer dor; seus olhos encheram-se com as luzes da estonteante
cidade submersa abaixo delas.

— Macacos me mordam — disse Adie.

Cordelia emitiu reação semelhante com palavras ligeiramente distintas.

A Cidade Perdida de Atlântida era ao mesmo tempo deslumbrante e
perturbadora, um mundo inundado espetacular, de extensão e esplendor
inimagináveis. Uma colmeia de milhões, talvez até bilhões, de bolhas mul-
ticoloridas reluzentes tinha sido construída na lateral de uma cordilheira
submersa, recoberta de vida e vegetação marinhas jamais vistas por olhos
humanos. As intrincadas edificações fulgurantes brilhavam com sua própria
fonte de iluminação mágica.

Alguns dos prédios cintilantes eram tão pequenos quanto uma casa de dois quartos. Outros eram muitas vezes maiores do que os imensos estádios que times de futebol americano — como os Indianapolis Colts e New Orleans Saints — chamam de sede. Coletivamente, formavam uma vista quase impensável: tão espetacular que os olhos de Cordelia corriam de um ponto ao outro de modo quase frenético, como se não fossem capazes de absorver tudo.

À medida que a embarcação ia descendo, a verdadeira escala da cidade foi se tornando ainda mais aparente. Fez com que Cordelia se sentisse um insetinho esmagado grudado na sola do sapato de alguém.

— Bem, isto aqui é sem dúvida a coisa mais extraordinária que já vi — declarou Adie.

— E a gente já viu um monte de coisa extraordinária hoje — acrescentou Cordelia.

— Sejam bem-vindas ao nosso lar — disse Democritus, sorrindo. — A grande cidade de Atlântida.

CAPÍTULO 61

Em algum lugar muito distante, logo nos limites da versão fictícia da cidade de Aswan, no Egito, Brendan Walker não estava lá tão surpreso que finalmente fosse encontrar seu aterrador fim sob um jipe velho, de buzina insuportável, em uma estrada de terra poeirenta qualquer no deserto. Estivera face a face com a morte vezes o bastante naqueles últimos dias para apenas fechar os olhos e aguardar o impacto.

No lugar de uma lesão traumática aguda, no entanto, foi surpreendido com um punhado de areia na boca quando o jipe fez um desvio brusco, passando ao lado dele no último instante. Abriu os olhos, tossindo, e virou para trás.

Um homem de meia-idade estava ao volante, e ao lado dele havia um menininho, que se levantou no banco do carona e virou para trás a fim de olhar para Brendan. Agitava o punho e gritava enquanto o automóvel se afastava depressa, as palavras estridentes finais acabando engolidas pela nuvem de areia levantada.

— ... *parado no meio da estrada, seu idiota...*

— Eu... estava... tentam... — começou Brendan, incapaz de formar uma frase completa, a garganta cheia de grumos arenosos.

Mas não o teriam escutado mesmo se tivesse conseguido falar, uma vez que o jipe já tinha desaparecido dentro da cidade.

Brendan tentou expirar, mas a areia presa na garganta tornava tal feito quase impossível. Água. Aquela era sua prioridade a partir daquele momento.

Já estava precisando de hidratação por conta do calor insano, mas o bocado de areia e poeira que engoliu solidificou ainda mais aquela necessidade.

Marchou em frente, desta vez pela lateral das marcas gêmeas que faziam às vezes de estrada. O avanço era mais demorado na areia fofa, mas, com certeza, era melhor do que ser atropelado por outro carro.

Brendan chegou à cidade à beira-rio desesperado por água. Mal notou as pessoas trajando túnicas e lenços na cabeça, fitando as estranhas roupas do menino. Ele não notou os carros cuspindo gás pelo escapamento nas ruas de pedra, não notou que eram típicos da década de 1950. Tudo que via era o pequeno mercado de rua próximo à margem. Viu pessoas nas tendinhas vendendo frutas, cerâmica e mantas. E o melhor de tudo, um cantil enorme pendurado a um suporte de madeira na tenda mais próxima.

Umedeceu o vidro craquelado que seus lábios tinham tornado com a língua áspera como lixa. Todo o resto desaparecera. Até mesmo o sol e o calor intenso tornaram-se secundários. Eram apenas Brendan e o cantil, sozinhos em um cômodo arenoso e quente. Cambaleou na direção dele, sentindo como se não estivesse fazendo progresso algum com cada passo que dava.

Mas estava. E em poucos minutos, tinha chegado ao recipiente. Tomou a alça e puxou-o do poste. Desenroscou a tampinha de metal e começou a engolir o conteúdo sem sequer parar para cheirá-lo antes. Talvez não fosse a água mais pura, mais saborosa, ou mais gelada de todas, mas naquele momento, Brendan não se importava. Os lábios e boca absorveram tudo como se fossem esponjas. Tinha quase engolido meio galão de uma vez só quando a mão de alguém agarrou seu pulso com tanta força que o menino deixou o cantil cair, derramando as poucas gotas finais na rua sedenta.

— Achou que podia roubar a minha água, ladrãozinho? — gritou uma voz rouca.

Brendan encontrou os olhos de seu atacante. Era um egípcio de meia--idade vestindo trajes típicos para o deserto. Parecia estar cuspindo fogo, e Brendan, nervoso, olhou ao redor em busca de socorro. Uma pequena multidão começou a se aglomerar ao redor da barraca, percebendo a comoção.

— Não, não estava querendo roubar nada — defendeu-se Brendan. — Mas estava morto de sede...

— Não toleramos ladrões aqui! — berrou o homem. — Sua punição tem que ser severa!

— Não! — gritou Brendan. Tentou se desvencilhar, mas a pressão que a mão do homem fazia parecia mais pertencer a um ciborgue.

Ele se virou e se dirigiu à plateia crescente.

— Este garoto roubou a minha água! Deve pagar pela ofensa da maneira costumeira!

A multidão raivosa berrou aprovação. Uma abertura pequena se fez na massa de pessoas quando uma enorme caixa de madeira do tamanho de uma piscininha de plástico para crianças foi carregada para dentro do círculo. Tinha tampa, como um caixão.

— O que é isso? — indagou Brendan.

Ninguém respondeu. Em vez disso, alguém gritou:

— Joga o meliante dentro do fosso para ladrão, Fadil!

— Não! — respondeu Brendan aos gritos, compreendendo que algo com *aquele* nome, saído da imaginação insana de Denver Kristoff, não podia ser nada de agradável.

A sugestão recebeu mais exclamações de encorajamento do povo reunido. Dois homens deram um passo à frente e retiraram a pesada tampa de madeira. Mesmo em meio às ovações sonoras da multidão, Brendan conseguiu escutar sibilos. Várias cabeças pretas e marrons de serpentes espiavam por cima da beirada da caixa. O fosso para ladrão.

— Não, não, por favor! — berrou Brendan. — Por favor... não estava tentando roubar nada...

Fadil abriu um sorriso e arrastou Brendan mais para perto do caixote. Alçou o menino no ar com facilidade, dando-lhe perfeita visão de no mínimo uma dúzia de cobras serpenteando ao redor da caixa. Parecia um caixão pois, em pouquíssimo tempo, era exatamente isso que iria se tornar para ele.

— Joga lá dentro! — exclamou alguém.

— Ladrão! — gritou outro.

Fadil sorriu para Brendan e o segurou acima do "fosso" de madeira. Os répteis sibilaram e se enroscaram, em expectativa, poucos metros abaixo do menino.

— É isso que acontece com quem rouba as minhas coisas — anunciou Fadil.

— Nãããão! — suplicou Brendan, mas sabia que já era tarde quando sentiu as mãos do homem se afrouxarem onde seguravam sua camiseta e perna da calça.

CAPÍTULO 62

— Fadil! *Pare!* — gritou uma voz da plateia.
— Por quê? — indagou Fadil, girando nos calcanhares, ainda segurando Brendan em suas mãos. — Ele é só um ladrãozinho! Por que não deveria ser punido como todos os outros da laia dele?

— Porque não passou de um simples mal-entendido — respondeu um homem com sotaque inglês suave, saindo de trás da parede de pessoas.

Devia estar na casa dos 40 anos e tinha um bigode fino, impecavelmente aparado. Vestia terno de três peças preto, e um chapéu-coco completava o traje. Só os sapatos Oxford pretos já pareciam custar mais do que o guarda-roupa inteiro de Brendan. O homem levava uma pasta a tiracolo. Se o menino não soubesse que era impossível, poderia ter jurado que aquele cara era membro da realeza inglesa.

Tinha a vaga impressão de que o reconhecia de algum lugar. Foi então que avistou o menininho parado a seu lado. Usava calça de sarja um tanto desgastada e uma camisa branca cheia de manchas espalhadas pela frente. Mantinha o queixo erguido como se estivesse desafiando todos os presentes para uma briga de rua, apesar de ser quase 30 centímetros mais baixo e, pelo menos, dois anos mais novo que Brendan. Reconheceu o menino de imediato; estava naquele jipe. Aqueles eram os dois babacas que por pouco não o tinham atropelado!

— Mal-entendido? — repetiu Fadil, finalmente recolocando Brendan no chão, mas ainda mantendo os dedos firmes onde estavam enroscados na gola da camiseta do menino. — O cantil estava na mão dele! O moleque estava bebendo dele! Vi com os meus próprios olhos!

— O garoto não sabia que era seu — insistiu o inglês. — Tome, aceite isto como pagamento pelo incômodo. É suficiente para comprar dez cantis com a quantia. É só deixar o menino ir.

O homem jogou várias moedas de ouro aos pés de Fadil.

— Por que você se importa tanto com esse fedelhinho feio?

— Ei... — protestou Brendan, mas ninguém prestou atenção.

— É o meu novo assistente — explicou o inglês. — Acabou de chegar à cidade e é evidente que não conhece as regras locais.

— Muito bem, temos um acordo — aceitou Fadil, enfim, liberando a gola da camiseta de Brendan de seu punho de ferro. — Mas não quero ver esse garoto nem perto das minhas coisas de novo.

— Só seria burro de voltar se quisesse pegar cólera ou listeriose — respondeu Brendan em desafio, endireitando as roupas.

Fadil o ignorou e se agachou para recolher as três moedas de ouro que tinham caído na terra perto de seus pés.

— Venha, garoto — chamou o inglês. — Temos muito a fazer. Está lembrado? — Gesticulou para que Brendan o seguisse.

Ele fez que sim com a cabeça e acompanhou o inglês e o menininho enquanto caminhavam depressa para fora do mercado, passando pelas pessoas que se dispersavam. Foram parar atrás de uma construção depois de subirem a colina que ficava perto da feira.

— Obrigado por ter me salvado — agradeceu Brendan. — Mas quem é você, afinal?

— Meu nome é Sir Dr. Edwington Alistair Forthwithinshire III, Escudeiro — apresentou-se o homem. — Professor de ciências humanas e arqueologia em Oxford.

— Sir, doutor, Edward... Espera, dá para repetir? Acho que vou ter que anotar — disse Brendan, com dificuldades para se lembrar do título completo.

O professor riu. Sua risada conseguia ser ainda mais encantadora do que o sotaque.

— São as tribulações de ser doutor, advogado *e* cavaleiro ao mesmo tempo. Pode me chamar de Sir Ed, se desejar — disse. — E este aqui é meu assistente.

— O nome é Jumbo — apresentou-se o menininho, fitando Brendan com suspeita. Não tinha sotaque como o homem mais velho. Parecia egípcio, mas falava a língua com perfeição.

— Ok, ahn, Sir Ed e Jumbo. Mas então, por que foram me ajudar?

— Porque minha intuição me diz que estamos aqui pela mesma razão — respondeu o inglês.

Brendan o encarou, sem saber ao certo o que deveria responder. Estariam aqueles dois também à procura do Protetor de Mundo?

— Por que você acha isso? — indagou o menino, hesitante.

— Quando Fadil o carregou para o meio daquela multidão, caiu uma coisa do seu bolso — explicou Sir Ed, levando a mão para dentro da pasta.

Os olhos de Brendan se arregalaram. O *Diário*! Era seu dever protegê-lo com a própria vida: era a única esperança que tinham de salvar Gordo Jagger e seu mundo da destruição certa pelas mãos da Bruxa do Vento. E ele o tinha perdido bebendo água! Mas... não tinha. O livro continuava seguro em seu bolso traseiro.

Foi aí que Sir Ed tirou da bolsa o mapa do tesouro nazista.

— Achei um tanto espantoso que você tivesse algo assim em sua posse — disse o homem, sorrindo.

— Ah, isso aí? Não é nada importante, não — mentiu Brendan depressa.

— Mas *é*, sim, é algo importante — retrucou Sir Ed, voltando a procurar algo na pasta. — Caso contrário, como você explicaria isto?

O inglês mostrou um pedaço de papel dobrado, e o queixo de Brendan caiu. A cópia de Sir Ed estava um pouco mais desgastada e esmaecida, mas a semelhança era inegável. Sir Dr. Edwington Alistair Forthwithinshire, Escudeiro tinha uma duplicata exata do mapa do tesouro nazista perdido!

CAPÍTULO 63

Em uma floresta alienígena no Planeta 5X, três gigantescos robôs lançadores de chamas cercavam a dupla de exploradores do espaço e Eleanor. Labaredas verdes explodiam dos braços direitos das máquinas e engoliam os aventureiros encurralados.

Eleanor Walker jamais se perguntara qual seria a sensação de ser derretida por um estranho fogo verde alienígena. Mas estava prestes a descobrir. Ou estaria, se as línguas corrosivas cuspidas pelas três mãos dos OANIs não tivessem se desviado para os lados no último segundo, desintegrando plantas e árvores ao redor da menina e de seus novos amigos.

— Campo de força ativado — anunciou Rodney calmamente.

— Campo de força! — repetiu Eleanor aos berros, mesmo enquanto as chamas verdes continuavam a ser redirecionadas para longe deles. — Mas você acabou de dizer um segundo atrás que todo mundo ia morrer!

— Se eu tivesse a oportunidade de terminar minha frase — explicou a voz mecânica —, você teria ouvido que a probabilidade de fatalidade tinha sido calculada sem o uso do...

— Agora, não, Rodney! — gritou Zoe, apontando a arma para um dos OANIs colossais e disparando. Anéis concêntricos de raios laser vermelhos estouraram da extremidade da arma de Zoe, expandindo à medida que se deslocavam. Atingiram o robô imenso, que estremeceu e vibrou como se estivesse a ponto de explodir. A estrutura metálica ficou rígida e caiu para trás, batendo na floresta extraterrestre com força suficiente para derrubar Eleanor no chão, seu traseiro absorvendo o impacto.

Zoe e Deke mantiveram-se firmes de pé e continuaram atirando com as armas de raio até os três OANIs estarem jogados em vários acres de folhagem esmagada, mortos, desativados ou o que quer que fosse que as pistolas a laser sci-fi tivessem feito a eles.

— Eleanor, vamos — chamou Zoe, estendendo a mão. — Temos que dar o fora daqui antes que mais deles apareçam. Vem com a gente.

A menina fez que sim com a cabeça e aceitou a mão de Zoe sem hesitação. Seguiu os irmãos pela estranha mata alienígena. Após apenas alguns minutos, emergiram do denso bosque de plantas bizarras em um deserto rochoso coberto de crateras, montanhas pretas e lisas e penhascos. Teria sido uma visão aterrorizante se Eleanor estivesse só. As formações negras polidas eram denteadas, afiadas e nada convidativas, como se ela estivesse entrando na boca de um planeta carnívoro. Mas com os novos amigos a seu lado, o deserto esburacado chegava até a ser interessante, quase bonito.

Correram ao redor da borda de uma cratera monumental com laterais quase tão altas quanto uma colina. Uma espaçonave de estabilizadores verticais vermelhos e motor a jato enorme localizava-se logo depois de um afloramento rochoso cheio de pontas. Vários bipes e zumbidos foram emitidos pelo alto-falante do comunicador de Zoe, e uma porta se abriu na nave, um lance de escada se desdobrando para fora dela logo depois.

Eleanor os seguiu para dentro. O interior do veículo era frio e futurista até certo ponto, mas, como o restante da aparência dos próprios exploradores, havia algo de gritantemente *vintage* acerca da invenção. Estava coberta de tons pastéis e computadores lisos e simplórios, com grandes alavancas de punho bulboso vermelho na extremidade e luzes ofuscantes, mas básicas. Era evidente que aquela inovação, em particular, tinha sido escrita muito antes da época de Eleanor.

— Essa foi por pouco, Zoe — comentou Deke enquanto a porta se fechava atrás dele. — Pensei que íamos virar picadinho.

— Mas ainda não conseguimos o que viemos procurar! — reclamou Zoe. — Temos que encontrar aquele alienzinho.

— Por que vocês precisam tanto achá-lo? — indagou Eleanor.

— Ele tem algo de grande valor — respondeu a moça, levantando um dedo de maneira quase cartunesca, como se tivesse acabado de ter uma ideia brilhante. — Algo que queremos desesperadamente.

— O quê?

— O coração dele.

— O coração dele!

— Isso mesmo — confirmou Zoe. — O coração daquele serzinho é muito especial, porque ele é o último da espécie. Vale mais de um milhão de créditos InterGaláticos no Mercado Cinza Espacial.

— E como vocês... como se consegue pegar o coração dele?

— Temos que cortá-lo ao meio e retirar o órgão do torso dele — explicou Zoe, simulando um movimento de corte com a mão.

— Está falando sério? — exclamou Eleanor, sentindo uma pontada de náusea no estômago.

Gostava de verdade de Zoe, respeitava sua força e confiança. Mas o fato de que seria capaz de arrancar o coração de alguém de dentro do peito, ainda que fosse uma espécie alienígena, não tinha nada de heroico ou moral. Zoe não passava de uma mercenária fria e insensível, com olhos apenas para o dinheiro.

— E como é esse alien? — perguntou Eleanor.

— É muito pequenininho, parece até uma criança — respondeu Zoe. — Voa por aí em uma esfera de metal. Você por acaso o viu?

Em um primeiro momento, o choque de Eleanor foi grande demais para responder. Zoe estava falando de Gilbert! O extraterrestre que caçavam era a mesma criaturinha estranha que tinha salvado a vida dela e de sua família duas vezes. Ele estava com Brendan, e agora Zoe queria encontrá-lo e arrancar seu coração!

A vasta cidade submersa de Atlântida era quase ainda mais deslumbrante e bela do interior das estranhas edificações que pareciam bolhas e ocupavam as paredes da cordilheira marinha. Estavam tão abaixo da superfície da água que o oceano fora daquela bolha não passava de uma cortina negra. Luz alguma existia naquela profundidade, de modo que os outros edifícios-bolha ao redor deles brilhavam na escuridão como estrelas gigantes em um céu noturno.

A semelhança fez com que Cordelia e Adie sentissem saudades de casa.

— Tenho certeza de que devem estar cansadas; as duas deviam descansar um pouco — sugeriu Democritus de onde estava, atrás delas.

— Ia ser ótimo — respondeu Cordelia com um sorriso.

Adie fez que sim com a cabeça em concordância.

— Seu quarto fica por aqui — disse Democritus, gesticulando para um longo corredor estreito que dava em outra bolha instalada na pedra da montanha.

Enquanto as três seguiam pela passagem deserta, Cordelia tentava encontrar uma maneira de fazer um comentário a respeito do Protetor de Mundo sem deixar transparecer que sua intenção verdadeira era roubá-lo.

— Você já ouviu falar de um lugar chamado Abismo Eterno? — indagou ela em tom casual.

A pergunta fez com que o clima se alterasse no mesmo instante. Os olhos intensos de Democritus a perfuraram quando pararam do lado de fora de outra das bolhas azuis resplandecentes. Toda a simpatia e os sorrisos desapareceram.

— Não falamos a respeito disso aqui — declarou a governante, sucinta. — Aproveitem bem o descanso.

Apertou um botão na parede, e uma porta se abriu, deslizando. Democritus voltou pelo corredor sem mais palavras, deixando Cordelia e Adie paradas sozinhas à entrada do quarto que seria das duas. Entraram, e a porta se fechou automaticamente.

O cômodo era modesto, as paredes transparentes como em todos os demais quartos e corredores naquela cidade. No centro, ficavam duas camas circulares. Os lençóis, azul-escuros, eram lustrosos e macios, mas diferentes de todo e qualquer material que as duas já tivessem visto antes. O que fez sentido para Cordelia, depois de refletir um pouco... Era provável que não tivessem acesso a algodão ou seda, ou a quaisquer tecidos comuns de que suas roupas eram feitas. Os trajes e roupa de cama de Atlântida eram, sem dúvida, feitos de uma combinação de algas marinhas e outros vários organismos encontrados no fundo do mar.

Entre as camas, havia duas mesinhas ocupadas por jarras elegantes de água e travessas cheias de comida. Adie e Cordelia entreolharam-se, e sorrisos largos se abriram em seus rostos. Correram para elas ao mesmo tempo e se refestelaram.

A água era gelada, cristalina e talvez a *melhor* bebida que já tinham provado. Era tão pura, quase parecia mais leve do que água normal. A comida consistia — o que não foi surpresa para nenhuma das duas — de frutos do mar. Tinham lhes oferecido imensas patas de siri, algumas tão compridas quanto o braço de Cordelia, uma lagosta que chegava quase ao tamanho de um golden retriever, lula, peixe fresco, amêijoas, ostras e uma variedade incrível de plantas marinhas que faziam Cordelia pensar nas saladas de alga e algas nori em que se envolvem sushis, mas eram muito mais doces, salgadas, refrescantes e, em geral, muito mais gostosas. A comida tinha sido temperada muito levemente; era, em essência, um banquete dos frutos do mar mais frescos e doces que ela já comera. Adie teve dificuldade logo no início, uma vez que era sua primeira experiência com aquele tipo de alimento. Mas em

10 minutos já estava quebrando e devorando as patas de siri como se estivesse em uma competição para decidir quem comia mais em menos tempo.

Depois de se empanzinarem por quase uma hora inteira, as duas subiram para suas camas individuais, mais contentes do que jamais esperaram se sentir quando se aventuraram em alto-mar em um barquinho feito às pressas apenas algumas horas mais cedo.

No instante em que suas cabeças tocaram os estranhos, mas incrivelmente confortáveis travesseiros, caíram no sono. Cordelia foi puxada de modo quase instantâneo para dentro de um sonho intenso e vívido.

Nadava no fundo do oceano, movendo-se por ele sem fazer grande esforço e sem a necessidade de respirar ou sequer bater braços e pernas. Era como se *voasse* pela água. Descia cada vez mais e mais fundo, até estar cercada apenas por escuridão. Depois, aos poucos, uma luz fraca foi se formando sob ela. Os pontinhos pálidos de luminosidade vindos de uma cidade submersa milenar. E antes mesmo de se tornarem de todo familiares, Cordelia já sabia o que estava acontecendo.

Era a Bruxa do Vento. Tinha vindo atrás delas. E mesmo em seu "sonho", Cordelia podia sentir a intenção da velhaca. Estava lá para destruí-las, parar a missão, e deixaria a cidade inteira em ruínas se fosse necessário.

CAPÍTULO 65

De volta à versão fictícia da cidade de Aswan, Egito, mais ou menos no ano de 1955, um esguio inglês estava em um beco poeirento com duas crianças, sorrindo de orelha a orelha como se tivesse acabado de ganhar na loteria. Brendan ainda o encarava em choque depois de ter descoberto que sua cópia do mapa do tesouro nazista não era única.

— Está mais do que evidente que estamos os dois à caça da mesma coisa — declarou Sir Ed, guardando a duplicata do documento na pasta outra vez. — Como uma coisa dessas pode ser possível?

Brendan não sabia como responder, por isso apenas balançou a cabeça. *Como* era possível? Foi aí que se deu conta do óbvio: ambos os mapas eram ficção. Os dois faziam parte de dois livros diferentes escritos pelo mesmo autor, simples assim. De maneira que era inteiramente possível, provável até, que houvesse cruzamentos e repetições de fatos e objetos dentro dos romances de Denver. Autores e diretores de filme faziam aquilo com frequência, referências a outros trabalhos. Tinha até um nome engraçadinho para a prática: *easter eggs*, "ovos de Páscoa". Como a vez em que Brendan vira um grupo de alienígenas do filme *E.T.* em um dos filmes da série *Star Wars*.

— Está me escutando, menino? — chamou Sir Ed, arrancando Brendan de suas considerações. — Se puder me explicar como chegou a este mapa, poderia ser informação útil para todos nós.

— Consegui o mapa do... — Brendan hesitou.

Estivera a ponto de contar toda a verdade. Que encontrara o papel em um tanque de guerra nazista guiado por um ciborgue. Mas, por algum motivo, Brendan pensou melhor e decidiu que não seria boa ideia. Sir Ed, da década de 1950, com certeza nem saberia o que era um ciborgue.

— O meu pai é professor de história na Universidade de Stanford, na Califórnia — respondeu ele enfim. — E isso aí estava na coleção dele...

— Stanford, foi? — disse Sir Ed. — Tenho muitos colegas lá. Qual é o nome do seu pai?

— Hum... bom, é, er, Dr. Walker? — arriscou o menino.

Sir Ed estudou-o por um momento, depois virou o rosto para o céu azul-claro. Seus olhos, também azuis, brilharam na luz.

— Ah, sim! — exclamou de súbito. — Acho que me recordo de ter cruzado com ele em certa ocasião. Um camarada imponente, não era? Anda manquejando um pouco e pisca com frequência.

— Uh, é, esse aí mesmo — confirmou Brendan. — Peguei o mapa e um pouco de dinheiro sem ele saber e comprei uma passagem só de ida para cá para encontrar esse tesouro.

— Bem, ainda assim, este encontro pode vir a ser muito vantajoso para nós dois — afirmou Sir Ed.

— Como? — perguntou Brendan.

— Podemos trabalhar *juntos* a fim de encontrar o tesouro nazista — explicou o inglês com um sorriso largo. — Duas cabeças pensam melhor do que uma, como vocês, americanos, costumam dizer. As riquezas devem ser vastas o suficiente para serem divididas entre nós. Não tem por que deixar a ganância vencer, correto?

Brendan entendeu, após vários segundos, que não era uma pergunta retórica. De modo que assentiu com a cabeça em concordância. Afinal, não se importava de fato com aquele tesouro. Bom, até que se importava, sim, pois que criança não ficaria encantada com a ideia de encontrar um tesouro perdido? Mas na realidade, seu intuito maior era encontrar apenas um único item em meio aos espólios roubados: o Protetor de Mundo. E nada menos que o mais poderoso dentre os três.

— Certo — confirmou Brendan, ainda assentindo. —Não tenho nada contra dividir. Vim mais pela aventura do que pelo tesouro em si.

— Esplêndido! — exclamou Sir Ed com outro sorriso. — Então, como você mesmo já viu, por óbvio, a aparência do mapa é traiçoeira. — Claro, Brendan não tinha visto nada do tipo, mas o menino apenas continuou fazendo acenos afirmativos de cabeça. — Parece apontar na direção da Itália. Quando colocado contra a luz, no entanto...

Sir Ed levantou o mapa, colocando-o entre Brendan e o sol ofuscante. Através do papel agora translúcido, o menino enxergou um segundo conjunto de linhas.

Um mapa escondido.

— O primeiro mapa é um engodo muito astucioso. Mas quando o colocamos contra o sol desta maneira, as verdadeiras instruções tornam-se visíveis.

Brendan examinou o mapa *real* com atenção, seguindo as linhas, antes ocultas, que faziam uma trajetória por meio de um labirinto de passagens dentro de pirâmides, e não por meio de estradas europeias.

— E se você olhar bem de perto — continuou o inglês —, vai ver onde está localizado o tesouro.

Os olhos de Brendan seguiram a trilha até o final.

— A pirâmide perdida onde fica a tumba de Wazner — disse Brendan em um sussurro.

— Exato. Até onde sabemos, ninguém nunca colocou os pés lá dentro depois dos nazistas... há pouco mais de uma década.

— Tem certeza de que vai querer levar esse aí junto? — interrompeu Jumbo.

— Por que não? — perguntou Sir Ed ao assistente. — Melhor incluí-lo nos nossos planos e trabalhar em conjunto do que criar uma competição, não é verdade?

— Ele não conseguiu nem saltar para fora do caminho do nosso jipe — lembrou Jumbo. — Se as coisas apertarem, pode ser que ele fique paralisado. Pode até custar as nossas vidas.

— Não vou ficar paralisado — defendeu-se Brendan. — Sou muito mais esperto e durão do que vocês acham.

— Ah, é? — perguntou Jumbo, fitando as mãos de Brendan cheio de suspeita. — Alguma vez já participou de uma aventura de verdade? Não está com cara, não... Parece que passou a vida inteira num country clube qualquer, tomando limonada aos golinhos e jogando críquete com os amigos da sua vovó.

— Pode acreditar, já participei de muita aventura na vida, mais do que você pode imaginar — retrucou Brendan, na defensiva.

— Pois não acredito — desafiou Jumbo. — Até agora, você só me provou ser um covarde e um ladrão. Se é tão durão assim mesmo, me mostre.

— Como?

— Partindo para a briga — respondeu Jumbo, erguendo os punhos.

— Partir para a briga com *você*? — repetiu Brendan, rindo de nervoso. — Você é só um menininho magrelo. Não vou brigar com...

A frase de Brendan foi interrompida de maneira rude pelo pequeno mas poderoso punho de Jumbo colidindo sem obstáculo com seu nariz. Brendan cambaleou e caiu para trás sentado no chão, o nariz ardendo e os olhos marejando. Olhou feio para o garotinho, que estava agora diante dele, com os punhos ainda no ar.

— Anda — rosnou ele. — Levanta! Me mostra que consegue!

Sir Ed deu um passo para trás, cruzou os braços e sorriu.

Furioso, com o nariz parecendo estar pegando fogo, Brendan ficou de pé em um pulo e começou a golpear o ar com violência, sem qualquer método. A briga durou bons cinco minutos, ambos os meninos errando mais socos do que de fato acertando seus alvos. Mas fizeram contato vezes o bastante para saírem machucados, doídos e cobertos de poeira e sujeira em geral. Arfando e cansados, os dois se recusavam a jogar a toalha.

Jumbo voltou a rosnar para Brendan e fez uma investida final. Brendan deu um passo para o lado e esticou a perna no caminho dele, fazendo com que o menininho tropeçasse e voasse para o chão. Jumbo ficou imóvel por alguns poucos instantes, mas depois se colocou de pé, um pouco desequilibrado, e olhou feio para o oponente. Brendan se retesou, preparado para um novo round, sem ter certeza de que teria a energia necessária.

Mas Jumbo fez algo inesperado. Sorriu. Era um sorriso caloroso e talvez chegasse até a refletir uma pontinha de admiração.

— Nunca, *nunquinha*, me derrubaram assim antes. Gente do triplo do meu tamanho já tentou e não conseguiu me derrotar. Exceto você.

Brendan estava quase estourando de orgulho, mas tentou não deixar transparecer. Aquela tinha sido, tecnicamente, sua primeira briga. Mas não queria que os outros dois soubessem disso.

— Muito bem — interrompeu Sir Ed. — Agora que já se acertaram... estão prontos para encontrar aquele tesouro?

Brendan e Jumbo se entreolharam e fizeram que sim com a cabeça.

— Então me sigam — chamou o inglês, devolvendo a Brendan sua cópia do mapa.

Enquanto caminhavam pelas várias ruas desertas da pequena cidade egípcia, Jumbo não deixou o lado de Brendan, mal desviando os olhos dele.

— Onde foi que aprendeu a lutar daquele jeito? — indagou.

— É assim que sempre fiz as coisas — respondeu Brendan, tentando soar modesto sem sucesso.

Jumbo riu.

— Você é dos duros na queda mesmo. Aposto que é um *herói* de verdade na sua área.

Brendan virou o rosto para longe, envergonhado, ainda que suspeitasse que Jumbo estivesse apenas brincando. Os pelos em seu pescoço se eriçaram. Algo a respeito do menino o deixava desconfortável, inquieto, agora que tinha passado da fase de incomodá-lo e desafiá-lo para a de admirá-lo como a um ídolo em questão de meros minutos.

— Acredite ou não — respondeu Brendan, não conseguindo reprimir o ímpeto —, já tive que fazer o papel de herói algumas vezes... Mas agora, agora é muito mais do que isso. Só quero poder ajudar as pessoas. Você sabe, né, só quero fazer a coisa certa quando tiver que fazer.

— Parece nobre — comentou Jumbo. — Já eu, só quero mesmo encontrar esse tesouro!

CAPÍTULO 66

A quilômetros e quilômetros dali, em um descampado esburacado e enegrecido dentro de uma ilha, Eleanor ainda tentava fazer sua mente aceitar o fato de que Gilbert estava sendo caçado.

— Você o *viu*, não viu? — pressionou Zoe.

Eleanor se deu conta de que sua expressão devia tê-la entregado.

— Vi, vi, sim — admitiu a menina, sem outra saída.

— Onde?

— Primeiro você tem que me responder uma coisa.

— Vá em frente — disse Zoe com um sorriso ardiloso.

— Por que o coração dele é tão valioso assim? — indagou Eleanor. — O que pode ser tão importante a ponto de justificar cortar o peito dele ao meio?

Deke e Zoe trocaram um olhar. Mas Rodney deve ter ignorado completamente o movimento, ou talvez seu programa não lhe permitisse perceber pequenos sinais sutis próprios dos seres humanos. Não demorou um segundo sequer para a máquina oferecer uma resposta antes que os irmãos pudessem impedi-lo.

— O coração do extraterrestre que buscamos é conhecido por possuir poderes capazes de desestabilizar as leis da natureza, de alterar o contínuo espaço-tempo — explicou Rodney. — Diz-se que quem tiver posse do coração deste alienígena em particular poderá voltar no tempo e ter uma *única oportunidade* de desfazer seu maior erro.

Eleanor o encarou com olhos arregalados. Algo dentro de seu cérebro se encaixou. Voltou a olhar para as folhas que Brendan lhe dera antes de se separarem. Releu o fragmento com a descrição do Protetor de Mundo extraído do *Diário* de Denver, os olhos parando em várias frases essenciais que embasavam sua recém-formada teoria. Mas àquela altura, ela já sabia que não era teoria coisa alguma. Era a verdade. O Protetor de Mundo por conta do qual tinha ficado para trás naquela ilha era o próprio coração de Gilbert! Já estava com Brendan — o que significava que não havia mais qualquer razão para Eleanor continuar naquele planeta horripilante.

— Vi o seu alien, sim — confirmou Eleanor, compreendendo que aquelas pessoas podiam muito bem representar sua única chance de sair daquele lugar terrível. — E sei dizer exatamente onde encontrá-lo.

— Prossiga — pediu Zoe com delicadeza.

O sorriso da moça era tão atencioso, que, por um instante, fez Eleanor pensar em alguém que conhecia. Sua mãe, talvez?

— Ele foi embora daqui com o meu irmão — respondeu, torcendo para que, ao contar a verdade, pudesse sair logo daquela ilha e voltar para o lado dos outros Walker. — Já foram embora deste mundo... Quer dizer, *planeta*. Não estão mais aqui.

— Que tipo de irmão deixaria uma menininha que nem você sozinha num planeta horrível como este? — indagou Deke, horrorizado.

— Eu não estava sozinha — respondeu Eleanor depressa. — Ele me deixou aqui com um amigo, o Canhotinho Payne.

— E onde está esse tal amigo agora? — inquiriu Zoe.

— Ele morreu — disse a menina, lágrimas fazendo os olhos arderem. Não tinham emergido apenas por conta de Payne, mas pela lembrança de que tinha sido abandonada lá. Deke tinha razão, que espécie de irmão faria aquilo?

— Jamais deixaria a minha irmã para trás num lugar assim — comentou ele. — Não me importa quem mais estivesse com ela!

Eleanor quis protestar mais uma vez. Garantir que Brendan não era tão insensível quanto o faziam parecer. Queria lhes contar sobre as vezes que o irmão ficara acordado, assistindo ao canal de desenho animado com ela; sobre jogarem juntos vários jogos de tabuleiro idiotas por horas a fio, mesmo que ela soubesse que era contra a sua vontade. Queria lhes explicar como aquela missão era importante e por que tinham tido que se dividir em grupos, mas algo a impediu. Talvez estivessem certos. Como os irmãos mais velhos podiam ter tido a coragem de deixá-la ficar em um mundo chamado *Terror no Planeta 5X*? Queriam um jeito fácil de se livrarem dela?

— O que foi isso? — indagou Zoe quando um ruído estridente atravessou o casco metálico da nave.

— Mais OANIs se aproximando — anunciou Rodney. — Sete detectados, fechando cerco por todos os lados.

— Temos condições de voo? — inquiriu Zoe.

— Negativo — respondeu Rodney calmamente com sua voz computadorizada monótona. — Células de combustível propulsoras ainda estão recarregando, apenas a quatorze por cento do total.

— Ok, fiquem aqui para fazer esta coisa sair do chão — instruiu Zoe. — Vou pegar o rover e distraí-los.

— Me leva com você — pediu Eleanor.

— É perigoso demais — respondeu Zoe. — Você vai ficar mais segura aqui. Não tem por que colocar nós duas em risco.

— Por favor. — suplicou a menina; o desespero em sua voz fez as duas palavras falharem, pairando no ar. — Não quero ser abandonada de novo.

Eleanor sabia que Zoe seria a isca, que dentro de pouco tempo todos os OANIs em perseguição a estariam caçando pelo terreno desolado da ilha alienígena. Mas não se importava; por alguma razão, ainda se sentia mais segura perto dela. Havia algo em Zoe com que Eleanor se identificava, algo que a confortava, mesmo sendo injustificável e até ilógico.

— Ok, então vamos — concordou a moça. — Deke, pega a gente na praia assim que conseguir fazer esta lata velha voar.

Eleanor a seguiu até um pequeno hangar na traseira da espaçonave. O rover era um pequeno veículo que lembrava um quadriciclo comum, salvo pelo fato de que tinha seis rodas e cabine fechada com lugar para dois passageiros. E também parecia muito mais caro do que o jipe aberto.

— Sobe — disse Zoe.

Eleanor obedeceu e se sentou ao lado de Zoe. Colocou o cinto de segurança que cruzava seu peito e colo. Uma rampa foi abaixada diante delas, e antes mesmo que Eleanor pudesse tomar fôlego, as duas estavam voando para fora da garagem a quase 95 quilômetros por hora. A menina sentiu o estômago se embrulhar enquanto zuniam de volta para o deserto negro alienígena, sacolejando sempre que entravam em contato com pedras e pulando por cima de crateras.

— Está tudo bem, Eleanor, tudo bem — garantiu Zoe, dirigindo o pequeno veículo de velocidade incrível. — Se acalma.

Foi só naquele instante que Eleanor se deu conta de que estivera gritando. Forçou-se a parar e observou enquanto Zoe direcionava o rover direto para um dos OANIs próximos. Chamas corrosivas verdes já jorravam da mão direita da máquina. Mas Zoe desviou das línguas de fogo com facilidade e depois passou por entre as pernas do robô gigante.

Ziguezagueou de um lado para o outro, mais para perto, depois para longe dos vários robôs enormes pilotados por alienígenas, até que conseguiu atrair cinco para correrem atrás delas. Os passos largos faziam com que o equipamento dentro do rover vibrasse. Zoe apertou um botão amarelo, e o veículo zuniu para a frente ainda mais depressa. Eleanor tinha a impressão de que qualquer irregularidade boba no solo as atiraria para o alto e avante.

Mas Zoe permaneceu no controle enquanto a menina se agarrava às laterais da poltrona e se segurava como se sua vida dependesse daquilo.

— Estão todos atrás de nós agora! — anunciou Zoe com um sorriso satisfeito. — Vamos levá-los para dentro da floresta, vai ser mais fácil despistá-los lá.

O rover seguiu margeando a colorida floresta alienígena a quase 240 quilômetros por hora. Parecia que iam topar com ela como se estivessem colidindo com uma parede de tijolos. Mas o veículo entrou pela vegetação maleável como se nem existisse. A velocidade e o formato do automóvel abriam caminho pela mata com facilidade, os troncos das estranhas árvores cor de laranja vibrante eram seu único obstáculo, mas Zoe era capaz de navegar por entre elas sem dificuldades.

E, sem aviso, pararam de maneira abrupta. Eleanor enfim abriu os olhos. Zoe sorria a seu lado.

— Divertido, não foi?

A menina respondeu com um fraco movimento afirmativo de cabeça. Olhou ao redor e se deu conta de que estavam de volta à praia. Continuava lá uma pequena poça do que costumava ser a Mansão Kristoff. Vê-la fez com que Eleanor quisesse chorar. Ou voltar e, de alguma forma, destruir o OANI que derretera sua casa.

— Despistamos todos — afirmou Zoe. — Agora é só esperar o Deke vir nos buscar.

Apertou um interruptor, e o vidro da cabine se abriu. Zoe tirou o cinto e subiu na poltrona para ficar de pé sobre ela. Eleanor a imitou. Daquela posição, conseguia, bem precariamente, enxergar por cima da alta folhagem alienígena.

— Eles estão ali! — exclamou Eleanor, apontando para um ponto distante.

A espaçonave estava no ar e se aproximava depressa.

— Vamos entrar naquela nave e dar o fora daqui num piscar de olhos — garantiu Zoe.

Nem bem segundos depois de as palavras terem deixado a boca da exploradora, uma torrente de chamas verdes explodiu de dentro da floresta.

O fogo engoliu a espaçonave, desintegrando o veículo e seu ocupante instantaneamente.

Eleanor e Zoe podiam apenas assistir em horror enquanto o que restava de Rodney, Deke e da nave espacial despencava do céu como uma tempestade mercurial.

No fundo do oceano, não tão distante de onde Eleanor acabara de presenciar o ataque que derreteu sua única chance de voltar para casa, a irmã mais velha da menina, Cordelia, não conseguia apagar de sua mente a imagem da Bruxa do Vento descendo em direção a Atlântida.

Ela e Adie tinham sido acordadas por um badalo agradável e café da manhã servido no quarto, com peixe defumado e pão de alga marinha. Depois, Democritus as convocou para um passeio turístico pela cidade, guiado por ela própria.

Mas Cordelia sabia que tinham que partir. Sabia que o sonho não era sonho coisa alguma, mas uma visão do que a Bruxa do Vento tinha em mente. Já estava lá, naquele exato instante, em algum lugar dentro do grande centro urbano. E não demoraria até encontrá-las. Cordelia sabia que tinham que sair de lá enquanto ainda podiam. Tinham que chegar ao Abismo Eterno de alguma forma e encontrar o que tinham vindo buscar antes que a Bruxa do Vento as interceptasse. Não apenas isso, mas o fato de permanecerem na cidade por muito tempo mais já significava colocar em risco todos os habitantes inocentes de Atlântida.

— Esta próxima construção aqui é o maior cais da frota de embarcações de Atlântida — dizia a governante enquanto caminhavam por outro longo túnel transparente conectando a vasta gama de edificações da cidade.

Entraram em uma construção especialmente cavernosa. Como o restante das construções, era basicamente uma bolha translúcida gigantesca engatada na lateral da montanha submersa. Mas aquela era, de longe, a maior que tinham visto. Ao longo de toda a extensão das paredes externas estavam atracadas dúzias de naves elegantes e finas como aquela que as levara até a cidade. No centro, centenas de operários trabalhavam na construção ou em reparos de mais outras dezenas de embarcações.

— A cidade é dona de todas elas? — indagou Adie, pouco mais do que um sussurro.

— Isso mesmo, e permitimos que todos os cidadãos disponham das embarcações sempre que quiserem — respondeu Democritus. — Afinal, nunca aprenderemos nada de novo se não lhes dermos um meio de viajarem e explorarem o mundo com toda a liberdade.

— Uau — exclamou a menina.

Era um conceito de outro mundo para ela. Em Van Hook, território de Dakota, e em todas as demais cidades na pradaria, todos os cavalos, carroças, ou trens eram propriedade de alguém visando ao lucro. Até para Cordelia era uma noção difícil de apreender. Em São Francisco, a cidade tinha meios de transporte em massa, claro, mas ainda assim custavam, no mínimo, cinco dólares por passagem.

— Então, se eu quisesse pegar um deles para ir até o Abismo Eterno, eu poderia? — indagou Cordelia.

Lembrava-se muito bem do que acontecera a última vez que tocara no assunto, mas tinha que continuar insistindo. A Bruxa do Vento estava atrás dela; tinham que se apressar.

— Não — respondeu a governante com rispidez. — Eles são apenas para os *cidadãos*. Visitantes podem requisitar transporte até onde desejarem, mas nunca ao Abismo Eterno. Fica na Zona Proibida. Por que vocês iam querer ir até lá, de qualquer forma? Só morte existe naquele lugar.

— É complicado — esquivou-se Cordelia.

— Ninguém que já tenha se aventurado a ir ao Abismo Eterno retornou vivo — revelou Democritus. — O Iku-Turso consome tudo o que é vida, tudo o que é luz, e não demonstra qualquer remorso ou clemência.

— Eu me arriscaria — resmungou Cordelia.

— Vocês não podem ir — reiterou a governante. — Não voltem a falar nisso.

Cordelia suspirou, mas fez que sim com a cabeça, depois seguiu em silêncio atrás de Democritus quando retomou a visita guiada. Mas encontrou-se voltando o olhar várias e várias vezes para os modernos submarinos ao longo das paredes. Estacionados lá, livres, prontos para serem usados. Sabia que tinha que encontrar uma maneira de saírem da cidade. Era quase como se a conexão entre ela e a Bruxa do Vento permitisse que a menina *sentisse* a presença da megera decrépita em algum lugar nas cercanias.

Cordelia tomou a mão de Adie e começou a correr para o submarino mais próximo.

Ouviu passos atrás delas, mas não parou nem desacelerou. Pelo contrário, Cordelia correu ainda mais rápido. Adie a seguiu sem questionamento. Ao chegarem à embarcação, as duas mergulharam para dentro da porta já aberta. Cordelia se lembrava de ter visto Democritus pressionar um pequeno quadrado de luz na parede transparente do submarino quando atracaram na grande cidade perdida. Imitou o movimento, e a porta se fechou.

Cordelia olhou para fora e viu a governante liderando um grupo de cidadãos alarmados na direção delas. Suas expressões eram de pânico, mas ainda assim caminhavam com passos rápidos, distintos.

Cordelia foi até a parte anterior do veículo e estudou a vasta gama de controles luminosos presentes no pequeno painel diante dela. Estava recoberto por símbolos que ela não reconhecia.

— Você sabe como dirigir esta coisa? — perguntou Adie.

— Claro que não! — gritou Cordelia. — Vou ter que improvisar. Porque navegar é preciso... ignora a brincadeirinha.

— Que brincadeirinha?

— Navegar... É um submarino... Esquece. Vamos!

Cordelia pressionou um botão. Nada aconteceu. Começou a apertar vários outros. Mais uma vez, nada. Democritus já estava quase diante delas. Parecia aborrecida, mas mais preocupada do que zangada de fato.

— Se vocês forem até a Zona Proibida, vão morrer — disse ela com calma. Não precisava gritar; mesmo do outro lado do casco, Cordelia podia escutá-la com clareza.

— Não tenho escolha — explicou a menina. — Pode acreditar, preciso ir até lá pensando na sua própria proteção, na segurança de todos os habitantes de Atlântida.

Democritus franziu a testa, mas não voltou a falar.

Cordelia correu a mão pelo painel, pressionando todos os botões até, finalmente, a embarcação começar a se mover devagar para a frente, em direção à casca da bolha gigantesca. Chegou à parede translúcida e a atravessou como se não houvesse nada lá.

E assim, as duas meninas estavam de volta ao oceano escuro, aos poucos flutuando para longe do enorme e claro porto. Cordelia viu Democritus ainda parada lá, olhando para o submarino com decepção e talvez até uma ponta de pena estampada no rosto. Embarcação alguma foi enviada atrás delas. Afinal, não eram prisioneiras, apenas hóspedes.

— E agora? — indagou Adie à medida que iam se distanciando mais e mais de Atlântida, embrenhando-se no oceano sombrio atrás delas.

— Queria saber — admitiu Cordelia. — Mas, com sorte, estamos pelo menos deixando a Bruxa do Vento para trás.

A menina se voltou para a cortina negra de águas profundas.

Cordelia não tinha certeza de que fizera a coisa certa. A Bruxa do Vento era uma criatura aterrorizante, mas, por serem parentes de sangue, ela não podia de fato matar a menina. Tinha tentado antes e falhado. O oceano, lar de criaturas mortais como o Iku-Turso, no entanto, não seguia a mesma regra. E para completar, as duas estavam navegando a esmo em um submarino que Cordelia não sabia pilotar.

A verdade era que ela tinha provavelmente tirado as duas de uma situação ruim e colocado em outra ainda pior.

CAPÍTULO 68

A entrada para a pirâmide que abrigava o túmulo de Wazner não passava de uma abertura escavada na lateral de uma colina próxima aos limites de Aswan.

— Achei que você tinha dito que a gente ia entrar numa pirâmide — disse Brendan, olhando com descrença para a entradinha.

— É uma das pirâmides *perdidas* — respondeu Sir Ed.

— Então... ela fica enterrada no subsolo?

— Correto. — Sir Ed acendeu uma tocha. — Se passássemos anos escavando pedra, terra, areia e detritos, lasquinha por lasquinha, nesta parede da colina, você acabaria finalmente vendo a pirâmide. Mas isso não é de grande importância para nós. O que nos interessa é o que está lá dentro, certo?

— Certo — concordou Brendan.

— Então vamos em frente — disse o inglês, guiando-os para dentro da abertura que levava à pirâmide perdida.

Lá, a tocha única bastava para iluminar o túnel estreito por pelo menos 10 metros à frente do grupo. As paredes estavam tomadas por hieróglifos e outros desenhos. Sir Ed movia-se com cautela na liderança, com Brendan logo atrás dele, e Jumbo no encalço do menino.

— Cuidado — sussurrou o inglês. — Dizem os boatos que a pirâmide está repleta de todo tipo de armadilhas mortais. É pouco provável que ainda funcionem, mas é melhor sermos cuidadosos.

Brendan tomou consciência repentina de cada um de seus passos à medida que iam se embrenhando mais e mais na estrutura. Após 30 ou 40 metros, chegaram a uma encruzilhada que se dividia em três caminhos alternativos. Sir Ed tirou sua cópia do mapa do tesouro, segurando-a mais próxima da tocha.

Brendan notou que o professor tinha tracejado as linhas secretas ocultas no papel com um lápis, para que ficassem mais visíveis. O inglês os guiou pelo braço mais à esquerda.

Pouco depois de terem começado pela nova trilha, o pé de Brendan tocou em uma pedra solta no chão e afundou vários centímetros. O bloco estalou ao deslizar para dentro da terra. O menino estava prestes a continuar em frente quando Sir Ed o parou.

— Nem mais um passo! — gritou, os olhos arregalados, cheios de temor.

— Por quê? — indagou Brendan.

— Está ouvindo?

Brendan se concentrou a fim de escutar melhor. De dentro das paredes, um som de mecanismos e engrenagens de pedra antiquíssimos ecoava.

— Você acabou de ativar uma armadilha — disse Sir Ed. — Faça mais um movimento, e será seu último.

— O que eu faço? — perguntou Brendan, o pânico fazendo com que se desequilibrasse um pouco.

O pé do garoto ainda estava no bloco que tinha se afundado 10 centímetros no chão.

— Ficar calmo, para começo de conversa! — respondeu Sir Ed, segurando o ombro do menino a fim de estabilizá-lo. — Vamos pensar em uma saída. Ninguém vai ser deixado para trás.

O inglês se agachou perto do pé de Brendan e examinou a pedra. Depois moveu a tocha ao longo das paredes próximas. Havia buracos perto do teto por toda a extensão do corredor, com desenhos abaixo deles. Examinou os símbolos com cuidado e depois encarou Brendan e Jumbo com olhar preocupado.

— Deus do Céu, é muito pior do que pensava — comentou.

— Como assim? — indagou Brendan.

— Que tristeza — suspirou Jumbo. — E ainda pensei que poderia aprender tanto com você.

— Ei, tenta mostrar um pouquinho mais de otimismo! — protestou Brendan.

Sir Ed os ignorou e caminhou vários passos mais para dentro do corredor, mantendo a tocha erguida, perto do teto. Retornou pouco depois e consultou o mapa rapidamente outra vez.

— Talvez possamos fazer um leve desvio mais à frente antes que nos consuma — murmurou para si mesmo.

— Antes que *o que* nos consuma? — inquiriu Brendan.

— Esta câmara será inundada por morte líquida — respondeu Sir Ed.

— Morte líquida? — exclamou Brendan.

— Bem, a tradução deve ser um pouco deficiente, mas receio que seja isso mesmo. Temos, porém, uma chance mínima de escaparmos com vida. Quando eu contar até três, comecem a correr. Sigam-me, imitem cada movimento que eu fizer. Existe uma passagem mais à frente que nos levará para cima e para longe deste local... Para outro mais seguro, com sorte. Prontos?

Brendan e Jumbo fizeram que sim com as cabeças.

— Ok — disse Sir Ed. — Um, dois... três!

Disparou corredor adentro com Jumbo logo atrás dele. Brendan tirou o pé do gatilho de pedra e os seguiu. As paredes rangeram e gemeram. Um líquido denso, negro, quase como piche, começou a escorrer pelas paredes ao redor deles dos pequenos buracos perto do teto.

— Não deixem que toque em vocês! — alertou Sir Ed aos gritos.

Brendan saltava por cima das poças crescentes de negrume que se esparramavam pelo chão. Olhou de relance para trás. Uma enorme onda de morte líquida tinha se formado, borbulhando e se agitando como se fosse um organismo vivo, correndo atrás deles como um tsunami negro.

— Está chegando perto! — berrou Brendan.

Mas quando voltou a olhar para a frente, o corredor estava vazio. Sir Ed e Jumbo tinham desaparecido! Estava prestes a desistir e deixar a torrente de viscosidade preta varrê-lo quando a mão de alguém saiu de uma passagem apertada à esquerda e o agarrou pela camiseta, puxando-o para dentro de outro túnel. A onda de veneno negro por pouco não pegou Brendan.

— Você precisa correr mais rápido, garoto — gritou Sir Ed, o rosto a meros centímetros do dele. — Agora acompanhe!

Brendan seguiu o inglês e o outro menino por um estreito lance de escada que subia sinuosa e lentamente em uma espiral ampla. Tudo que o menino enxergava eram as chamas laranja da tocha, degraus de pedra e sombras. Não saberia dizer ao certo quanto tinham subido, quando, de súbito, chegaram a uma câmara cavernosa, respirando com dificuldade e suando.

Sarcófagos com formas humanas ocupavam as paredes ao redor deles. Objetos de cerâmica e joias estavam espalhados pelo chão e por prateleiras encravadas na pedra. No centro do espaço viram um túmulo lacrado gigantesco — gravado, pintado e decorado com grande esmero e precisão.

Sir Ed arfava ao correr a mão pelo topo dele.

— O túmulo de Wazner — revelou.

Brendan, Jumbo e Sir Ed fitaram a tumba milenar com assombro.

— Abrimos? — sugeriu Sir Ed ao entregar a tocha a Jumbo. Abriu a mochila e tirou de lá um pé de cabra. Encaixou-o sob a beirada da tampa e começou a arrombá-la. Ouviram um rangido alto e doloroso quando começou a ceder.

Foi naquele mesmo instante que um par de braços ossudos envolveu o torso de Brendan.

— Olha, Jumbo — Brendan soltou um suspiro —, ainda estou cansado da nossa briga de antes... Não sei se já está na hora de nos jogarmos numa luta greco-romana também.

Brendan virou e avistou Jumbo a alguns centímetros de onde ele estava, ainda segurando a tocha com ambas as mãos. Sir Ed estava ao lado do jovem assistente, esforçando-se para abrir a tampa do sarcófago de Wazner.

— Espera... Se não é Jumbo aqui... Então de quem... — começou Brendan, a voz ficando estridente.

Jumbo gritou, e os olhos de Sir Ed se esbugalharam de terror sob o brilho das chamas.

— Deus do Céu! — exclamou o homem, encarando Brendan em horror.

Brendan virou a cabeça para trás devagar quando os braços o apertaram, dificultando sua respiração. Notou o sarcófago vazio primeiro. E, em seguida, viu-se cara a cara com uma cabeça toda enfaixada em tecido amarronzado.

Era uma múmia. E estava literalmente sufocando-o com um abraço.

Dentro do mundo fictício do romance *Terror no Planeta 5X*, os restos liquefeitos da nave de Zoe despencavam do céu. O grito de Eleanor silenciou quando sua última esperança de escapar se desintegrou diante de seus olhos.

Esperava que Zoe tivesse um colapso nervoso total. Afinal, tinha acabado de assistir enquanto o próprio irmão e sua espaçonave eram destruídos.

Mas não foi essa a reação da moça. Em vez disso, balançou a cabeça de um lado ao outro, devagar, como se estivesse apenas levemente decepcionada, nada mais.

— Cansei de dizer para ele que voava baixo demais naquela coisa — comentou baixinho.

— O que a gente vai fazer agora? — indagou Eleanor com voz fraca, ainda em pânico. — Como vamos sair daqui? Preciso chegar em Tinz para encontrar os meus irmãos de novo.

Zoe olhou para Eleanor, ainda não demonstrando quaisquer sinais de pesar e dor pela perda do irmão. Parecia calma demais. Mesmo assim, a tranquilidade de Zoe serviu para, pouco a pouco, tirar Eleanor de uma crise de hiperventilação.

— Você precisa ir a Tinz? — indagou Zoe.

— Já ouviu falar de lá? — perguntou Eleanor, chocada.

— Claro que já — respondeu a moça com um sorriso benévolo. — E posso levá-la até lá.

— Como?

— Voando.

— Mas a nave... — começou Eleanor, apontando para o espaço vazio onde a espaçonave de Zoe estivera minutos antes. Mas havia algo acontecendo com a exploradora que fez Eleanor se calar.

Pequenas rachaduras começaram a craquelar o rosto da mulher como se fosse vidro estilhaçado. As mãos e o pescoço também. Em seguida, sua roupa espacial começou a rachar, até Zoe estar mais parecendo um vaso humano quebrado com os pedaços colados no lugar de maneira apressada e pouco cuidadosa. Sem pressa, os estilhaços começaram a despencar. Havia algo lá embaixo, algo que Eleanor conhecia muito bem.

Quando o último fragmento pontiagudo do exterior de Zoe caiu, a única reação possível para a menina foi gritar.

— Sentiu saudades? — indagou a Bruxa do Vento.

CAPÍTULO 71

Eleanor balançou a cabeça, sem acreditar no que via. Quase teve ânsias de vômito, tamanha era a repulsa.

— Ah, não faz assim. Não sou feia desse jeito, sou? — zombou a Bruxa.

A verdade é que era muito feia, sim. Sua aparência estava pior do que nunca. A pele estava fina e esgarçada, e Eleanor podia enxergar cada uma das protuberâncias e curvas das cavidades oculares e ossos malares. Sua palidez era uma mistura inimaginável de podridão e uma espécie de ranço lustroso. Quando a velhota decrépita sorriu, os dentes amarronzados eram afiados e terríveis.

— Como? — Foi tudo que Eleanor conseguiu dizer.

— Não está lembrada? Eu mesma lhe disse não tem muito tempo que posso assumir muitos disfarces nos mundos dos livros.

A menina queria fugir. Queria correr para os OANIs que se aproximavam e se deixar derreter até sobrar apenas uma poça fumegante de Eleanor. Mas *algo* a impedia. Não entendia como, mas parte dela ficara secretamente feliz por ver a Bruxa do Vento. Parte dela queria ficar com a Bruxa — com certeza seria melhor do que ser deixada sozinha outra vez. Aqueles pensamentos a fizeram ter vontade de vomitar. Se seu estômago não estivesse tão vazio, a garota provavelmente teria vomitado.

— Você também está sentindo, não está? — indagou a feiticeira com um sorriso torto. — A força de atração que a família exerce, nossa *conexão*.

Eleanor fez um movimento afirmativo fraco com a cabeça.

— É porque *escolhi* você, Nell — revelou a Bruxa. — Você é a mais sensata e esperta dos Walker. Sempre foi minha favorita. Mesmo sendo a mais novinha, não foi você quem teve a sagacidade de desejar que o *Livro da perdição e do desejo* desaparecesse para sempre para que eu não pudesse colocar as mãos nele? E, ainda assim, que gratidão isso lhe rendeu? Os seus irmãos a deixaram encalhada aqui neste planeta cheio de perigos com um assassino foragido. Deixaram-na sozinha. Para morrer aqui. Como uma coisa dessas pode ser justa e certa?

Eleanor balançou a cabeça. Não tinha uma resposta para oferecer, pois não existia. A Bruxa do Vento tinha razão; os irmãos da menina a tinham tratado mal. Jamais lhe davam crédito e sempre partiam do princípio de que ela era inútil. Até mesmo quando tinham acabado de entrar no mundo fictício e Eleanor os salvara do ataque da feiticeira, ainda assim os dois não acreditaram nela. Eram cordiais, claro, mas não respeitavam sua inteligência. Não a respeitavam como sua igual. Cordelia não passava de uma sabe-tudo arrogante e Brendan, de alguém que queria roubar toda a atenção e glória para si.

— *Eu* respeito você, Nell — declarou a Bruxa do Vento. — Para mim, você é minha igual, pode até ser que esteja destinada a feitos ainda mais grandiosos do que os meus. Nós duas sabemos que foi você quem me atirou para fora daquela chaminé alguns dias atrás. Chegou a hora de você cumprir o seu destino, de se tornar tão poderosa quanto nós duas sabemos que é. Ajude-me a comandar o mundo dos livros, e juro que vou poder trazer de volta até o seu amigo querido, Gordo Jagger. Posso fazer todos os seus desejos e sonhos virarem realidade.

A Bruxa do Vento ofereceu a mão envelhecida e retorcida.

Eleanor a fitou e hesitou. Mas sabia que não havia sentido em tentar lutar contra o inevitável. A feiticeira estivera certa sobre tudo. Era melhor parar de resistir e de se preocupar tanto.

Dizer que havia múltiplas razões para Eleanor ter feito o que fez em seguida é um argumento absolutamente válido. Medo de ficar só. Uma tentativa de se aproximar do inimigo para depois se virar contra ele no final. Mas nada disso procedia. A realidade era que tudo o que a Bruxa do Vento dissera tinha sido, de fato, verdade. E se estivesse com a alma plena, Eleanor talvez pudesse ter se recusado a se dobrar. Mas, como seu irmão Brendan já começara a suspeitar depois de ler a maior parte do *Diário* de Denver, a alma da menina não estava mais tão plena. Tinha sido gravemente corrompida. Era o tal poder do *Livro da perdição e do desejo*.

Eleanor estendeu a própria mão e tomou a da Bruxa do Vento.

A poucos quilômetros dali, um submarino translúcido flutuava languidamente por um oceano que parecia infinito, as duas ocupantes ignorantes da transformação pela qual Eleanor passara e de sua nova filiação. A única coisa presente em suas mentes era a realidade desoladora de sua atual conjuntura.

— O que vamos fazer? — indagou Adie enquanto lágrimas escorriam por seu rosto.

A garota costumava ser tão calma e otimista, mas Cordelia tinha estragado tudo com maestria suficiente para que até Adie deixasse de ver o lado bom da situação.

A menina estava tão perturbada que sequer notou que os olhos de Cordelia tinham tomado aquela coloração gélida de azul. Sequer ocorreu a Adie usar o lenço preto que Brendan lhes dera para impedir que a Bruxa do Vento visse o que estava acontecendo com elas.

Tinham se afastado bastante de Atlântida, e a cidade gigantesca já não passava de um pontinho de luz azulada esmaecido em algum lugar atrás delas. Cordelia ainda não conseguira descobrir onde ficava o Abismo Eterno. E não sabia como pilotar o submarino. As duas estavam basicamente sendo arrastadas para dentro das profundezas do oceano para morrerem uma morte lenta em um túmulo de escuridão.

— Estava rezando para a gente conseguir ver algum sinal do Abismo Eterno, ou da Zona Proibida, mas... — disse Cordelia, enterrando o rosto nas mãos. — Me desculpa, mesmo.

A Walker estava a ponto de deixar a represa ruir e cair no choro quando identificou um movimento do lado de fora pela visão periférica. Adie também viu, e as duas foram até a parte traseira da embarcação para enxergar melhor.

Havia uma segunda luz à distância, mais para perto da cidade perdida de Atlântida. Mas estava crescendo. Estava se aproximando delas.

— Mandaram alguém para nos salvar! — exclamou Adie, limpando as lágrimas das bochechas.

— Duvido muito — murmurou Cordelia, o azul-gelo desaparecendo de seus olhos.

Tinha visto a expressão no rosto de Democritus com muita clareza: ia permitir que partissem. Mas parava por aí. Dali em diante, sua amizade estava rompida. Cordelia compreendera aquilo, mas seguiu em frente com o plano, como uma tola.

— Então quem é? — indagou Adie. — Ou... O quê?

Cordelia não tinha uma resposta, de modo que apenas ficaram paradas lá e esperaram a luz alcançá-las.

Não demoraram muito para chegar à conclusão de que era outro submarino vindo de Atlântida. Pareou com o delas. A piloto era uma jovem, quase adolescente, de vinte e poucos anos (ao menos em anos humanos — Cordelia não fazia ideia de como funcionava a passagem do tempo naquele lugar).

A cidadã de Atlântida acenou para ela.

As embarcações flutuaram mais para perto. Em vez de colidir, as duas se conectaram, como se tivessem sido recobertas por alguma cola poderosa à prova d'água. Uma porta se materializou, oficialmente fundindo os dois submarinos em um só.

— Parece que estão precisando de uma ajudinha — disse a moça ao atravessar para a embarcação das duas meninas.

— Estamos salvas! — exclamou Adie.

A visitante sorriu para ela. Por um segundo, sua expressão se alterou, quase como se tivesse reconhecido a menininha. Mas, em seguida, o sorriso retornou, pleno, e ela encarou Cordelia.

— O meu nome é Anapos — apresentou-se.

— Eu sou a Adie. — A menina acenou. — Esta aqui é a Cordelia. Está um pouco sem palavras no momento, parece.

Anapos riu. Era uma risada quase musical aos ouvidos de Cordelia, e fez com que a preocupação e inquietude geradas pela chegada repentina da visitante fossem sugadas para fora dela e para dentro do chão como se fossem um líquido.

— Sei quem vocês são! — declarou a jovem. — Estava de olho nas duas. Todo mundo lá em Atlântida estava... Não recebemos muitos turistas, acreditem ou não. Mas senti que tinha alguma coisa de especial em vocês no mesmo segundo. E quando fiquei sabendo que tinham roubado um submarino e saído pelo oceano para encontrar o Abismo Eterno, tive certeza de que os meus instintos estavam certos. Tinha mesmo algo de extraordinário a seu respeito, Cordelia.

— Então você veio impedir a gente?

— Não — garantiu Anapos. — Vim ajudá-las a chegar até o Abismo.

— Sério? — indagou Cordelia. — Por que está querendo ajudar? A própria Democritus disse que era um lugar horrível, de onde ninguém nunca saiu vivo. Por que você ia querer arriscar a sua vida por duas estranhas? Não tem medo, como todo o resto das pessoas da cidade?

Anapos abriu um sorriso largo.

— Todo mundo de onde você vem é igual? — indagou, antes de voltar para a própria embarcação.

Adie e Cordelia entreolharam-se antes de a seguirem. Viram a porta se fechar atrás delas, e depois se destacaram do submarino que tinham roubado, que resvalou para dentro da escuridão.

— A verdade é que estou ajudando vocês porque me identifico com as duas — explicou a moça, apertando diversos botões. A embarcação começou a acelerar pela água negra. — O meu povo acabou se acomodando demais. Moramos no que é, sem dúvida, um dos lugares mais belos deste universo. Mas não temos aspiração nenhuma de nos *tornarmos* algo maior, melhor. Só vamos vivendo a vida encastelados na beleza do que temos ao redor, mas isso acaba nos prendendo, nos parando! Passei a vida inteira ansiando por algo mais. E vejo que você também tem esse desejo de fazer coisas grandiosas, Cordelia. Foi por isso que quis ajudá-las; quero sair daqui. Quero explorar o mundo.

Uma longa pausa se seguiu antes que a menina respondesse. A precisão da explicação de Anapos quase derrubou Cordelia dura no chão. Ouvir alguém lhe dizer com exatidão como ela mesma sempre se sentira a respeito de seu próprio mundo fez com que abrisse os olhos de verdade, com eficiência similar à amônia para quem está desmaiando... ou talvez as meias de lacrosse sujas de Brendan. Era verdade; na escola, tinham zombado e provocado Cordelia por ser uma sabe-tudo, por estar sempre se esforçando ao máximo. Por querer estar sempre no topo e por ser a preferida dos professores. Tinha até sido chamada de *arrogante* em aula pelo próprio professor de história do sétimo ano por corrigir seus erros diversas vezes. Mas se não acreditasse em si mesma e exigisse sempre mais de suas capacidades, como chegaria ao lugar que queria estar na vida, ser uma grande cientista, líder mundial, ou uma das acadêmicas mais importantes de seu tempo? Não chegaria, e Anapos compreendia aquilo.

— É assim que sempre me senti — admitiu Cordelia. — Mas é tão raro encontrar outras pessoas que se sentem desse mesmo jeito.

— Eu sei, também acho — disse Anapos. — Mas preciso fazer uma pergunta: por que, em nome de sua sumidade, Poseidon em pessoa, vocês querem ir ao Abismo Eterno?

— Estamos procurando uma coisa — respondeu Adie.

— *O quê?* — insistiu Anapos, um brilho malicioso no olhar. Ou talvez tivesse sido apenas a água refletindo as luzes?

— Uma coisa chamada Protetor de Mundo — revelou Cordelia devagar. — Já ouviu falar?

— Receio que não. Mas parece importante.

— E é mesmo. Tem a capacidade de salvar o meu mundo, a minha casa. A minha família.

— Então vou ajudar a encontrá-lo — garantiu Anapos.

— Você já foi ao Abismo Eterno? — perguntou Adie.

— Não, ninguém tem permissão para ir até lá porque fica na Zona Proibida — respondeu a moça. — Ninguém nunca retornou de lá vivo. Mas sempre quis ir. Para mim, uma Zona Proibida é o destino ideal. É um lugar empolgante e cheio de aventuras, com certeza.

Cordelia olhou para o oceano escuro lá fora. As luzes do submarino eram capazes de iluminar apenas seis metros à frente. A água continha mais sedimento do que nunca. Ela logo se deu conta de que podia enxergar o leito do oceano.

— Já chegamos? — indagou Adie.

— Não, mas estamos muito perto — disse Anapos, baixo, medo genuíno insinuando-se em sua voz.

— A que profundidade estamos? — perguntou Cordelia.

— Oito mil, quatrocentos e sessenta metros.

Não havia resposta apropriada, e por isso as três permaneceram em silêncio, os olhos sondando o fundo plano do mar diante delas. Não havia sinais de vida. Em seguida, o leito oceânico arenoso desapareceu, e elas estavam flutuando acima de uma vasta ravina com paredes rochosas que afundavam para dentro do nada.

Anapos apertou alguns botões no painel, e logo elas estavam descendo para as profundezas do Abismo Eterno. Se alargava ligeiramente à medida que iam mergulhando mais, e Cordelia mal conseguia enxergar as paredes do cânion em suas laterais.

— Como vamos encontrá-lo? — perguntou Adie, consultando os papéis que Brendan lhes dera. Só diziam que o Protetor de Mundo estava em algum lugar dentro do Abismo. Nada mais. Nenhuma outra pista.

Cordelia balançou a cabeça.

— Estou menos preocupada com isso e mais com o Iku-Turso — comentou Anapos, baixinho.

O grito repentino de Adie fez com que as três se sobressaltassem.

— Está tudo bem — garantiu Anapos, a mão sobre o peito. — É só um tubarão de nove guelras.

— Aquilo ali é um tubarão? — indagou Cordelia.

— É, e são animais absolutamente inofensivos. Contanto que continuemos dentro deste submarino.

Inofensivos?, pensaram Cordelia e Adie enquanto observavam, nervosas, o grande animal, maior do que qualquer tubarão-branco que Cordelia já vira nas maratonas do Discovery Channel, passar preguiçosamente acima da embarcação. Tinha cabeça arredondada, nove guelras e uma longa cauda inquieta. Ultrapassou-as devagar e estava cerca de quatro metros mais à frente quando um par imenso de mandíbulas com centenas de dentes afiadíssimos, cada um deles do tamanho de Adie, saiu das profundezas negras do Abismo e se fincou no corpo do tubarão.

As mandíbulas eram retorcidas, expostas e pertenciam a uma criatura enorme que lembrava um crocodilo — mas do tamanho de dois ônibus inteiros juntos. Aferrou-se ao tubarão e começou a agitá-lo de um lado ao outro, espirrando sangue em todas as direções.

Anapos parou a embarcação, e os gritos de Adie transformaram-se em gemidos fracos. Podiam enxergar a criatura por inteiro agora, e sua aparência era muito semelhante à de um crocodilo com barbatanas no lugar de patas.

— Aquilo lá é o Iku-Turso? — perguntou Cordelia.

— Não — respondeu Anapos.

Como se fosse sua deixa, uma terceira criatura, maior do que qualquer animal que Cordelia já vira, investiu para fora do abismo. Era grande o bastante para engolir o submarino como se fosse um grão de pipoca. Parecia uma baleia com barbatanas pontiagudas e cabeça humanoide repleta de longos e afiados dentes negros, uma galhada gigantesca e ainda uma barba feita de tentáculos azuis eletrificados. Era o monstro mais horroroso e bizarro em que Cordelia já pusera os olhos, e era tão monumental, que a garota estava convencida de que poderia ter mastigado e deglutido um gigante como Gordo Jagger em apenas algumas bocadas. Como se quisesse comprovar a teoria, o monstro nadou com graça e agilidade e não hesitou em abocanhar a parte inferior do corpo do crocodilo de uma só vez.

— *Aquele* é o Iku-Turso — disse Anapos.

CAPÍTULO 73

Embrenhado dentro de uma colina logo nos limites da cidade de Aswan, Egito, Brendan lutava para se libertar do abraço mortal de uma múmia.

— É uma múmia! — gritava o menino, fazendo força contra os braços surpreendentemente poderosos do esqueleto. — E fede que nem as meias da minha irmã depois de uma aula de educação física!

— Por que você sabe qual é o cheiro das meias da sua irmã? — indagou Jumbo enquanto corria para ajudar, Sir Ed logo atrás dele.

Brendan não tinha tempo para responder. Deu um passo para trás e tentou esmagar a criatura contra a parede, mas ela não queria ceder de modo algum. Para algo que pesava cerca de 36 quilos de puro osso e pele, literalmente, a sensação que o menino tinha era de estar fazendo pressão contra um caminhão articulado.

Jumbo tentou puxar os braços da múmia, mas não foi capaz de deslocá-los. Apertavam Brendan com tanta força que ele não conseguia mais respirar, deixando-o incapacitado para gritar pedindo ajuda ou até mesmo tomar fôlego. Estava sufocando de maneira silenciosa.

Foi então que avistou a faca. Sir Ed tirou um punhal afiado da pasta e o enterrou no meio do rosto da múmia, fazendo com que a cabeça explodisse em uma chuva de poeira, ossos e farrapos de tecido. Os braços se afrouxaram e caíram, flácidos, da cintura de Brendan, e, em seguida, o corpo inteiro desmoronou no chão.

Brendan berrou de dor e cobriu a orelha direita com a mão, caindo ao lado da criatura. A lâmina tinha raspado a orelha do menino. Tirou a mão e viu sangue nas pontas dos dedos.

E o finalzinho do lóbulo decepado, o que ele já tinha perdido uma vez durante uma das aventuras anteriores.

— De novo não! — gritou, levantando-se.

Sangue gotejou e manchou sua camiseta. Sir Ed e Jumbo foram até ele. Gritavam também, mas Brendan não conseguia escutar coisa alguma, pois estava em choque. Os rostos dos dois estampavam pânico, e eles puxavam o braço do menino.

Todos os sarcófagos estavam abertos, e múmias negras, cinza e marrons tinham começado a cambalear na direção deles, vindas de todas as direções. A tampa do túmulo no centro deslizou para o lado, e outro morto-vivo levantou o tronco lá de dentro, usando uma máscara suntuosa de ouro e jade. Seus olhos brilhavam, vermelhos, e um dedo longo e esquelético foi apontado diretamente para eles.

Era o Faraó Wazner. E queria vingança. Por qual ofensa, Brendan não sabia ao certo. Mas duvidava muito que o governante morto-vivo fosse perder tempo tentando aferir quem era responsável por qualquer que fosse a transgressão que o deixara com tanta raiva.

De modo que quando Sir Ed e Jumbo bateram em retirada, Brendan os seguiu.

Sir Ed sacou uma pistola e disparou em várias múmias enquanto corria. Uma foi atingida no torso. Sequer desacelerou o passo. A outra recebeu um tiro no pescoço, estourando em vários pedacinhos. A cabeça saiu rolando e foi parar aos pés de Brendan. Ele a chutou com facilidade e continuou atrás de Sir Ed e Jumbo para atravessar uma abertura na parede que ficava ao lado da passagem pela qual tinham entrado.

As múmias estavam no encalço do trio pelo corredor e chegando perto. Wazner estava entre eles, os olhos da máscara brilhando no escuro, ainda que estivesse fora do alcance da luminosidade da tocha de Sir Ed. Brendan ouviu gritos abafados e voltou a olhar para a frente.

Uma múmia tinha saído do nada e agarrado a camisa de Jumbo. O menino gritava por ajuda enquanto a criatura o puxava para si. Ela levantou o outro braço, mas Sir Ed a golpeou na cabeça com a tocha, nocauteando-a.

Em sua pressa cheia de pânico para salvar Jumbo, Brendan perdeu o equilíbrio e caiu ao tropeçar em um gato mumificado que agora tentava arranhar o tornozelo do menino, mesmo com as garras cobertas por gaze, o que mais fazia cócegas do que doía.

A múmia que agarrara Jumbo estava agora em chamas e cambaleava pelo corredor, iluminando o caminho como um archote andante.

Sem aviso, outro morto-vivo segurou a cabeça de Brendan com duas mãos fortes, impedindo-o de se levantar. Começou a tentar girar o crânio do menino com violência.

— *Socooorrooo!* — berrou Brendan, tentando desesperadamente manter a cabeça presa ao pescoço.

Sir Ed semicerrou os olhos e fez vários disparos no rosto da múmia, desintegrando a cabeça poeirenta e milenar. Ela tombou, os braços sem vida liberando Brendan.

Outra mão se aferrou à camiseta do menino e o fez se levantar à força. Ele estava vagamente ciente da irritação crescente de Sir Ed com sua incompetência total. E Brendan supunha que o homem estava no direito dele — ele próprio estava envergonhado. Tinha se apresentado como um grande líder, e, no entanto, um professor com ares de dândi vinha sendo obrigado a resgatá-lo uma e outra vez. Sir Ed era o verdadeiro herói ali. Era assim que se devia liderar. Brendan era comparável a um mero reserva quando colocado lado a lado com o verdadeiro astro do time de série A que era Sir Ed.

Mas não havia tempo para ficar deprimido naquele momento, já que incontáveis novas múmias continuavam vindo atrás deles, correndo como se fossem atletas olímpicos e gritando em vozes sobrenaturais estridentes. Estavam em busca de vingança e sangue. E se aproximavam depressa.

Sir Ed empurrou Brendan pelo corredor em direção a Jumbo, que já corria à frente e se agachava para se esquivar da mão de outra múmia pelo caminho. Determinado a mostrar a que veio e ser o herói que sabia que podia ser, Brendan empurrou a criatura contra a parede com o ombro. O morto-vivo milenar praticamente se desfez com o impacto. Aquilo deu a Brendan satisfação maior do que qualquer acerto que já fizera no lacrosse.

Ao fim da passagem, Sir Ed começou a chutar uma pedra solta na parede. Brendan e Jumbo juntaram-se a ele até criarem uma pequena abertura. Passaram por ela, com segundos de vantagem sobre as múmias. Enquanto elas tentavam abrir caminho para segui-los, Sir Ed rolou uma pedra enorme até o buraco e a usou para lacrá-lo, impedindo que os mortos-vivos egípcios entrassem. Por ora.

Enfim recuperando o fôlego, o grupo continuou a seguir pelo caminho recém-descoberto. Era um corredor curto que dava em uma enorme porta de madeira. Sir Ed a abriu, e os três entraram para uma câmara ampla.

Seus rostos se acenderam com reflexo de luz dourada.

— Conseguimos! — exclamou Sir Ed, instalando a tocha em uma frincha na parede.

O cômodo era bastante grande, chegando a atingir o tamanho de uma sala de aula comum, talvez. E estava ocupado por todo tipo de tesouros. Pinturas antigas que Brendan supunha que tivessem sido roubadas de museus de toda a França, então ocupada pelos nazistas, e valessem uma fortuna cada. Baús cheios de títulos antigos, dinheiro obsoleto e joias. Pilhas e mais pilhas de barras de ouro cobertas por camadas de poeira, organizadas contra a parede mais distante.

Brendan não tinha ideia de como faria uma triagem por tudo aquilo para encontrar o Protetor de Mundo. Jumbo e Sir Ed já estavam com as mãos enterradas em diversos baús de moedas e pedras preciosas. Por mais que quisesse se juntar aos dois, sabia que aquele era um dos momentos que contavam de verdade para fazer a diferença... nos quais ele tinha que fazer o que era certo, não o que queria fazer — que era rechear os bolsos com ouro e joias e tesouros perdidos, como Jumbo e Sir Ed já estavam fazendo.

Mas o *certo* a fazer era esquecer tudo aquilo e apenas buscar o Protetor. Brendan começou tirando o *Diário* de Denver da maneira mais discreta possível do bolso traseiro da calça jeans. Consultou mais uma vez a descrição do item que ficava dentro de *A vingança de Wazner*.

Substância nenhuma feita por mãos mortais pode suportar contato com seus gumes ímpios.

Leu e releu a frase diversas vezes. Era a única linha que descrevia a natureza do objeto, por mais vago que fosse. Ficou primeiro frustrado com a abstração, mas depois respirou fundo e forçou-se a pensar no que estava em jogo. Ainda que não dissesse o que era, poderia usar a informação para descartar o que *não* era. O processo de eliminação — seu melhor amigo em provas de múltipla escolha para as quais não tinha estudado antes.

O Protetor de Mundo tinha poder infinito e gumes ímpios. Baseado nisso, Brendan já podia eliminar metade dos itens à vista, incluindo pinturas, moedas de ouro, títulos, dinheiro e pilhas de barras de prata e ouro. Olhou de soslaio para Sir Ed e Jumbo, que estavam mergulhados nas montanhas de tesouro com alegria suficiente para fazê-lo pensar no Natal de quando tinha oito anos e ganhou seu primeiro Xbox. Sua empolgação fora tal, que o garoto subiu e desceu a escada correndo diversas vezes segurando o console, ainda na caixa, acima da cabeça e gritando como se fosse o vocalista principal de uma banda de heavy metal só de mulheres. A mãe tinha gravado tudo e fazia parentes distantes assistirem ao vídeo de vez em quando, para horror e vergonha infindáveis do menino. Brendan tinha adotado como um de seus maiores objetivos na vida manter aquela gravação longe do YouTube.

— Jumbo, venha ver isto! — chamou Sir Ed, mostrando um cálice incrustado com pedras preciosas.

Mas Jumbo mal virou o rosto para ele. Parecia estar em uma missão para encontrar algo específico. Vasculhou uma pilha de pratos, travessas e copos de porcelana e cristal sem qualquer zelo ou cerimônia, atirando os itens descartados para os lados como se fossem lixo, não louça de valor inestimável.

Brendan teve a estranha sensação de que o menino podia muito bem estar procurando o mesmo objeto que ele próprio, o que significava que precisava parar de ficar imitando uma estátua viva e voltar a colocar a mão na massa.

Ajoelhou-se e abriu um baú antigo perto de onde estava. As múmias e o faraó vingativo que continuavam se movimentando em algum lugar dentro daquela vasta rede de câmaras e passagens já tinham sido quase de todo esquecidos pelos três.

O baú continha, em sua maior parte, trajes: roupas e túnicas que pareciam ter sido usadas por algum rei francês centenário. Tecidos que sem dúvida valeriam mais do que uma frota inteira de Maseratis. Brendan os jogou para o lado, mas amarrou um lenço de seda ao redor da orelha com o intuito de parar o sangramento. Seguiu para um baú menor que estava atrás do grande.

Guardava uma mistura de joias, coroa, cetros antigos incrustados com pedras preciosas, além de algo tão deslumbrante que quase fez o coração do menino parar. Não foi apenas por conta da aparência, que era magnífica, mas principalmente porque, no instante em que bateu os olhos nele, Brendan *soube* que era o Protetor de Mundo. Era quase como se pudesse sentir seu poder antes mesmo de sequer tocá-lo.

Era um sabre. Mas estava mais do que evidente que não era do tipo comum. O cabo era de ouro com várias gemas vermelhas enormes perto de uma extremidade. A lâmina em si não parecia ter sido forjada em qualquer metal que Brendan já vira — era incandescente e translúcida, quase como se tivesse sido feita de diamantes. Reluzia na luz da tocha como se estivesse brilhando de dentro, viva, e possuísse sua própria bioluminescência. Tinha cerca de 25 centímetros de comprimento e se curvava na ponta, formando um *U* de aparência vil, como se tivesse sido projetada com o propósito de abrir as barrigas dos inimigos com selvageria. A palavra *Invictum* estava gravada em seu punho.

Brendan estendeu a mão e pegou o sabre, devagar. Estava quente ao toque, apesar de ter passado anos esquecida dentro de uma câmara úmida e gelada no subsolo. Quase parecia estar pegando fogo, e Brendan teve que resistir ao ímpeto de largá-lo. Com movimentos rápidos, pegou um lenço de veludo de estampa elaborada e luxuosa no enorme baú de roupas e o enrolou ao redor da arma branca. Escondeu-o sob a camiseta e manteve-o seguro junto ao corpo, fazendo pressão com o braço esquerdo.

Brendan sabia que, mesmo que não fosse o item que Jumbo procurava com frenesi, era improvável que os outros dois simplesmente fossem deixar que ficasse com ele. Era, sem dúvida, o objeto mais impressionante em meio a todos os tesouros ali. Era óbvio apenas de olhar para ele. O sabre possuía uma verdadeira *presença*.

— Preciso ir ao banheiro — anunciou Brendan de repente.

— Tenho certeza de que não vai encontrar instalação moderna alguma por aqui — respondeu Sir Ed, irritado com a distração. Estava ocupado demais fazendo um inventário mental das descobertas para se preocupar com o garoto.

— Bebi água demais mais cedo — comentou Brendan, pulando com um pé só.

— Faça o que tem que fazer — disse o inglês, apontando para a porta.

— Mas lá fora, bem longe de nós.

Brendan fez que sim com a cabeça e saiu para o corredor escuro com todo o cuidado, Invictum ainda debaixo do braço, dentro da camiseta. Pensou em tentar encontrar o caminho de volta para sair do labirinto de câmaras e passagens que era a pirâmide no breu total, com grupos de múmias ferozes e poças de morte líquida espalhados por todos os cantos, apenas esperando uma chance.

Não era uma opção, claro.

Mas que alternativa aquilo lhe deixava? Brendan pegou o aparelhinho que Gilbert lhe dera caso precisasse de ajuda.

— Que mal pode fazer? — resmungou para si mesmo ao apertar o botão.

Vários segundos mais tarde, sentiu vibrações sob os pés. Escorou-se na parede a fim de se equilibrar, e o teto acima dele afundou para dentro com um estrondo tonitruante.

CAPÍTULO 74

Longe dali, cruzando uma vasta extensão do mundo fictício, Cordelia também experimentava a sensação de estar sendo esmagada. Não por uma pirâmide desmoronada, mas pelo puro terror inspirado por um monstro monumental e avassalador, que parecia absorver toda a luz ao redor, deixando o universo coberto pelo breu.

Cordelia não sabia ao certo como imaginara o Iku-Turso. Estivera tão preocupada em encontrar o Abismo Eterno que não tinha parado para considerar de fato que criatura o estaria guardando. Mas agora tinha certeza de que jamais poderia imaginar algo nem remotamente tão horripilante quanto a realidade.

O Iku-Turso era gigantesco, maior que uma baleia-azul, que Cordelia sabia ser o maior animal existente em seu mundo. E tinha uma ideia real do tamanho delas desde o quarto ano, quando uma organização protetora de baleias qualquer levou uma réplica inflável do mamífero para a escola da menina e todos os alunos puderam percorrê-la para sentirem como era, de fato, enorme.

Aquele monstro era tão grande quanto uma dessas baleias, se não maior. Tinha o formato de corpo parecido, mas era aí que as semelhanças terminavam. O Iku-Turso tinha uma cabeça grande, como a de um ser humano, com a boca recheada de múltiplas fileiras de dentes pontiagudos. Mas também tinha uma série de chifres enormes projetando-se dela como se formassem uma galhada, e ainda milhares de tentáculos compridos saindo do queixo como se fossem uma barba. Os tentáculos moviam-se como se por conta própria e lampejavam com pequenos filetes de eletricidade azul. Cordelia não precisava tocar neles para adivinhar que paralisavam suas vítimas. Mais chifres e pontas como espinhos percorriam a extensão da coluna da criatura, terminando em uma cauda revestida por ossos afiadíssimos. Tinha três conjuntos de barbatanas, e nadava e mergulhava pela água com agilidade e graça surpreendentes — quase como se estivesse dançando um balé bem coreografado.

Afundou, girou em um círculo e deu cabo da outra metade do crocodilo gigante com apenas uma bocada mortífera. Depois deu meia-volta e encarou o submarino onde estavam Adie, Anapos e Cordelia: uma sobremesinha leve.

— Acho que era bom a gente começar a tentar fugir agora — disse Cordelia.

— Não podia estar mais de acordo — respondeu Anapos, pousando as mãos sobre o painel de controle. — Segurem-se.

Duas cadeiras surgiram de uma abertura no chão atrás da moça. Adie e Cordelia correram para elas, sentaram-se e fixaram os cintos de segurança feitos de algas marinhas secas e trançadas em volta dos ombros.

Assim que as fivelas estavam presas no lugar, o submarino deu início a uma descida abrupta para dentro das profundezas do abismo. Cordelia fora em diversas montanhas-russas ao longo da vida, e a adrenalina daquele mergulho fez com que todas elas se assemelhassem a um simples passeio pela íngreme Avenida Califórnia, no centro de São Francisco, famosa por suas ladeiras.

Adie gritava ao lado dela. Aquela era, em essência, sua primeira experiência com uma montanha-russa, considerando-se o modo como arremeteram de repente e depois começaram a girar, mergulhar e afundar para dentro do precipício. Várias vezes ao longo da descida, Cordelia estivera convencida de que iam colidir contra a parede do fosso, mas Anapos sempre parava ou desviava no último segundo. Não demorou até Cordelia estar berrando junto com Adie.

A Walker virou a cabeça e teve um vislumbre do monstro espinhoso e horrível em seu encalço. Cada vez que fechava a boca, tentando abocanhar o submarino, ficava mais e mais próximo de esmagá-lo.

Foi então que enfim conseguiu prender o navio com as mandíbulas. Por um momento, as três ocupantes estavam encarando a parte posterior de seus dentes, dentro da boca do monstro. Mas Anapos conseguiu levá-las de volta para o mar aberto, passando por uma pequena abertura entre os incisivos segundos depois.

Cordelia teve que se forçar a voltar a respirar.

— Não consigo tirar esse bicho da nossa cola — gritou Anapos. — É rápido demais!

— O que é aquilo lá embaixo? — indagou a menina, apontando para uma luzinha fraca muito distante.

— Não faço ideia.

— Pode ser a nossa única esperança — disse Adie, olhando para trás e vendo o Iku-Turso chegar cada vez mais perto.

Anapos empurrou a alavanca do acelerador, e o submarino mergulhou ainda mais rápido para dentro do abismo, em direção à estranha fonte de luz. Cordelia não tinha a menor ideia de que tipo de tecnologia os habitantes de Atlântida haviam desenvolvido, mas sabia que toda e qualquer embarcação feita por mãos humanas teria se despedaçado e virado latinha de sopa àquela profundidade. Era como se o submarino fosse completamente imune a qualquer efeito da pressão da água.

Aceleravam ainda mais à medida que desciam, conseguindo um pouco de vantagem sobre o Iku-Turso. Claro, sabiam que jamais teriam chance contra ele se tentassem dar meia-volta e subir outra vez. Mas aquele era um problema para depois... Se é que haveria um "depois".

Ao se aproximarem da luz perto do fundo do abismo, notaram duas coisas: primeiro, não estavam nem perto do "fundo" — parecia que as profundezas abaixo delas se estendiam para sempre, apesar do fato de que àquela altura já deviam ter ultrapassado o dobro da profundidade da fossa das Marianas —, o que, no mundo real, significaria que já teriam rompido os limites do centro da Terra. Segundo, a pálida luzinha azul vinha de uma pequena abertura em uma das paredes do abismo. Era a entrada para uma caverna submersa que continha algum tipo de fonte desconhecida de luminosidade azul pálida.

— Aquele buraco é grande o suficiente para o submarino passar? — indagou Cordelia.

— Vamos descobrir dentro de alguns segundos — respondeu Anapos, arrastando a mão pelo painel de controle.

O comando fez com que o submarino espiralasse em uma curva de ângulo reto em velocidade absurda. Ao se aproximarem da abertura, Cordelia se deu conta de que era muito maior do que aparentara. Entrou em pânico e considerou a possibilidade de que estivessem prestes a se lançar por conta própria dentro do covil do Iku-Turso.

Mas já era tarde — a criatura colossal ainda tentava alcançá-las e estava chegando perto tão rápido que Cordelia ficou enjoada só de olhar para as mandíbulas abertas e a barba de tentáculos elétricos em movimento.

Anapos as guiou para dentro da caverna. A iluminação azul pálida ainda era visível à frente, mais para dentro da câmara submersa. Adie olhou para trás, o queixo caindo em terror.

— Cuidado! — berrou.

Cordelia e Anapos viraram e exclamaram em surpresa ao encararem diretamente um dos olhos vermelhos e amarelos brilhantes do monstro. Nada existia ali senão malícia e morte. Os tentáculos flutuaram para dentro da caverna, em direção à embarcação, e as três ocupantes gritaram enquanto as pontas crepitavam com as descargas elétricas azuis.

De volta à pirâmide que abrigava o túmulo perdido de Wazner, Brendan estava parado, piscando várias vezes para o teto que Gilbert acabara de estourar acima dele. A abertura chegava até a tornar visível a superfície lá em cima. Podia enxergar uma pontinha de céu azul-claro a uns 200 metros de onde estava, na outra extremidade do longo e oco túnel vertical que tinha se aberto de repente.

O teto não tinha desabado, como ele imaginara em um primeiro momento. Na verdade, a rocha, poeira e argila pareciam ter apenas se incinerado quando a espaçonave de Gilbert as atravessou.

A portinha diminuta na esfera se abriu, e o extraterrestre colocou a cabeça para fora.

— Olá, Brendan — cumprimentou.

Brendan jamais pensara, nem em um milhão de anos, que ficaria tão feliz por estar cara a cara com um alienígena pretensioso.

— O que, pela Rainha, é essa coisa? — berrou Sir Ed da porta, agora aberta, atrás deles.

O explorador britânico tentou procurar a pistola, desajeitado.

Brendan agachou-se e mergulhou para dentro da pequena nave esférica.

— Devo implodir aquele homem telepaticamente por vetor-força? — indagou Gilbert.

— Não, ele é um cara maneiro; vamos só dar o fora daqui de uma vez! — respondeu Brendan enquanto Sir Ed mirava.

Gilbert pressionou um botão, e a espaçonave arremeteu para o céu com velocidade suficiente para quase deixar o menino inconsciente. Sentou-se quando já estavam entre as nuvens e tinham desacelerado. Tirou Invictum de seu esconderijo e sorriu. Tinha conseguido! Tinha realmente conseguido encontrar o Protetor de Mundo.

Viu Gilbert fitando-o com seus olhos redondos negros.

— Consegui, Gilbert! Peguei o Protetor!

— Sabia que seria bem-sucedido em sua missão — declarou o extraterrestre.

— Sério? — indagou Brendan, tocado pela fé que o alienígena depositava nele.

— É claro — respondeu. — Sua espécie pode ser das menos atraentes já existentes, mas você também é consideravelmente engenhoso e tenaz para um indivíduo com cérebro tão primitivo.

— Ahn, valeu, acho.

— Agora, onde fica nossa destinação seguinte? — indagou Gilbert.

Brendan sorriu e entregou a seu novo amiguinho o mapa do mundo fictício.

— Está vendo esse pontinho aqui, dizendo Tinz? É para lá que temos que ir. Está na hora de encontrar a minha família de novo!

Sir Ed olhava para cima, através da enorme cratera por onde a estranha esfera que comera o menino tinha fugido. Balançou a cabeça em descrença. Múmias animadas, mapas do tesouro duplicados, globos estranhos abrigando marcianos pequeninos e esquisitos dentro deles? Aventura era sua vida, mas aquilo já era quase demais para ele!

Voltou, cambaleante, para a câmara do tesouro.

— Viu só aquilo? — perguntou a Jumbo. — Parecia ter saído de um dos romances do próprio H. G. Wells!

Jumbo, no entanto, não estava prestando a menor atenção. Ainda atirava objetos para os lados com verdadeiro desespero. Lançou uma barra de ouro para longe com força, criando buracos em três pinturas de valor inestimável, agrupadas perto da parede mais distante.

— Brendan conseguiu levar! — gritou ele.

— Conseguiu levar o quê? — indagou o inglês. — Por que está tão aborrecido assim? E como você sabe o nome do garoto? Não creio que tenha se apresentado formalmente... Típico de americanos...

Jumbo olhou para ele, os olhos incendiados de uma maneira que Sir Ed jamais vira antes. Aquele não era mais seu assistente de sempre. Era alguém — ou *algo* — inteiramente diferente.

— Invictum! — rosnou Jumbo. — Você deixou o moleque ir embora com ele!

Sir Ed recuou um passo temeroso, levantando as mãos a fim de se proteger.

— Não sei do que você está falando — disse, percebendo naquele instante que Jumbo de alguma forma tomara a pistola dele. — Jumbo, meu garoto, não sei por que está agindo desta forma tão irracional... mas lhe imploro, abaixe essa arma...

Jumbo urrou de ira e puxou o gatilho.

Na caverna do Abismo Eterno, os gritos de Cordelia, Adie e Anapos foram cessando lentamente ao perceberem que os tentáculos da barba do Iku-Turso não conseguiriam chegar ao submarino. Estavam paradas em um ponto fora do alcance da monstruosidade. E a abertura da caverna, apesar de ser ampla o bastante para aceitar a entrada de um grande submarino militar, estava longe de poder comportar a circunferência impressionante do Iku-Turso.

Elas apenas assistiram enquanto a criatura gigantesca nadava em círculos de um lado a outro diante do buraco, parecendo se contentar em ficar ali e aguardar a saída inevitável de suas vítimas.

— Vamos — disse Anapos. — Vamos descobrir de onde vem aquela luz azul.

Cordelia concordou com um movimento de cabeça e deu tapinhas no braço de Adie.

— Como você está?

Os olhos da menina estavam esbugalhados, e ela se agarrava ao assento como se nunca mais fosse soltá-lo. Depois, devagar, a boca se abriu, e ela disse:

— Bom, isso até que foi divertido.

Houve uma pausa, e, de súbito, as três começaram a gargalhar histericamente. Toda a tensão se dissipou por um momento.

À medida que Anapos ia guiando a embarcação pela enorme caverna submersa, a luz azulada seguia sendo apenas uma luminosidade fraca, para frustração das três. Mas, após alguns minutos, Cordelia se deu conta de que estava ficando mais forte.

Enfim, a luz tornou-se ofuscante, e parecia quase estar acima delas. Mas tinham chegado ao fim do túnel. Olharam para a frente e nada viram além de uma sólida parede de pedra: não havia mais para onde irem.

— E agora? — indagou Cordelia, olhando para cima, para a luz que quase a cegava.

— Acho que tem uma caverna sem água em cima de nós — disse Anapos.

O submarino foi subindo sem pressa e saiu em uma ampla caverna seca salpicada por estalactites e estalagmites nas cores laranja e verde, como se fossem vários conjuntos coloridos de dentes. Acima delas, sobre uma rocha pequena de superfície plana, estava a fonte da luz que as levara àquele espaço. E, no mesmo instante, Cordelia soube que era o Protetor de Mundo que tinham ido encontrar.

— É aquilo... — disse ela, baixinho. — É aquilo que viemos buscar!

— É tão lindo — comentou Adie.

Era pequenino e redondo, mas brilhava tão forte com seu tom azul, que chegava a ser difícil olhar diretamente para ele. O azul quase parecia radioativo.

Anapos abriu a porta, e uma passarela transparente se estendeu para cobrir a distância entre o ponto onde estavam e a margem da caverna seca.

Cordelia atravessou depressa a ponte transparente. O interior da caverna era frio; ela podia enxergar o vapor da própria respiração condensada. Mas não parecia sofrer com quaisquer efeitos relacionados à pressão ou profundidade no centro da Terra. Foi então que lembrou que não estavam mais na Terra. Pelo menos, não na versão *real* dela. A geologia do mundo dos livros não precisava ter lógica; aquele espaço inteiro não passava de uma elaboração fictícia, afinal.

As três caminharam devagar até o Protetor de Mundo. Reluzia com intensidade ainda, mas parecia ter se enfraquecido ligeiramente, como se estivesse ciente da presença delas e não as quisesse cegar com a luz forte.

De perto, parecia um medalhão, uma espécie de medalha olímpica azul brilhante sem fita ou gravações. Mas havia uma espécie de anel de névoa incandescente que permanecia pairando acima do talismã como se fosse um cordão.

— Agora o quê? — indagou Cordelia.

Não estivera esperando uma resposta, mas Adie já tinha pegado os papéis que Brendan lhe dera e estava lendo a descrição do Protetor em busca de mais pistas.

— Acho que a gente pode simplesmente pegar e levar — disse Adie.

— Não, as coisas nunca funcionam assim — retrucou Cordelia. — Lembra em Harry Potter?

— Harry *quem*? — perguntou Adie.

Cordelia tinha esquecido que as duas novas amigas viviam em um mundo onde a série Harry Potter não existia.

—Harry Potter é um bruxo, personagem de livros do meu mundo. Em uma das histórias, ele teve que assistir enquanto o mentor, professor Dumbledore, bebia uma espécie de água horrível que sugava a alma das pessoas para conseguir chegar até a Horcrux escondida em uma caverna. E mais ou menos a mesma coisa acontece em *Indiana Jones* também, que...

— Indiana *quem*? — voltou a perguntar Adie, parecendo cada vez mais confusa.

— Ele é... Ah, esquece. O que estou querendo dizer é: esse tipo de coisa nunca é fácil. Tipo, tem sempre algum preço a pagar, alguma armadilha mortal...

— Uh, Cordelia? — chamou Anapos. — Odeio ter que interromper, mas, olha...

Cordelia parou o discurso e olhou para Adie, que já tinha o talismã azul fulgurante em mãos. Parecia bem, a pele não estava se derretendo e escorrendo dos ossos e não havia espírito mortífero algum emergindo de dentro da água para devorá-las. Nada.

—Toma. — Ofereceu a menina.

Cordelia pegou o talismã. Seu toque era frio, como se fosse metal. E poderoso, ainda que sua presença a fizesse se sentir perfeitamente calma.

Era isso? Sério? Cordelia abriu um sorriso largo diante de sua boa sorte.

— Bom, até que foi fácil — disse. — Toma, melhor você ficar com ele.

Ela devolveu o objeto a Adie. A outra menina guardou o talismã azul resplandecente e sua fita nebulosa no bolsinho da frente do vestido amarelo.

— Não comemorem ainda — lembrou Anapos com secura. — Temos que encontrar um jeito de fugir do Iku-Turso, que ainda está guardando a única saída da caverna.

Minutos mais tarde, as três estavam dentro do submarino, diante da entrada da caverna e espiando as profundezas negras do abismo. Não havia nem sinal do Iku-Turso. Mas Cordelia não botava fé naquele desaparecimento. Não teriam tanta sorte em um único dia. Sabia que ele continuava lá, à espreita. Apenas esperando.

— Vai ver o Iku-Turso perdeu o interesse em nós — sugeriu Adie, esperançosa. — Talvez tenha saído em busca de alguma outra coisa para comer.

— A esperança é a última que morre — comentou Anapos. — Mas tanto faz, a gente pode muito bem tentar escapar agora, mais cedo em vez de mais tarde.

Devagar, foi dirigindo a embarcação para fora da caverna.

Quase tão logo saíram, o Iku-Turso surgiu, vindo de lugar nenhum. Não tinham nem chegado a se afastar mais do que uns poucos centímetros da caverna quando as mandíbulas terríveis da criatura já tinham se aberto. Antes mesmo que elas se dessem conta, estavam sendo engolidas pelo monstro marinho.

De alguma forma, conseguiram evitar ser esmagadas pelos dentes da criatura, mas se viram presas em sua goela. Os faróis do submarino iluminaram os restos do enorme crocodilo comido, que se dissolvia lentamente em poças de bile branca. A mesma substância, aliás, já estava começando a corroer a embarcação.

— A gente consegue sair? — indagou Cordelia, em pânico. — Este submarino tem que ter algum tipo de arma!

Anapos balançou a cabeça.

— Infelizmente, nossa frota não é equipada para batalhas ou destruição — declarou. — Não vejo como poderíamos sair daqui com vida.

Para alguém que anunciava sua morte iminente, a voz de Anapos soava estranhamente calma. Mas antes que Cordelia pudesse interrogar a moça a respeito da ausência de pânico, algo dentro do bolso do vestido de Adie desviou sua atenção.

— Adie, olha o seu vestido! — gritou Cordelia.

A menina olhou para baixo e viu um círculo de luz azul brilhante em sua cintura, no mesmo ponto em que o talismã descansava. O brilho se intensificou, e raios de pura luz azul foram disparados em todas as direções.

Pareceram passar através das ocupantes vivas do submarino sem lhes causar qualquer dano. Mas a luz perfurou a carne do Iku-Turso como se fosse facas incendiadas.

O monstro foi dilacerado de dentro para fora. Adie, Anapos e Cordelia só puderam esperar e assistir enquanto grandes pedaços carnudos da criatura flutuavam ao redor delas. Após vários segundos, o talismã parou de brilhar.

Tubarões e animais marinhos de todas as espécies se aglomeraram na área e começaram a comer porções da monstruosidade maligna que os aterrorizara ao longo de gerações. Ignoraram o submarino enquanto flutuava para longe do banquete frenético.

— Aquilo foi muito *nojento*! — exclamou Adie. — Mas também foi bem incrível.

— Temos outro problema — declarou Anapos, fazendo com que a comemoração chegasse a um fim abrupto mais uma vez. — E um dos grandes.

— *Agora* o quê? — indagou Cordelia.

— Os sucos gástricos daquela coisa deviam ser bem corrosivos. Acho que romperam a célula de energia. Estamos perdendo combustível depressa. Não vai ser suficiente para nos tirar do abismo.

— Como assim, *perdendo combustível?* — Cordelia quase gritou, sem entender como uma máquina de tecnologia de ponta como aquela podia sofrer com um problema tão banal. — Esta geringonça aqui usa combustível?

— O que você achou? — explodiu Anapos. — Que era movida a pensamentos bonitos e poções mágicas?

— Bom... é... alguma coisa desse tipo aí! — defendeu-se Cordelia, com a voz fraca.

Anapos jogou as mãos para o alto em frustração. Era um gesto curiosamente humano.

— O que vamos fazer? — perguntou Adie.

— Tem uma coisa que podemos tentar. É provável que acabe nos matando ainda mais rápido, mas também existe uma chance pequena de nos salvar.

— Pode falar.

— Tem uma lenda antiga que os anciãos costumavam contar para as crianças na hora de dormir — explicou Anapos. — Dizia que o Abismo Eterno não tem fim.

— O que quer dizer com "não tem fim"? Pensei que o nome era só figurativo.

— Não tem fundo — esclareceu Anapos. — Em vez disso, corta o planeta inteiro até chegar ao outro lado do grande oceano.

— Isso é ridículo — retrucou Cordelia. — O centro da Terra é feito de rocha e lava... Uma coisa dessas não é nem possível.

— Não disse que acreditava na história! — redarguiu Anapos, na defensiva. — É lenda! O tipo de historinha que os pais contam aos filhos para entretê-los. Vocês não têm esse tipo de conto falso só para divertir os outros onde você mora?

— Tipo as notícias de jornal? — sugeriu Cordelia.

— Como é?

— Deixa para lá — disse Cordelia, decepcionada que Brendan não estivesse lá para vê-la fazer piada em circunstâncias tão sombrias. — Claro que a gente tem. Mas não passam disso. Contos da carochinha, histórias. Não são nada real.

— Olha, não entendo nada do que existe dentro da Terra — interrompeu Adie —, mas antes de hoje, não achava que *nenhuma* das coisas que vi nas últimas 24 horas fosse possível. Então, se existe uma chancezinha mínima disso funcionar, meu voto é para tentarmos.

— É esse o espírito, Adie — disse Anapos. — Além do mais, arriscar é melhor do que ficar flutuando pela escuridão enquanto aguardamos a morte certa e lenta por inanição. Cordelia?

A menina deu de ombros, nenhuma outra ideia melhor lhe ocorrendo.

— Vamos nessa — disse com um suspiro.

Anapos fez um movimento afirmativo de cabeça, direcionou o submarino para baixo e empurrou a alavanca do acelerador para a frente até o fim. À medida que mergulhavam mais e mais nas profundezas do oceano escuro, Cordelia ia ficando também cada vez mais convencida de que tinham cometido o maior erro de suas curtas vidas. O Abismo parecia se estender para todo o sempre, sem luz nem fim à vista.

— A bateria está quase acabando — anunciou Anapos, sombria, após vários minutos.

— Pelo menos tentamos — disse Adie, baixinho.

Cordelia admirava o ânimo e a positividade da menina, mesmo quando confrontando a morte certa. E talvez sentisse um pouco de inveja também. Sem dúvida, queria poder estar tão calma, mesmo sabendo que guiavam um veículo para o fundo do oceano, onde morreriam com frio e sozinhas.

Foi então que o submarino começou a sacolejar.

— O que foi isso? — indagou Cordelia.

— Não sei — respondeu Anapos. — Estamos acelerando, mas não sei como, considerando que estamos oficialmente sem combustível.

De repente, as paredes do abismo não estavam mais lá, e as três estavam de volta ao mar aberto. A embarcação arremeteu em direção à superfície mais rápido do que poderia ter se movido sozinha com energia e combustível plenos. Um trajeto que deveria ter tomado horas, talvez até dias, levou meros minutos. Antes que pudessem se dar conta, elas viram o brilho do sol lá em cima.

— Deu certo! — exclamou Cordelia. — É impossível, mas deu certo.

— Parece que você não sabe o que significa a palavra *impossível* — brincou Adie com um sorriso largo quando o navio rompeu a barreira da superfície, e elas se depararam com um céu azul e claro.

O submarino ficou boiando nas águas calmas. Viram o litoral marcado por uma cidade pequenina a várias centenas de metros de onde estavam. Dezenas de navios estavam atracados, ou entrando e saindo do porto.

Um gigantesco navio pirata passou pela embarcação pequena e translúcida em que estavam as jovens. Vários marujos bêbados estavam debruçados por cima da balaustrada. Viram as três naquele estranho barco transparente e tiveram que esfregar os olhos antes de tomarem novos goles das garrafas de rum recém-pilhadas.

— Enchemos demais a cara ou estou mesmo vendo isso que estou vendo? — perguntou um deles ao colega enquanto flutuavam devagar para longe.

— Você também está vendo? — indagou o outro. — Arrgh! Esta coisa aqui é das fortes mesmo, igualzinho ao rum que o meu avô fazia lá em casa!

Foi então que Cordelia reconheceu um dos homens no passadiço. Era Gilliam, o pirata careca com tatuagem de golfinho no rosto que os Walker haviam conhecido durante a primeira aventura que tiveram pelo mundo dos livros. O pirata virou o rosto para elas, e seus olhos se encontraram. Ele sorriu quando a reconheceu, um dente de ouro reluzindo sob o sol.

— Curti a tatuagem nova, Gilliam! — gritou Cordelia.

— Bem que achei que estava reconhecendo essa sua carinha, menina! — berrou ele em resposta. — Gostou mesmo? É um tigre feroz comedor de homem!

Cordelia não queria ter que informá-lo que a nova tatuagem do homem, onde antes ficava o golfinho, não era tigre algum. Era, na verdade, um adorável filhotinho de gato com pelagem laranja fofa brincando com um novelo de lã. A menina apenas sorriu e fez que sim com a cabeça.

— É superassustador e muito maneiro mesmo!

— Aarrrrr! — exclamou ele para o céu. — Querem uma carona até a cidade?

Cordelia olhou para a cidade portuária ali perto. E então compreendeu que era Tinz. Tinham chegado lá! Tinham realmente conseguido. Ela assentiu para Gilliam.

— Seria ótimo!

Ele desapareceu do convés por alguns momentos e retornou com uma longa corda na mão. Abriu um sorriso para Cordelia e atirou uma das pontas para fora do navio, em direção ao submarino. Cordelia jamais poderia ter imaginado, nem em um bilhão de anos, que sua busca pelo Protetor de Mundo terminaria com um pirata com um gatinho lindo tatuado no rosto as levando para Tinz de carona em seu navio.

CAPÍTULO 79

Para Brendan e Gilbert, o trajeto entre *A vingança de Wazner* e a pequena cidadela portuária de Tinz, dentro do livro *Guerreiros selvagens*, foi feito com rapidez surpreendente — em menos de uma hora. Claro, o fato de que tinham feito a viagem dentro da espaçonave ridiculamente veloz de Gilbert ajudara muito.

Tinz continuava exatamente como Brendan se lembrava. Um centro urbano não muito grande, fervendo com atividade. As ruas estreitas eram ocupadas por lojinhas especializadas e numerosas tavernas transbordando de piratas, mercadores e marinheiros. Brendan e Gilbert foram caminhando em direção ao mercado ao ar livre que ficava bem no centro da cidade, recheado de barracas e mesas saturadas de utensílios, comidas e itens variados originários de terras distantes.

Era ali que tinham decidido se encontrar. Claro, não sabia quanto tempo ele e Gilbert teriam que esperar todos chegarem. Talvez já até estivessem lá? Ou talvez — sua garganta fechou ao considerar a ideia — jamais chegassem. Tinha que confrontar a possibilidade de que os outros não tivessem sido bem-sucedidos e de que ele fosse ficar preso lá, sozinho, para sempre.

Gilbert caminhava a seu lado, vestindo um manto com capuz que escondia o rosto. Os braços também estavam cobertos dentro da ampla peça fluida que o próprio alienígena criara por telepatia (da mesma forma que tinha construído o veleiro para Cordelia e Adie).

Para os habitantes da cidade, eram apenas duas crianças perambulando pelas ruas. Era evidente que os trajes estranhos atraíam alguns olhares curiosos, mas mesmo assim não se destacavam nem de longe tanto quanto teriam se Gilbert estivesse andando por aí totalmente exposto.

— Acha que eles vão chegar rápido? — indagou Brendan enquanto esperavam no centro do movimentado mercado de pulgas.

Brendan tinha que admitir que, em algum momento, se afeiçoara àquele extraterrestrezinho arrogante. Além disso, estava começando a gostar dos monólogos de Gilbert, que lhe serviam como boa distração.

— Sim, vamos localizar suas irmãs em pouco tempo.

— É, mas pouco *quanto?* — insistiu Brendan com um sorrisinho torto.

— Neste instante mesmo.

— Ah, é? E como você sabe disso, professor?

— Porque elas estão paradas logo ali adiante — respondeu Gilbert, um longo dedo cinza saído de uma das mangas frouxas. — Além do que, devo informar que neste momento não tenho o título de professor, tampouco sou instrutor em qualquer instituição de educação superior.

Brendan se virou. Dito e feito. Paradas em uma extremidade do mercado, estavam Cordelia, Adie e uma moça alta de cabelos escuros e pele azulada cintilante. Olhavam ao redor, tentando encontrar um rosto familiar. Seu rosto.

— Délia! — chamou Brendan, a boca aberta em um sorriso gigante.

Os olhos da irmã encontraram os dele, e os dois correram um para o outro pelo mercado. Era como a cena de um filme, na qual a música toca e a parte em câmera lenta começa. Salvo pelo fato de que, em geral, aquelas cenas terminavam com um grande abraço e lágrimas de felicidade. No mercado de Tinz, no entanto, quando Brendan e Cordelia se encontraram, pararam e sorriram enquanto seus braços moviam-se sem jeito, os dois sem saber se deveriam ou não se lançar para um abraço fraternal constrangido.

— Que bom que está tudo bem com você — declarou a menina.

— É, idem. Quer dizer, que bom que está tudo bem com *você*. Bom, é um alívio que eu esteja bem também, mas acho que deu para entender...

Cordelia fez que sim com a cabeça e riu. Havia assuntos mais urgentes a serem tratados.

— Conseguiu o seu Protetor? — indagou ela.

Brendan fez que sim.

— E você?

Ela indicou Adie com a cabeça.

A outra menina tirou o talismã do bolso do vestido, apenas alguns poucos centímetros, para que Brendan pudesse vê-lo. Os olhos dele se arregalaram ao notar sua aparência azul brilhante. Depois, sorriu quando Adie voltou a guardá-lo.

— E a Nell?

O rosto de Cordelia perdeu todo resquício de cor.

— Você ainda não a viu por aqui? — perguntou ela.

— Vai ver ela só está um pouco atrasada — sugeriu Brendan.

Cordelia balançou a cabeça e olhou para baixo. Era possível, claro, mas algo lhe dizia que não era o caso. Para começo de conversa, Eleanor não tivera que se deslocar para chegar ao Protetor quando foram obrigados a se separar. Além disso, dos três locais, o Planeta 5X era, supostamente, o mais próximo de Tinz. A viagem até lá não deveria demorar tanto.

Havia algo de errado. Muito errado.

Cordelia tinha certeza; podia senti-lo em seus ossos, como a dor no corpo que acompanha uma gripe.

— Posso me deslocar até a localização dela em minha nave a fim de investigar — ofereceu Gilbert.

Cordelia assentiu, grata. Antes que qualquer um pudesse acrescentar algo, no entanto, uma voz chamou do outro lado do mercado.

— Brendan, é você? — berrou uma voz feminina, surpreendida. — Brendan Walker!

— Você não consegue nem conversar com as garotas na escola — comentou Cordelia, os olhos arregalados de surpresa. — Mas tem uma namorada em Tinz?

Ele deu de ombros, parecendo tão confuso quanto a irmã.

O grupo girou nos calcanhares e avistou uma menina novinha com cabelos castanhos curtos e olhos brilhantes, cor de violeta, correndo em sua direção. Ela acenava, parecendo aliviada por vê-los. Quase como se estivesse esperando topar com eles.

— *Celene?* — perguntou Brendan.

Cordelia a reconheceu quase ao mesmo tempo que o nome escapava da boca de Brendan. Claro! Era a garota de *Guerreiros selvagens* que tinha invadido o castelo da rainha Daphne e salvado suas vidas na primeira vez que tinham sido encurralados dentro daquele mundo de ficção. Era a menina por quem Brendan tivera uma quedinha óbvia desde o momento em que lera a seu respeito no livro.

— Que bom que vocês estão aqui! — exclamou ela, parecendo mais distraída do que feliz, sequer se preocupando com as amenidades de praxe. — Preciso que venham comigo; tem a ver com a irmãzinha de vocês, a Eleanor. E é urgente!

— Você sabe onde a Eleanor está? — Cordelia quase berrava enquanto seguiam os passos apressados de Celeste pelas ruas de Tinz. — Anda, diz!

— Não há tempo para explicações agora — berrou a menina em resposta por cima do ombro. — É melhor que vocês fiquem sabendo pelo Ancião.

— Ancião? — repetiu Cordelia. — Quem é esse?

Brendan apertou a mão dela enquanto andavam.

— Vamos logo de uma vez — disse. — Quanto mais rápido chegarmos, mais rápido vamos descobrir o que aconteceu com Nell.

Cordelia fez que sim com a cabeça e se concentrou em permanecer logo atrás de Celeste. Ela, Brendan, Cordelia, Adie, Anapos e Gilbert caminhavam depressa pela cidade, onde acabaram tomando ruelas e caminhos estreitos para chegar a uma parte muito mais tranquila de Tinz, marcada pela presença de grandes construções que claramente abrigavam muitas famílias — quase como uma versão antiga dos condomínios da atualidade.

Embrenhando-se mais e mais pelas favelas de Tinz, a cena que os recebia era assombrosa. As condições de vida só podiam ser qualificadas como deploráveis. Os Walker observavam enquanto habitantes miseráveis e famintos escavavam o lixo espalhado pelos becos. Sua aparência era exatamente o que seria de se esperar de pessoas vivendo sob um reinado de ganância e tirania como o da rainha Daphne. Pareciam refugiados.

De súbito, tanto para Cordelia quanto para Brendan, o apartamento *mínimo* em que moravam perto de Fisherman's Wharf deixou de ser tão ruim. Ambos sentiram a pontada de culpa por terem uma vida privilegiada e ignorante. Mesmo nos piores momentos, as condições de sua família eram melhores do que tinham considerado antes.

Ninguém falou enquanto Celene abria uma porta escondida em um beco escuro. Indicou que o grupo entrasse e depois o guiou por uma série de corredores mal iluminados até estarem em um amplo cômodo com várias mesas e bancos de madeira. Parecia um salão de restaurante.

— Esperem aqui — instruiu a menina, desaparecendo por outra porta na extremidade oposta da sala.

Pouco depois, retornou com um senhor. Para Brendan, parecia mais um cadáver ambulante. Estava acorcovado sobre uma bengala de madeira e tinha cabelos brancos rarefeitos e finos, que acompanhavam uma barba similar cobrindo a maior parte do rosto enrugado. A pele era assolada por manchas de idade, e apenas o fato de continuar vivo já parecia um pequeno milagre, que dirá então o fato de ainda estar andando e falando.

Mas mesmo parecendo ter quase 150 anos, ainda havia um brilho de inteligência sob as dobras de pele flácida que circundavam seus olhos, quase como se aquelas íris pertencessem a alguém muito mais jovem.

— Deixem-me apresentar o Ancião — disse Celene. — Na nossa terra, os residentes não envelhecem. Ano após ano, permanecemos iguais. Idade não existe no nosso mundo. Salvo para este homem. Ao longo dos anos, foi ficando mais velho. E vai poder explicar tudo a vocês.

Juntaram-se ao redor do senhor enquanto ele lentamente se sentava em um banco. Algo na introdução de Celeste fez com que uma peça se encaixasse no cérebro de Brendan. Era algo que tinha lido no *Diário* de Kristoff, algo a respeito da passagem do tempo no mundo dos livros. Denver tinha concluído que era diferente ali, que se movia com mais lentidão, e, em alguns casos, sequer se movia: as personagens fictícias jamais envelheceriam mais do que o estabelecido pelo texto do romance, o que significava...

— Se você envelhece... — começou Brendan, devagar, a voz ficando mais estridente. — Então quer dizer que veio do nosso mundo! O mundo real!

O homem concordou com a cabeça em um movimento lento.

— Já faz anos que ele é o líder da Resistência — disse Celene.

Brendan se lembrava da explicação que a menina lhes dera, que a Resistência era formada por um grupo de aldeões, guerreiros pela liberdade, que nunca paravam de trabalhar para pôr fim ao reinado cruel da rainha Daphne sobre Tinz e as províncias vizinhas. Também lembrou de algo que ela tinha lhe dito a primeira vez que se encontraram.

— Era por *isso* que você já sabia! — exclamou — Era assim que você *sabia* que era uma personagem de livro! E que a gente era de fora. Porque o seu líder também é.

Todos olharam para o senhor, e Celene assentiu. O Ancião esboçou um sorriso para o grupo. Adie apenas observava enquanto Brendan olhava para Celene como se fosse uma rainha ou coisa do tipo, e o rosto da menina ia ficando cada vez mais e mais vermelho.

— Por favor, Sr. Ancião — pediu Cordelia. — Pode nos dizer onde está a nossa irmãzinha, Eleanor?

O homem deixou um risinho escapar. Foi uma reação um tanto estranha, mas não havia nada senão gentileza por trás dela. E um pouco de tristeza também.

— Eleanor está bem. Não está ferida. Ainda — disse, a voz soando tão idosa quanto ele parecia. — Mas, por favor, não me chamem de Ancião. Me chamem de Eugene. Eugene Kristoff.

— *Você* é o irmão do Denver! — exclamou Brendan. — Ele disse que a gente tinha que encontrá-lo!

— Ele disse que você ajudaria a gente a deter os planos da Bruxa do Vento — complementou Cordelia. — Que podia mostrar como usar os Protetores de Mundo para isolar o mundo dos livros para sempre.

O Ancião fez um movimento afirmativo lento com a cabeça enquanto alisava a barba.

— Então aconteceu? — perguntou ele.

— O que aconteceu? — indagou Brendan.

— As fronteiras entre os dois mundos devem estar se esgarçando — disse. — Denver sempre suspeitou que seria inevitável. Me mandou para cá faz muitos, muitos anos para ajudá-lo a ficar de olho no *Livro da perdição e do desejo* e neste universo em geral. — Seus olhos passaram por Adie, Anapos e Gilbert ao dizê-lo, parando em cada um deles por alguns segundos. — Infelizmente, não sei do paradeiro dele já há algum tempo.

— É porque a nossa irmã pediu para ele parar de existir — explicou Brendan, cheio de orgulho.

— Ela pediu, é? — disse Eugene, usando os dedos velhos e retorcidos para mexer no bigode. — Interessante. Muito interessante. E por um preço alto, sem dúvida. Mas não tem importância, foi melhor assim, provavelmente. Não sei como Denver não destruiu aquela coisa de uma vez por todas desde o começo...

— Eu lhe digo — respondeu Cordelia. — Porque ele é um velho ganancioso filho de uma...

— Não vou discordar — interrompeu Eugene. — Mas é irrelevante, pois meu objetivo principal aqui neste mundo mudou já faz tempo, um tempo muito anterior à aparente destruição do *Livro da perdição e do desejo*. A situação aqui, em muitos destes mundos fictícios, começou a desandar e só foi ficando pior com o passar dos anos...

— Espera um segundo aí — pediu Brendan. — Por que você ia abrir mão da sua vida para ajudar o seu irmão egoísta a proteger um livro que arruinou a vida e a família dele?

— Porque houve uma época em que também fui um homem egoísta — respondeu o homem. — De um jeito um tanto distinto, claro. Veja bem, não me importava com dinheiro e poder como o meu irmão, mas ainda assim não tinha respeito pelos outros. Só me preocupava comigo mesmo. Só fazia o que era bom para *mim*, não importando quanto aquelas coisas fossem contra as necessidades do mundo civilizado... Vocês conseguem compreender esse tipo de egoísmo?

— Conseguimos — respondeu Brendan, uma sensação súbita de ardência constrita no estômago o atingindo ao pensar no pai e seu vício em apostas. Seus pensamentos também resvalaram para o tempo em que tinha deixado as irmãs para trás por vontade própria a fim de ficar no Coliseu e cuidar apenas de si e do que lhe trazia satisfação. Seria Brendan melhor, mais honrado, do que aqueles homens?

— Era tudo em busca daquela injeção de adrenalina que fazer algo fora dos limites da lei dava — continuou Eugene. — Passei boa parte da minha juventude buscando aventura. E me vi em várias prisões ao longo dos anos por causa disso. Minha vida era uma verdadeira ruína; parecia impossível satisfazer meu desejo por mais emoção, mais euforia. De modo que, quando Denver me ofereceu a oportunidade de viajar para um lugar onde é *a própria aventura que encontra você*... Não pude resistir.

— Incrível — comentou Cordelia. — Sempre que estamos aqui, só pensamos em fazer tudo que podemos para sair. Mas você escolheu ficar.

— Ah, sim — concordou Eugene. — E passei os primeiros anos viajando, pulando de livro em livro, encontrando minhas próprias aventuras e empolgação... Foi espetacular. Mas, depois de um tempo, comecei a notar outra presença de fora, mais prejudicial que a minha, em vários desses livros.

— A Bruxa do Vento — adivinhou Brendan.

— Isso mesmo, a minha própria sobrinha — confirmou Eugene Kristoff, assentindo devagar enquanto tirava os olhos de Brendan e os direcionava a Adie. — Mas acontece que já não era mais ela. Não era mais a Dahlia que conheci, ao menos. Tinha se tornado uma pessoa impiedosa, e de alguma forma encontrara uma maneira de se *transformar* de fato em várias personagens das histórias de Denver. Tive minha cota de diversão, não nego, mas jamais interferi na integridade dos mundos dentro dos romances. Dahlia, no entanto, tinha intenções diferentes das minhas. E só ficou mais implacável e poderosa nos últimos anos, passando a maior parte do tempo no lugar da rainha Daphne, torturando as pobres almas inocentes dentro de *Guerreiros selvagens*. Seu reinado superou muito, em matéria de crueldade e selvageria, o que Denver imaginara e pretendera. Foi por isso que me juntei à Resistência. Para tentar ajudar a restaurar ao menos parte do equilíbrio. E agora temo que ela tenha conseguido recrutar, ou enfeitiçar, outra forasteira para ajudar com mais um de seus esquemas, um ainda mais terrível que todos os anteriores.

— Eleanor! — Cordelia quase gritou, cobrindo a boca com mãos trêmulas.

— Receio que sim — confirmou Eugene Kristoff. — Vários espiões da Resistência a avistaram dentro do castelo Corroway com a Bruxa do Vento, preparando uma invasão colossal. A invasão, receio, do nosso mundo real.

Cordelia expirou e tentou engolir as lágrimas. Brendan olhou de Eugene para a irmã e depois para todos os outros novos amigos.

— A gente precisa ir atrás dela! — exigiu Cordelia. — A gente precisa salvar a nossa irmã!

— E eu posso ajudá-los a fazer isso — prometeu Eugene.

— Mas Cordelia precisa sair daqui primeiro — lembrou Brendan de súbito. — Ela não pode ficar enquanto falamos sobre este assunto.

— Não vou a lugar nenhum! — retrucou Cordelia, os olhos brilhando azul-gelo. — Que se danem os meus olhos idiotas!

— Você *sabe* que não é seguro, Délia — respondeu Brendan.

— Já ouvi mais do que o suficiente! — exclamou a menina, recusando-se a ceder. — Você não passa de um egoísta viciado em glória! Que nem a última vez que estivemos aqui, no Coliseu romano! Você não dá a mínima para ajudar os outros, nem para fazer o que é certo... Tudo que interessa para você é posar de herói. Está sempre pensando em como todos os seus amiguinhos de colégio iam achá-lo maneirinho se o vissem "salvando o mundo" nos livros de Denver. Você é egocêntrico e um narcisista fronteiriço... E já cansei de deixar para lá, de ficar sempre deixando você se safar com isso! — Quando terminou, até ela própria pareceu chocada com tudo o que dissera.

Brendan não sabia como reagir. Era comum, até certo ponto, terem briguinhas de irmãos, mas aquelas ocasiões jamais envolviam uma troca de ofensas tão graves, que insultasse suas personalidades com tamanha severidade.

— Não é justo — disse Brendan, baixinho. — Você sabe que agora é diferente. Não é culpa minha você estar conectada à Bruxa do Vento...

— Conectada à Bruxa do Vento? — repetiu Eugene.

Brendan ofereceu uma rápida explicação sobre como as duas podiam, às vezes, testemunhar e escutar coisas através uma da outra. À medida que ele falava, a expressão de Eugene Kristoff ia ficando mais e mais alarmada.

— Então receio ter que dizer que o jovem Brendan tem razão — disse o idoso a Cordelia, com delicadeza. — Não é seguro para vocês, aliás, para nenhum de nós, Eleanor, inclusive, que você tome parte nisto. Na verdade, creio que talvez seja melhor que permaneça aqui mesmo, em Tinz, por enquanto.

— Ficar em Tinz! — gritou Cordelia.

— Isso mesmo. Você não deve fazer parte da nossa próxima missão.

Os olhos azuis gélidos e raivosos da menina olharam de Eugene para Brendan e depois para Adie, Anapos e Gilbert. Todos a fitavam com pena. Pois estava claro que concordavam com Eugene e Brendan, mesmo não entendendo a natureza da situação na íntegra.

— Você virou todos eles contra mim! — berrou Cordelia, apontando para Brendan, um soluço escapando entre frases. — Odeio você! Odeio muito, muito, de verdade! É uma vergonha ter que chamá-lo de irmão!

Antes que qualquer um deles pudesse dizer alguma coisa, ela girou nos calcanhares e marchou porta afora. Bateu-a com força atrás dela. Todos os demais se entreolharam, inquietos.

— Não era melhor irmos atrás dela? — indagou Adie.

— Ela vai ficar bem — afirmou Brendan, reticente, mas sem se importar realmente com os sentimentos de Cordelia ou como ela ficaria mais tarde. Não conseguia relevar todas as palavras dolorosas que ela lhe dissera. Seria aquela a sua opinião?

— Sei que isto é difícil, mas precisamos agir depressa — disse Eugene. — Vocês conseguiram recuperar os três Protetores de Mundo?

— Só dois — respondeu Brendan. — Mas não sei se Eleanor conseguiu achar o terceiro antes da Bruxa do Vento a sequestrar.

— Sem o terceiro Protetor, ir até a Porta dos Caminhos seria perda de tempo. Ela é o portal mágico que permite que os dois mundos se toquem e misturem. E os três Protetores são quase como os dentes de sua única chave...

— Então ela não pode ser trancada sem *os três* Protetores — terminou Brendan por ele.

— Precisamente — confirmou Eugene. — E para tornar nossa conjuntura ainda mais preocupante, a Bruxa do Vento formou um enorme exército e o instalou ao longo da única passagem na montanha que leva à Porta dos Caminhos. Quando chegar o momento, teremos que encontrar um meio de passar por ele a fim de conseguirmos chegar até lá.

— Mas primeiro temos que pegar a Eleanor e o Protetor de volta — disse Brendan. — Com sorte, ela já estava com o terceiro antes da Bruxa raptá-la.

— Você interpretou mal o que disse, filho — comentou Eugene. — Não estou convencido de que Eleanor tenha sido de fato *raptada*. Meus agentes secretos dentro do castelo Corroway me informaram que Eleanor parece estar lá por vontade própria. Suspeito que tenha sido enfeitiçada ou simplesmente manipulada... Dahlia sempre foi excelente na arte da manipulação, desde antes de sua alma ser corrompida. De qualquer forma, suspeito que Eleanor tenha, sim, encontrado o Protetor.

— O que lhe dá essa impressão? — indagou Adie.

— É porque sei que a Bruxa do Vento não teria deixado o mundo de *Terror no Planeta 5X* sem ele.

— Bom, só tem um jeito de descobrir — declarou Adie. — Precisamos ir até lá e resgatar a Eleanor.

— Conhecemos uma entrada secreta para o castelo — revelou Celene. — Posso levá-los até lá e permitir a entrada de um pequeno esquadrão.

— Beleza! — exclamou Brendan, levantando-se. — Vamos lá. Não quero perder mais nenhum segundo!

— Paciência, Brendan — disse Eugene. — Por ora, vocês todos precisam descansar.

— Você quer dizer *dormir*? — perguntou ele. — Está brincando comigo? Tenho que salvar a minha irmãzinha!

— Entendo muito bem o seu entusiasmo — retrucou o homem. — Mas vocês estão enfraquecidos pela falta de alimentação e descanso adequados. Vão precisar de toda a sua força para resgatar sua irmã com segurança. Suspeito que haverá muito derramamento de sangue antes do término do dia amanhã. Celene vai levá-los aos seus quartos. Quando acordarem, podemos voltar a discutir os planos durante o jantar. Vão deixar a cidade para irem até o castelo Corroway antes da aurora.

Todos se levantaram, incertos. Brendan tinha que admitir que um cochilo não seria a pior das ideias naquele momento. Estava ansioso para sair logo e trazer Eleanor de volta — para recuperar o último Protetor de Mundo e dar um fim àquela situação de uma vez por todas. Mas Eugene tinha razão. Não seria capaz de ajudar ninguém em seu estado atual.

— Espera — interrompeu Adie de súbito, parecendo preocupada. — Que história foi aquela de personagens em romances... E sobre vocês serem do "mundo real"... Isso tudo quer mesmo dizer que eu... que sou apenas uma personagem de livro? Que não sou *de verdade*?

— E eu também? — indagou Anapos, nervosa.

Brendan as encarou com compaixão, lembrando o quanto Will Draper ficara deprimido ao descobrir que não passava de uma criação literária, que não era uma pessoa de carne e osso.

— Explico tudo no caminho para os quartos — prometeu Brendan. — É complicado.

— Quando fiquei sabendo que era uma personagem de livro, fiquei muito triste e confusa — disse Celene aos rostos desorientados de Gilbert, Anapos e Adie. — Mas acabei me resignando e aceitando. Sei como é isso, então talvez eu possa ir com vocês para ajudar a explicar tudo.

A menina tomou a mão de Brendan enquanto falava e a apertou.

Adie olhou para os dois de mãos dadas e franziu o cenho.

— Na verdade — disse —, vou dar uma olhada na Cordelia para ver como ela está. — Adie se virou e irrompeu corredor adentro.

— O que deu nela? — indagou Celene enquanto assistia à partida da menina.

— Não faço a menor ideia — respondeu Brendan, tentando esconder o vermelho em suas bochechas.

CAPÍTULO 81

Cordelia Walker estava sentada sozinha em seu pequeno quarto com um prato de comida na mão, ruminando com ira. Tinha conseguido dormir um pouco enquanto os demais também cochilavam, mas ainda estava furiosa com o grupo por ter sido cortada de seus planos — com Brendan em especial, seu próprio irmão.

Não apenas já tinham decidido que ela não poderia acompanhá-los até o castelo Corroway pela manhã, como também insistiram que jantasse sozinha no quarto enquanto traçavam um plano no salão. Era mais do que ela podia suportar.

Cordelia era provavelmente a pessoa que mais poderia ajudá-los no que dizia respeito a estratégias e organização. Além disso, ninguém conhecia Eleanor tão bem quanto ela. Se havia alguém adequado para convencer sua irmãzinha, aquela pessoa era Cordelia. Aquela tinha sido a gota d'água, decidira, derrubando seu prato no chão.

Movida em sua maior parte por raiva, ressentimento e poucas horas dormidas, Cordelia Walker esgueirou-se para fora do quarto. Todos os hóspedes tinham recebido suas próprias acomodações no mesmo corredor, bem como um lugarzinho para guardar seus pertences e novas mudas de roupa para se misturarem melhor aos habitantes locais. Cordelia foi de quarto em quarto, espiando dentro de cada um até encontrar o de Brendan.

Fez uma busca pela calça jeans suja com um buraco de bala no traseiro onde tinha sido atingido pelo xerife Abernathy. Como já imaginara, o irmão tinha sido irresponsável o bastante para deixar o *Diário de magia e tecnologia de Denver* lá mesmo enquanto todos comiam e planejavam a invasão ao castelo Corroway. Aquilo apenas servia como justificativa adicional para as ações da menina.

Cordelia sentou-se à beira da cama de palha de Brendan e leu várias páginas do *Diário*. As palavras lá dentro a encheram de propósito e pareceram curá-la do estresse e da frustração acumulados, como se fosse uma espécie de droga milagrosa. Encontrou até uma passagem à parte falando sobre Invictum e descobriu que era ainda mais poderoso do que qualquer um deles suspeitara. Planejou ler mais depois, mas por ora tinha outras intenções.

Em seguida, entrou às escondidas no quarto de Adie e encontrou o talismã ainda guardado dentro do vestidinho amarelo. Se ela o furtasse, então os outros teriam que levá-la com eles no dia seguinte, raciocinou Cordelia. Assim não poderiam deixá-la para trás e fingir que era inútil. Aquilo lhe daria um propósito outra vez.

Cordelia olhou para o medalhão azul reluzente em sua mão. Cintilava como se concordasse com suas considerações. Ela o levou mais para perto da cabeça e deslizou os filetinhos brumosos que pareciam formar uma fita translúcida por cima dela para se acomodarem ao redor do pescoço. Apesar de não serem corpóreos e de não terem peso, o cordão de névoa ficou preso e seguro lá. Escondeu o talismã sob a camiseta.

Continuou seguindo pelo corredor até chegar à porta que dava para o salão. Agachou-se perto dela e ouviu o que diziam lá dentro. Ainda estavam discutindo seus planos. Falavam sobre quantas pessoas levariam, onde ficava a entrada secreta e quando chegariam.

Devagar, Cordelia foi se aproximando para que pudesse espiar lá dentro. Estavam sentados ao redor da mesa, comendo, bebendo e rindo enquanto debatiam a missão. Adie, Brendan, Celene, Gilbert, Eugene Kristoff e Anapos. Quando seus olhos chegaram a esta última, a garganta de Cordelia se fechou como se estivesse tentando sufocá-la.

A moça parecia diferente. Cordelia não conseguia apontar exatamente o que tinha sido responsável por aquela impressão, mas não estava imaginando coisas. Havia uma espécie de aura sombria sendo emanada pela nova amiga. Algo que não estivera lá antes. Era quase como se Cordelia tivesse um vislumbre de uma alma negra. E soube naquele mesmo instante que era efeito do talismã ao redor de seu pescoço: estava lhe mostrando a verdade, como o próprio Denver descrevera em seu *Diário* que era capaz de fazer.

Cordelia recuou e correu de volta para o quarto de Adie. Retornou o talismã para o local onde o encontrara e fez o mesmo com o *Diário*. Sabia que não precisava daquilo para ajudar o grupo. Tinha agora uma razão legítima e valorosa para segui-los aquela manhã. Havia algo de enganoso e traiçoeiro a respeito de Anapos. Não podia contar-lhes ainda, claro. Se o fizesse, eles saberiam que Cordelia os tinha entreouvido e espionado, e sabe-se lá o que Brendan e Eugene fariam se descobrissem; podiam até trancá-la no quarto. Não, revelar o que sabia naquele momento não era uma opção. Em vez disso, ela os seguiria quando saíssem pela manhã e ficaria de olho em Anapos. E depois salvaria o dia na hora da verdade, no exato instante em que Anapos estivesse para traí-los.

Uma mente saudável teria se dado conta das muitas falhas e buracos naquele plano, o perigo inerente em esconder o que tinha descoberto. Mas a cabeça de Cordelia estava longe de poder ser considerada saudável naquele momento. Dias inteiros perdendo o controle, sendo jogada para escanteio e perdendo todo senso de propósito a desgastaram. Isso, combinado com pouca ingestão de comida, água e poucas horas de sono, tinha tirado de Cordelia seu juízo em geral perfeito. Em seus pensamentos, o que decidira fazer era a melhor alternativa para sua família.

Quando o restante deles partisse na manhã seguinte para seguir em direção ao castelo Corroway, Cordelia os seguiria. Pois tinha agora aquilo que prezava acima de tudo: conhecimento de fatos que todos os demais ignoravam.

CAPÍTULO 82

A primeira viagem que Brendan fizera de Tinz para o castelo Corroway tinha sido dentro de uma carroça suja puxada a cavalo, amarrado junto às duas irmãs. Tinham sido prisioneiros de Slayne e seu terrível bando de Guerreiros Selvagens na época. A jornada durara dois longos dias em um aperto miserável. E os Guerreiros não tinham feito questão de ter pressa alguma, parando com frequência para abater animais, pilhar pequenas fazendas e beber até cair em tabernas — sem que qualquer uma daquelas atividades fosse realmente necessária.

Aquela segunda excursão, no entanto, tinha uma aura muito diferente. Primeiro, as irmãs não estavam com ele. Cordelia ficara em Tinz, e Eleanor já estava no castelo. E desta vez, o grupo viajava a cavalo, galopando em velocidade constante pela maior parte do tempo. Levaram apenas quatro horas em comparação àqueles dois dias arrastados e terríveis da primeira experiência.

A equipe de resgate consistia de Brendan, Celene, Gilbert, Anapos e Adie, que insistira em participar da missão até o fim.

— Passei por tanta coisa nesses últimos dias — dissera ela quando Brendan protestou. — Raios me partam se permitir que vocês me deixem para trás agora.

Brendan não tivera argumento bom o suficiente para recusá-la.

Eugene Kristoff liderava um exército muito maior horas atrás deles, para o caso de tudo degringolar. O que, o próprio ancião dissera, provavelmente acabaria mesmo acontecendo. Eugene estava convencido de que uma batalha de grande escala eclodiria antes do término do dia. Brendan só podia esperar que estivesse errado, ou que pelo menos conseguissem resgatar Eleanor e o último Protetor de Mundo antes de acontecer.

Os cinco intrusos desmontaram dos cavalos perto dos limites da densa floresta que circundava o castelo Corroway. Celene os guiou até a tal entrada escondida no muro externo da fortificação. Apenas um pedacinho de sol tinha surgido atrás das montanhas para o leste, deixando a maior parte do território em escuridão relativa.

Celene terminou de liberar o túnel que servia para escoamento, e, em questão de minutos, todos tinham entrado no castelo com sucesso por uma série de passagens subterrâneas secretas. Foram parar na adega da construção, onde encontraram um guarda alarmado que acabava de acordar de um cochilo.

Celene já apontava um estilingue para ele antes mesmo de Brendan se dar conta do que estava acontecendo. Uma pedrinha voou pelo cômodo em um instante. Ouviram um baque suave, e o guarda desmoronou no chão de pedra com um galo enorme já se formando na testa.

— Você o matou — disse Adie, chocada.

— Não, ele não morreu — garantiu Celene, apontando para o peito do homem, que ainda subia lentamente com a respiração. — Mas vai acordar com uma baita dor de cabeça.

— Certo — disse Brendan, fitando, um pouco preocupado, a marca gigantesca na testa do desconhecido enquanto Celeste pegava a pedra de volta e a guardava na bolsa a tiracolo. — Para onde agora?

Celene consultou um mapa do castelo Corroway que os espiões da Resistência tinham desenhado.

— As acomodações da rainha Daphne ficam cinco andares mais para cima.

Brendan fez que sim com a cabeça, e o grupo subiu por um lance estreito de degraus de pedra. Permaneceram em silêncio enquanto furtivamente navegavam a fortificação gelada e escura. Poucas pessoas perambulavam por ela, talvez por ser muito cedo, ou por conta dos preparativos para a invasão de São Francisco.

Tinham acabado de chegar ao terceiro piso do castelo quando Celene parou com brusquidão ao fim de um longo corredor. Brendan passou por ela para ver o que atraíra sua atenção.

Era Eleanor, parada logo à frente, os encarando.

Os olhos cheios de pânico de Eleanor encontraram os de Brendan, e a menina sorriu. Antes mesmo que ele entendesse o que estava acontecendo, a irmãzinha correu para a frente e o abraçou pela cintura. As costas da camiseta dela estavam empapadas com suor, e Eleanor tremia.

— Que bom que você veio! — soluçou ela. — Não quero mais ficar aqui.

Brendan estava aliviado demais, e não conseguiu impedir que as lágrimas corressem pelo rosto, seu ego usual deixado de lado em favor da alegria de ver Eleanor sã e salva outra vez. No fundo, sempre soubera que a irmã jamais concordaria em ajudar a Bruxa do Vento por vontade própria. Claro, todos os três tinham cometido seus erros no passado. Mas nenhum deles jamais se prestaria a ajudar a velha feiticeira, ao menos não intencionalmente.

— O que aconteceu? — indagou ele. — Você está bem?

— Não... quer dizer, mais ou menos, mas... Não muito — respondeu a irmã. Estava desesperada, tonta, quase não conseguia juntar as palavras em uma frase coerente. — A Bruxa do Vento... ela me enganou e me fez vir junto com ela. Quase caí na conversa da monstra... Mas aí vi todas essas coisas horríveis que ela está fazendo aqui e os planos malignos que eles bolaram, e então abri os olhos para o que estava acontecendo e escapei.

— Mas o que ela está planejando? — indagou Brendan.

— Mandar um exército com as criações mais cruéis e perigosas do Denver Kristoff para São Francisco!

— Então é mesmo o que a gente temia — disse ele, pensando na dimensão da destruição que aqueles robôs terríveis pilotados por extraterrestres poderiam causar. — Como podemos impedi-la?

— Não sei — respondeu Eleanor. — Só quero dar o fora daqui antes que ela descubra que fugi!

Brendan olhou para Celene.

— Vamos voltar para encontrar Eugene e o exército principal — sugeriu ela. — Ele vai saber o que fazer.

O menino assentiu.

— Você e a Cordelia conseguiram achar os outros dois Protetores? — indagou Eleanor.

— Conseguimos — respondeu ele, tateando em busca de Invictum, que estava guardado em uma bainha desajeitadamente grande fixa em seu cinto. — É um sabre de diamante chamado Invictum. Você achou o seu?

— Achei... bom, mais ou menos — disse ela, olhando de relance para Gilbert. — Explico direito depois! A gente precisa se mandar agora!

— Por aqui! — chamou Celene.

Começaram a segui-la, mas Eleanor os parou.

— Não! — exclamou. — Eles já estavam sabendo que vocês viriam! Cordelia espionou o que vocês estavam fazendo ontem, e a Bruxa conseguiu ver uma parte. Já sabem que vocês estão todos no castelo ou chegando. Vem, por aqui vai ser mais seguro!

— Cordelia ouviu tudo? — indagou Brendan, chocado que sua irmã mais velha, e supostamente mais inteligente, pudesse ter feito algo tão imprudente e perigoso.

— Ela não está com a cabeça no lugar — explicou Eleanor. — Não está conseguindo pensar direito!

Celene, Gilbert, Anapos, Adie e Brendan seguiram a menina enquanto ela os guiava por um corredor curto e depois para um lance de escada em espiral. Começaram a descida, degrau por degrau, fazendo as voltas de um caracol. Brendan chegou até a sentir tonteira depois do trigésimo ou quadragésimo passo.

No fim das escadas, chegaram a uma porta de ferro forjado sólido com uma grande maçaneta. Eleanor a puxou, mas a porta não quis ceder. Celene e Anapos tentaram abri-la em esforço conjunto, mas sequer rangeu sob a pressão feita pelas duas.

— Não está nem se movendo — declarou Celene. — A gente nunca vai conseguir cortar esse ferro com as nossas espadas. Esta não é a nossa saída.

— Vamos voltar lá para cima — sugeriu Anapos.

— Não podemos! — gritou Adie de onde estava na traseira do grupo. — Estou ouvindo passos... Tem alguém descendo!

— Estamos encurralados aqui! — exclamou Anapos. — Você nos trouxe para uma armadilha, menininha!

— Não — refutou Eleanor. — Tem que ter um jeito de cortar a porta! E isso aí, Bren? — Apontou para Invictum. — Lembra, o *Diário* dizia que era a coisa mais afiada do mundo!

Brendan fez um movimento afirmativo de cabeça. A tentativa era válida. Desembainhou o sabre com cuidado para não cortar fora um dos braços de Gilbert, que estava muito perto do garoto. Não havia espaço para permitir que passasse por todos os outros, então entregou a arma para Eleanor.

Ela a pegou; a reluzente lâmina de diamante brilhou no reflexo de seus olhos. Um sorriso tomou conta de seu rosto. Depois, virou-se e fincou a arma na porta de ferro maciço. Perfurou e passou pelo material com facilidade, como se estivesse partindo a polpa de um abacate, não metal sólido. Fez um corte pela parte onde ficava a fechadura, e a porta se abriu devagar.

O grupo passou por ela às pressas e se viu ao ar livre. Brendan e Adie foram os últimos a sair e bateram a porta com força atrás deles. O menino girou nos calcanhares... E fez uma exclamação de surpresa.

Estavam do lado de fora, no topo da torre mais alta do castelo Corroway, apesar de terem *descido* no mínimo uma centena de degraus!

— Como é? — gritou Brendan. — A gente acabou de *descer* pelo menos seis lances de escada!

— Foi magia negra — disse Celene, os olhos se arregalando. — Fomos enganados.

Todos se voltaram para Eleanor. A menina estava de pé à beira da ampla torre e sorria para eles. Depois, começou a rir. Mas não era uma risada normal, havia algo de ameaçador por trás dela, algo que não soava bem humano.

— Eleanor, não — gemeu Brendan.

A menina abriu os braços como se fosse uma ave, Invictum ainda na mão direita. Seus pés deixaram o chão, e ela começou a pairar no ar acima deles, gargalhando e lembrando, de maneira assombrosa, uma versão mais jovem da Bruxa do Vento.

— *Agora* você começou a ficar preocupado comigo? — cuspiu para Brendan. — Devia ter pensado nisso antes de me deixar sozinha naquele planeta alienígena horroroso.

Antes que ele tivesse chance de responder, a porta metálica se abriu com uma pancada quando a pessoa que os estivera seguindo escada abaixo (ou *acima)* irrompeu pela torre. Era Cordelia. A jovem tentou compreender o que estava vendo: a irmãzinha com um sabre de diamante diabólico nas mãos, voando e gargalhando igualzinho à... Bruxa do Vento.

— Cordelia! — berrou Brendan. — Você veio para trair a gente também? De novo?

— Pelo contrário. Vim para ajudar.

— Aham, e como? Entregando de bandeja outro plano secreto para a Bruxa do Vento?

— Tem uma traidora entre vocês — afirmou Cordelia.

— Além de você? — provocou Brendan, ciente de que já estava exagerando. Mas não podia evitar, ainda estava magoado pelo fato de que ela os espionara na noite anterior e revelara, por acidente, todo o plano para o inimigo. Era culpa dela que a missão estivesse degringolando daquela maneira.

— Anapos — continuou Cordelia, apontando para a suposta amiga.

Todos os olhos se voltaram para a jovem de Atlântida de pele azul cintilante. Estivera a meros segundos de empurrar Celene por cima da balaustrada da torre para encontrar morte certa. Mas com a advertência de Cordelia, Celene tinha conseguido se esquivar das mãos estendidas de Anapos.

A impostora chiou para ela e investiu outra vez. Celene não conseguiu driblá-la, e a jovem ágil agarrou a outra menina pelos cabelos curtos com uma das mãos e a desarmou com a outra.

Cordelia correu e empurrou Anapos para fora da torre antes que pudesse machucar Celene.

O grupo, estupefato, virou-se para encarar Eleanor outra vez, ainda flutuando no ar. Não parecia abalada pelo fato de Cordelia ter acabado de matar sua espiã. Na verdade, continuava até sorrindo com arrogância para eles.

— Vocês vão ter que fazer melhor do que isso — disse. — Se quiserem mesmo matar a minha *trisavó*.

Atrás deles, Anapos flutuava no ar, a pele azul lisa craquelando como se fosse vidro estilhaçado. Riu ao voar para o lado de Eleanor. Todos observaram em choque os pedaços da jovem começarem a cair para revelar algo muito pior lá dentro.

— Seus tolos! — cuspiu a Bruxa. — Sem vocês, jamais teria conseguido recuperar Invictum! Mas não apenas fizeram todo o trabalho por mim, como também me fizeram o favor de vir até aqui entregá-lo em nossas mãos!

Brendan assistiu, chocado, enquanto Eleanor e a Bruxa do Vento voavam lado a lado. Era terrível demais para ser verdade. Sentiu a mão de Cordelia apertar a sua, e os dois encararam a irmãzinha com imensa agonia.

— Que utilidade Invictum tem pra você? — indagou o menino, represando as lágrimas. — Já derrotou a gente. Além do mais, nem estamos com o terceiro Protetor de Mundo aqui.

— É aí que você se engana, Brendan — disse a Bruxa. — O terceiro Protetor já estava com você desde o começo. Está bem aí do seu lado.

Brendan virou o rosto para a direita. Gilbert o fitou, o corpinho pequenino contradizendo seu imenso poder. Os olhos negros refletiam temor e incerteza. Fazia sentido que o extraterrestre não fizesse a mais pálida ideia de que era *ele* o terceiro Protetor de Mundo... Antes de se conhecerem, sequer soubera que não passava de um personagem fictício.

— Mas nem importa mais — disse a Bruxa do Vento, arrogante. — Porque nunca me interessou ter todos os três Protetores, só queria Invictum. Mas você, que sempre se achou *o tal*, conseguiu chegar primeiro, mesmo depois de ter me levado até onde estava escondido.

— Espera — disse Brendan. — Então *você* era o Jumbo!

A feiticeira fez que sim com a cabeça, o sorriso cheio de si aumentando e se tornando ainda mais ameaçador e arrogante.

Brendan sentiu-se de súbito enojado consigo mesmo por ter sentido orgulho pela adulação e falsa admiração de Jumbo.

— Não sabia onde encontrar Invictum, então segui os três, torcendo para que um de vocês me levasse direto para ele. Mas depois que você escapou da pirâmide com ele, formulei um novo plano para conseguir o que queria usando algo que vocês amam... E que é a sua maior fraqueza: a lealdade à família.

— O nosso amor por Eleanor não é fraqueza! — berrou Cordelia.

— Não é? — indagou a Bruxa com presunção. — Então por que meu plano funcionou tão perfeitamente? Sabia que o seu amor cego por Eleanor iria trazê-los direto até mim, junto com Invictum. E um agradecimento especial a você também, Cordelia, por ter ajudado a deixar tudo ainda mais fácil.

Cordelia ficou parada lá e balançou a cabeça em negativa, devagar, lutando contra as lágrimas que ardiam em seus olhos.

— Ah, sim — continuou a feiticeira, deliciada. — Você não pode negar o papel essencial que desempenhou na minha vitória. A sua inveja e a sua incerteza me entregaram de bandeja todo o belo plano dos seus amigos.

— Sua ogra velha, foi tudo você! — gritou Cordelia. — Foi você quem me fez trair os meus próprios amigos e família; foi você quem me fez querer espioná-los! Entrou na minha cabeça.

— Nisso você está enganada, minha querida. Esses sentimentos que a fizeram trair a sua família vieram todos de você mesma... Não tive nada a ver com as suas ações. Tudo que fiz foi usar nossa conexão para me aproveitar dos seus erros pessoais. Você ainda não passa de uma adolescente bestinha, Cordelia. Pode até pensar que é mais madura, mais esperta, melhor do que os seus colegas de colégio, mas, no final, é igual a eles: uma moleca insegura que deixa as emoções levarem a melhor em cima do juízo e da razão.

— Não — negou Cordelia baixinho, ainda balançando a cabeça. Não sabia bem o que lhe doía mais, a realidade do que fizera, ou o fato de que a Bruxa do Vento tinha razão em tudo o que dizia.

Cordelia estava magoada demais naquele instante para se dar conta de que ela não tinha de fato sido um elemento crucial para a feiticeira completar seu plano — afinal, ela esteve presente o tempo inteiro, disfarçada como Anapos. Mas a Bruxa do Vento não fez questão de chamar atenção para aquele detalhe, uma vez que estava se divertindo demais presenciando a dor de Cordelia.

Sabia que não era capaz de machucar os Walker fisicamente, por isso tinha elaborado um plano muito mais complexo para feri-los da única maneira que podia: através da dor emocional e da agonia provocadas pela traição de um membro da família. Uma dor que ela própria conhecia muito bem.

— Mesmo assim, ainda não entendo como um simples sabre pode ter tanta importância para você — disse Cordelia, ainda alimentando, lá no fundo, a esperança de que pudesse salvá-los de alguma forma.

— Minha querida, linda netinha — disse a Bruxa a Eleanor. — Você poderia demonstrar a eles o poder deste *simples sabre*?

Eleanor sorriu e voou para ainda mais alto no céu. Invictum, em sua mão direita, já não tinha mais a coloração fulgurante dos diamantes — agora brilhava em vermelho. E também parecia estar crescendo de tamanho, o comprimento de sua lâmina tendo quase dobrado, com o *U* curvado na extremidade atingindo praticamente a dimensão da cabeça de Eleanor.

A menina parou de subir quando chegou a poucos metros das nuvens mais baixas. Sua risada e seu prazer eram quase arrepiantes.

Ergueu a lâmina vermelha brilhante de Invictum, júbilo em seus olhos, e o fincou no azul profundo do céu como se não fosse nada além de um pedaço de tecido frágil. Mergulhou de volta para o castelo, arrastando Invictum pelo ar.

Grandes pedaços do céu se rasgaram e dissolveram em nada.

Atrás deles estava a São Francisco dos dias modernos. Davam vista para a cidade, do centro da baía. E não era ilusão de ótica. Uma balsa turística que seguia para Alcatraz, lotada de pessoas, desacelerou e parou diante deles, logo do outro lado daquele rasgo no universo.

Os passageiros gritaram. Vários deles sacaram seus celulares e começaram a gravar. A compreensão do que acabara de acontecer atingiu Brendan e Cordelia ao mesmo tempo, e seus joelhos perderam a força para mantê-los de pé.

Eleanor tinha usado Invictum para abrir a barreira entre os dois mundos. E os dois não apenas tinham sido incapazes de impedir aquilo, mas tinham eles próprios inadvertidamente ajudado a tornar o plano realidade. Tinham entregado Invictum de bandeja à Bruxa do Vento!

— Finalmente chegou a hora! — berrou a feiticeira, erguendo os braços e os estendendo para os lados como se estivesse abrindo uma cortina. Ao fazê-lo, o restante do céu desmoronou, e os dois mundos se integraram, quase como se o universo dos livros fosse um novo anexo, um jardim de inverno que tinha sido afixado à parte da frente de uma casa. — Que meu reinado comece! Que a cidade de São Francisco tenha um gostinho de tragédia e horror incomparável a qualquer coisa que jamais viveram! Residentes de São Francisco... por favor, deem as boas-vindas aos seus novos vizinhos... *DOS LIVROS DE DENVER KRISTOFF!*

Uma vasta gama de criaturas originárias dos livros de Denver surgiu dos muros do castelo. Alguns pareciam ter se materializado do nada, como se invocados por magia. Outros estavam escondidos lá desde o início, apenas aguardando aquele exato momento.

Um esquadrão inteiro de aviões nazistas da Segunda Guerra Mundial cruzou para os céus acima de São Francisco. Voaram direto para os píeres junto à baía, disparando indiscriminadamente com suas armas de alto calibre nos veleiros e cruzeiros enormes espalhados pela extensão da água.

Krom e seu bando de Guerreiros Selvagens já tinham abordado a balsa com um barco menor e já estavam subindo a bordo, as armas em punho. Começaram a atacar e roubar os turistas inocentes e desarmados sem misericórdia.

Na floresta logo nos limites do castelo Corroway, Eugene Kristoff aguardava com seu exército de guerreiros da Resistência. Viu o caos eclodir atrás da fortificação e deu a ordem para que os soldados se lançassem para dentro da batalha. Sabia que estavam em desvantagem em todos os sentidos: não tinham os homens nem as armas que o inimigo tinha. Não havia mais nada que pudessem fazer senão lutar.

Do topo da torre, tudo que Cordelia e Brendan Walker podiam fazer de início era assistir, impotentes, ao caos e à destruição ao redor deles. Mais e mais criações malignas de Denver jorravam para dentro de São Francisco.

Tanques nazistas e ciborgues se encaminhavam para o parque chamado Presídio, disparando seus canhões e explodindo as construções. Moradores assustados fugiam, gritando, aterrorizados. Mas com mais criaturas e vilões irrompendo pela cidade, não havia lugar seguro para o qual correr, nem onde se esconder.

Enquanto isso, hordas de bestas geladas brancas atacavam os soldados da Resistência de Eugene fora dos muros do castelo. Havia mais aviões de combate no céu agora, alguns mais novos, provavelmente saídos de algum romance passado durante a Guerra Fria. Brendan e Cordelia notaram que várias aeronaves dos Estados Unidos e dos países aliados dos livros de Denver se juntaram à confusão, mas o esforço parecia vão àquela altura.

Legiões de guerreiros romanos marchavam pela ponte Golden Gate, virando automóveis e atirando pessoas para a água.

Atrás das montanhas a leste do castelo Corroway, Brendan avistou vários OANIs enormes e uma família de gigantes mal-encarados se aproximando. Sabia que no instante em que chegassem, tudo estaria acabado.

Alguns poucos jatinhos e soldados da era medieval, pertencentes ao exército da Resistência, não seriam páreo para eles. Mas então, sentindo um buraco nauseante se formar no estômago, o menino se deu conta de outra coisa: a batalha sequer duraria tempo suficiente para aquilo. Pelo que podia ver, os vilões e criaturas de Kristoff destruiriam São Francisco em questão de minutos, e não havia nada que ele pudesse fazer para impedi-lo.

A Bruxa do Vento finalmente conseguiria sua vitória.

CAPÍTULO 85

Gilbert foi o primeiro dos espectadores paralisados na torre do castelo a agir. Tinha, de alguma forma, convocado sua espaçonave. Entrou na esfera e chamou Adie, Cordelia, Brendan e Celene para se juntarem a ele. Conseguiram se espremer dentro da nave, mas com dificuldade.

A esfera se afastou segundos antes de uma bala de canhão de um dos navios piratas próximos acertar a base da torre, jogando longe diversos tijolos de pedra. A construção balançou e depois desmoronou dentro da baía de São Francisco com um espirro de água ribombante.

Da nave de Gilbert, Cordelia avistou Eleanor e a Bruxa do Vento sobrevoando a cidade, assistindo a toda a destruição e caos. A parte que mais fazia seu estômago se revirar em nós dolorosos era ver a irmãzinha gargalhando, sentindo prazer na devastação de seu amado lar. Era como um pesadelo horrível que não podia ser verdade.

Mas era.

Cordelia se voltou para o alienígena.

— Começa a atirar nesses bandidos, Gilbert! — gritou.

— Não consigo alcançar os controles — respondeu ele. — Há pessoas demais no meu caminho.

— Então pousa com esta coisa e descarrega a gente! — berrou Celene.

Gilbert aterrissou a diminuta esfera em uma clareira pequena ao lado do castelo. Os restos sangrentos de um pelotão inteiro de guerreiros da Resistência estavam espalhados pela área. Brendan, Adie, Celene e Cordelia saltaram.

Assim que colocaram os pés para fora, três bestas geladas saltaram de onde estavam escondidas na floresta que os circundava. Adie gritou e se abaixou a fim de se esquivar do ataque. Brendan a protegeu com o corpo, mas não foi necessário.

Raios azuis explodiram da nave de Gilbert e incineraram todos os três monstros.

— Acho que as fontanelas não são a única fraqueza deles, no fim das contas — comentou Brendan.

— Bom trabalho, Gilbert — gritou Cordelia. — Mas você tem que subir de novo, estão precisando mais de você lá.

— Não deveria deixar a sua presença — retrucou Gilbert. — Vocês são os meus companheiros, devo protegê-los.

— A gente consegue se virar aqui — garantiu Brendan. — Agora vai!

O extraterrestre fez que sim com a cabeça, e a porta da nave se fechou momentos antes de ela alçar voo, indo direto para o meio de uma batalha aérea entre dois aviões de combate sem qualquer cerimônia. A esfera de Gilbert não perdeu tempo em desintegrar diversos biplanos alemães da Primeira Guerra Mundial sem qualquer dificuldade.

— Não vai ser o suficiente — disse Brendan, olhando para o outro extremo da clareira, em direção a São Francisco, de onde fumaça subia em densas nuvens. — Gilbert não pode vencer esta guerra sozinho.

— E nem vai precisar — intrometeu-se uma voz.

Todos olharam para cima. O Rei da Tempestade pairava no ar acima deles, sorrindo ameaçadoramente.

— Ah, maravilha — ironizou Cordelia. — Agora, sim, estamos acabados.

— Vim para *ajudar* vocês — corrigiu o Rei. — Não seja tão cínica assim. Já convoquei a assistência de vários personagens das minhas outras histórias. Esta batalha não terminou ainda. Está só começando!

CAPÍTULO 86

A chegada do Rei da Tempestade e dos reforços deu aos jovens uma pontinha de esperança enquanto a luta prosseguia ao redor do castelo Corroway e de São Francisco. A presença do mago estendeu e expandiu a batalha a ponto de fazer a destruição agora parecer infinita.

Três gigantes estavam se digladiando dentro do estádio AT&T Park, onde os Giants jogavam (ou, mais provavelmente, *costumavam* jogar). Um deles, convocado pelo Rei da Tempestade, era primo de Gordo Jagger e lutava pela Resistência; os outros dois eram gigantes mercenários e sanguinários que lutavam pela Bruxa do Vento. A batalha eclodiu durante o quinto *inning* de uma partida dos Giants com ingressos esgotados, as arquibancadas apinhadas de fãs. Os jogadores de ambos os times se aglomeravam em suas respectivas áreas técnicas em busca de abrigo.

Todos assistiam ao embate entre gigantes como se fosse a sétima partida da World Series. Em campo, cada soco trocado entre os três combatentes soava como uma trovoada. E sempre que um golpe era forte o suficiente para atirar um oponente no chão, acabavam demolindo seções inteiras do lendário estádio de beisebol. Os colossos pegavam automóveis e os lançavam uns contra os outros como se fossem pedras. Mas os dois vilões em conjunto eram fortes demais para o primo de Gordo Jagger sozinho. Eles o acertaram com uma saraivada interminável de veículos até ele desmoronar dentro da baía e não voltar a se erguer.

Gilbert e sua esfera continuavam no ar, fazendo manobras circulares e mergulhando em meio a uma confusão de aeronaves. Do lado da Bruxa do Vento, várias dezenas de esquadrões de aviões de combate da Primeira e Segunda Guerras Mundiais e da Guerra do Vietnã zuniam e viravam, atirando com suas metralhadoras ou disparando seus mísseis em todas as direções. Estavam em número muito maior quando comparados às aeronaves da Aliança que vinham das mesmas histórias. E para deixar a situação ainda mais desequilibrada, chegaram mais seis discos voadores saídos do livro *Apocalipse das invasões*, um dos muitos romances de ficção científica de quinta de Denver Kristoff. Os raios laser vermelhos eram quase tão destruidores quanto os azuis de Gilbert, e, com meia dúzia deles, a vantagem que o extraterrestre aliado vinha tendo deixou de existir.

Dois enormes OANIs de *Terror no Planeta 5X* estavam chegando ao litoral rochoso da Ilha de Alcatraz com água até a cintura, explodindo o complexo histórico com suas chamas verdes. A grande massa de construções lendárias derreteu sob a substância esverdeada alienígena como se fosse feita de marshmallow, não de concreto. Depois de desintegrar a ilha inteira e transformá-la em uma poça de gosma cinzenta, os OANIs se viraram e seguiram para o centro urbano.

Ao se aproximarem, tanques de guerra do exército americano saídos de um dos livros passados durante a Segunda Guerra Mundial e também outros pertencentes à Guarda Nacional real e moderna se aliaram e começaram a descarregar suas potentes armas nos robôs invasores. A munição de grosso calibre repeliu os extraterrestres por alguns minutos, mas, ao fim e ao cabo, as saraivadas de artilharia não eram capazes de perfurar o metal fictício e altamente avançado das couraças robóticas.

Em pouco tempo, os OANIs já estavam saindo da água e subindo para Marina District, área que servia de residência a dezenas de milhares de pessoas. Engolfaram os prédios próximos com seu fogo verde, destruindo incontáveis construções históricas de importância. O Palácio das Belas Artes, um dos marcos mais deslumbrantes de São Francisco, de pé desde a Exposição Universal de 1915, foi completamente destruído em questão de segundos — eliminado e transformado em um monte gosmento, como se jamais tivesse sequer existido.

A cidade logo não passaria de mera lembrança.

E as criaturas seguiriam em frente. Cruzariam os estados montanhosos, os do Centro-Oeste e enfim chegariam à Costa Leste, levando destruição por toda a América do Norte e, por fim, ao mundo inteiro.

Havia criaturas e monstros em meio à batalha de São Francisco que pareciam não estar afiliados a qualquer um dos lados. Agiam levando em conta apenas os próprios instintos predatórios. Um tiranossauro rex de *A ilha dos dinossauros* correu pela Taylor Street até o bairro Tenderloin, parando a cada poucos passos para tentar abocanhar algum dos muitos moradores de rua da região.

No Distrito Financeiro, um bando de leões enormes e sedentos por sangue — graças aos anos sendo treinados para devorar gladiadores romanos — vagavam pelas ruas, atacando banqueiros, advogados e contadores, atropelando os mais lentos como se fossem gazelas. Dragões negros gigantescos encontravam-se empoleirados em todos os lados do arranha-céu Transamerica Pyramid, e ocasionalmente um deles mergulhava de seu poleiro e arrancava um pobre ciclista ou corredor do chão com suas longas garras implacáveis.

Enquanto isso, na ponte Golden Gate, uma batalha até a morte tinha início. No lado de São Francisco, um pequeno exército de soldados da Resistência, junto com Wangchuk e vários outros de seus monges guerreiros, juntava-se a um grupo de policiais locais e agentes da SWAT em um esforço conjunto para impedir a passagem do exército inimigo, feito de soldados romanos, ciborgues nazistas, extraterrestres e múmias lideradas por um faraó vingativo de olhos vermelhos brilhantes.

Wangchuk e seus monges tentavam usar magia contra as tropas maléficas de Wazner, mas estavam em desvantagem numérica. Religiosos e membros da SWAT eram derrubados continuamente. Em pouco tempo, Wangchuk era o único remanescente da força aliada. E, após uma batalha valorosa para tentar proteger sua própria vida e uma cidade que ele sequer conhecia, foi abatido por um aglomerado de múmias inclementes.

A ponte Golden Gate estava perdida.

O exército maligno de Wazner, alienígenas, soldados romanos e ciborgues nazistas maliciosos adentraram São Francisco, e logo tomariam a cidade inteira.

E, em pouco tempo, o restante do mundo.

Brendan, Cordelia, Celene e Adie não tinham ido muito longe depois de Gilbert os deixar do lado de fora dos muros do castelo Corroway. No momento em que a esfera partiu para se juntar à batalha aérea, um bando de 40 Guerreiros Selvagens, liderados por Krom, já estava cercando os meninos.

— Matem todos — instruiu ele a seus homens. Brandiram as armas a fim de atacar.

Sem aviso, Eugene Kristoff chegou, trazendo consigo um pequeno grupo de guerreiros da Resistência e um pelotão de tropas da União da Guerra Civil americana.

— Fiquem longe dessas crianças — ordenou Eugene.

Krom e os lacaios se viraram para encarar Eugene e seus homens. Com um rugido sonoro, eles investiram contra a força inimiga — machados, espadas, lanças e outras armas golpeando o ar com selvageria.

— O que fazemos agora? — berrou Adie.

— A gente precisa ajudar — respondeu Brendan, tomando uma pequena besta da mão já fria de um soldado da Resistência morto.

— Não, era daquelas coisas ali que estava falando — disse Adie, apontando na direção oposta.

Um grupo de bestas geladas raivosas marchava para eles.

— Ok, Adie — disse Cordelia, pegando uma espada do chão. — Eu e você cuidamos daquilo. Brendan, você e Celene ajudam os outros!

Brendan assentiu enquanto Celene já corria para dentro do caos da batalha. Atirou com a besta uma vez em Krom, errou feio e depois se deu conta de que não fazia ideia de como recarregar a munição. O garoto se agachou para se proteger, buscando em desespero qualquer outro tipo de arma pelo chão. Krom rosnou e correu na direção dele sacudindo o machado na altura da cabeça de Brendan.

Um soldado da Guerra Civil correu para a frente do Walker e se lançou para a frente com sua baioneta. Krom esquivou com facilidade e despachou o homem para longe com um movimento rápido. Mas aquilo dera ao menino tempo suficiente para ficar de pé e correr para um lugar seguro.

Celene, dentre as quatro crianças, era quem estava mais confortável naquele ambiente, girando e golpeando com duas adagas pequenas, cortando Guerreiros Selvagens nos braços, panturrilhas, rostos e onde mais as lâminas conseguissem alcançar. Dançava e rodopiava como uma artista, sempre um passo à frente das espadas e machados que a perseguiam de maneira incessante.

Enquanto isso, Cordelia balançava a espada de um lado para o outro com sofreguidão, tentando afastar uma besta gelada que a encurralara. Adie tinha escolhido ficar com o rifle de um dos soldados da União caídos. Ela o recarregava tão rápido quanto podia, conforme seu papai ensinara vários verões antes. Primeiro a pólvora, depois a bala, depois bater para comprimir bem o pó, usar a vareta para se certificar de que estava bem compactado. Afixar a espoleta.

Armar o cão. Apontar. Atirar.

A bala do velho mosquete da Guerra Civil foi se afundar na parte posterior do pescoço da besta gelada.

Ela girou nos calcanhares, os olhos queimando com ódio e ira. Não eram animais inteligentes, mas aquele ali tinha neurônios suficientes para identificar a garotinha trêmula segurando a arma de fogo como sendo sua atacante. Investiu contra Adie.

Cordelia levantou e rapidamente reconheceu que Adie tinha acabado de salvar sua vida. Sabia que não podia deixar a menina se sacrificar, fosse ela personagem fictícia ou não.

A besta estava a meros passos de Adie.

Cordelia deu três passos adiante e arremessou a espada como se fosse uma lança. Ela voou para cima em espiral, fez uma curva no ar e mergulhou para baixo em direção ao chão, apontando diretamente para o topo da cabeça da criatura. A lâmina errou por pouco e foi se cravar na coxa da fera com um ruído suave.

A criatura emitiu um rosnado de gelar o sangue. Virou outra vez e correu para Cordelia, cujas costas ainda estavam a poucos centímetros do muro externo do castelo Corroway. Não havia para onde fugir, nem onde se esconder. Estava encurralada.

Acima da batalha, pairando em algum lugar entre o castelo Corroway e Fisherman's Wharf, a Bruxa do Vento e Eleanor assistiam ao caos se desenrolar com júbilo. Era evidente que seu exército venceria. Não havia nada que as míseras frotas da Resistência ou que a confusa força militar moderna pudessem fazer para detê-lo. Mesmo quando mais reforços enfim chegassem, a Bruxa do Vento continuaria tendo a vantagem numérica com seu vasto leque de personagens aterrorizantes.

Ela se virou para Eleanor.

— A vida não é muito mais rica, muito mais significativa, quando se tem poder imenso assim? — indagou ela.

— Ah, é — concordou Eleanor, ainda empunhando o reluzente Invictum vermelho.

A Bruxa do Vento soltou um guincho deliciado e mergulhou para o chão, incinerando com seus raios alguns soldados da Resistência antes de voltar a se juntar a Eleanor no céu.

Do outro lado da baía, o Rei da Tempestade estava preso em uma batalha acalorada com um OANI. Durante a maior parte dela, o Rei estivera voando ao redor dos robôs gigantes, golpeando-os com todos os tipos de magia poderosa que podia invocar. Mas não surtia efeito algum. As máquinas eram virtualmente indestrutíveis — e o velhote só podia culpar a si mesmo, uma vez que tinha sido ele próprio quem os escrevera daquela maneira. O feiticeiro tentava detê-los com verdadeiro desespero, pois eram os responsáveis pelos danos mais significativos à cidade, corroendo tudo em seu caminho.

Mas um som arrepiante de tão familiar desviou sua atenção.

A gargalhada maléfica da filha.

Ela e Eleanor estiveram sobrevoando a ação, entretendo-se com a vista que tinham de toda aquela destruição. Foi aí que ele a avistou: a lâmina vermelha reluzente de Invictum na mão de Eleanor.

Pela primeira vez durante a batalha, o Rei da Tempestade permitiu-se ter esperança.

Sabia que o Protetor de Mundo era sua única chance de saírem vitoriosos. Precisava resgatá-lo. Era o único meio que tinha de deter os OANIs e todas as demais criaturas horrendas que devastavam São Francisco. O Rei da Tempestade amava seus personagens... Tinha sido ele quem os criara, afinal. Mas a última coisa que desejava ver era suas próprias criaturas destruindo a cidade que também amava. Mesmo depois de morto, São Francisco continuava sendo seu lar.

Desistiu da batalha vã contra o OANI e foi em direção à Bruxa do Vento e a Eleanor.

Foi a menina quem o avistou primeiro.

— Cuidado! — berrou, esquivando-se para a esquerda.

Mas já era tarde. Raios azuis saíram das pontas dos dedos do Rei da Tempestade. A Bruxa do Vento foi capaz de evitar grande parte do ataque, mas ainda assim foi atingida na parte inferior do corpo, e o impacto a atirou para baixo, em direção à água.

O conhecimento de magia que Eleanor possuía, que a própria feiticeira havia lhe ensinado, ainda estava cru, em estágio experimental e insipiente. Sabia que não era páreo para o muito mais poderoso e experiente Rei da Tempestade. Em vez de entrar em um embate inútil, Eleanor usou aquele momento para escapar.

Desceu depressa em direção ao castelo, na esperança de encontrar esconderijo lá dentro. O Rei da Tempestade mergulhou atrás dela e cobriu a distância entre eles com facilidade. Ao alcançarem a fortificação, ele já estava a menos de seis metros de Eleanor. Não podia errar. Entoou um feitiço rápido e disparou mais raios das mãos. Aquele era um ataque mais concentrado, direcionado à mão direita da menina, que ainda estava cerrada ao redor de Invictum.

O feixe envolveu o pulso dela como se fosse uma algema. Eleanor gritou de dor e soltou a arma, que despencou para o chão. Os olhos do velho mago reluziam ao se lançar atrás dela.

Mas Eleanor era jovem e se recuperou do golpe muito mais rápido do que seria de se esperar. Quando o Rei da Tempestade tentou ultrapassá-la, a menina soltou um grito de pura ira e investiu contra ele, lançando uma rajada poderosa de vento contra seu corpo. O homem foi atirado para trás, girando antes de colidir contra o muro externo do castelo com um baque nauseante.

Seu corpo ficou flácido e tombou para o chão duro lá embaixo.

Enquanto Brendan engatinhava pelo campo de batalha em busca de uma arma, avistou Cordelia arremessar a espada em uma besta gelada. O rugido que se seguiu fez os pelos na nuca do menino se eriçarem. Soube no mesmo instante que se não fizesse algo para intervir, a irmã acabaria morta.

Ficou de pé em um pulo e saltou até um soldado da União que jazia morto com um machado a seu lado. Brendan tomou o cabo dele e girou nos calcanhares com a intenção de resgatar Cordelia quando um baque a sua esquerda lhe chamou a atenção.

Era Invictum; tinha caído do céu e se fincado parcialmente no solo. A lâmina de diamante fulgurava, sedutora, sob a luz do sol.

Brendan olhou para cima e viu Eleanor atacar o Rei da Tempestade. Sabia que aquela era sua única chance de retomar o controle da batalha. Sabia como Invictum era poderoso. Sentira sua força nas poucas vezes que o empunhara. E, ainda mais importante do que isso, testemunhara quando abrira — *rasgara* — um portal mágico entre os dois mundos.

Brendan precisava recuperá-lo. Precisavam dele para salvar seu mundo.

Mas alguém mais também já tinha avistado Invictum. A meros três metros dali, Krom empunhava uma espada ensanguentada e fitava o poderoso sabre. Seus olhos viajaram até Brendan, e ele abriu um sorriso torto de escárnio.

Brendan segurou o cabo do machado com mais força e voltou a olhar para Cordelia. A besta gelada ainda se aproximava dela. A irmã tinha sido encurralada. Brendan sabia que só tinha tempo para tomar um dos dois caminhos.

Podia correr até Invictum e permitir que a menina morresse. Ou podia salvar a vida de Cordelia e deixar que Krom se apossasse do sabre, o que selaria de uma vez por todas o seu destino, o de todos eles.

Em um momento de puro e verdadeiro pânico, Brendan congelou. Hesitou por vários segundos mais do que seria necessário para se tomar uma decisão. A gravidade da situação o deixou paralisado.

Mas logo acordou de sua paralisia. Tinha apenas que chegar a Invictum primeiro — depois poderia salvar Cordelia. Sem a arma, tudo estaria perdido. Todos em São Francisco, quem sabe até no mundo, morreriam. Se não alcançasse aquela faca antes de Krom, Cordelia acabaria morta de qualquer forma, junto a todos os demais, incluindo ele próprio. E, mais do que isso, pensou ele consigo mesmo, aquela decisão era a que Cordelia ia querer que ele tomasse.

Brendan correu em direção a Invictum, uma nuvem de terra subindo atrás dele.

CAPÍTULO 90

Krom e Brendan se lançaram para cima de Invictum ao mesmo tempo. Nos primeiros segundos daquela corrida insana, Brendan se deu conta de que Krom chegaria primeiro. De modo que seguir na direção da faca apenas serviria para garantir sua própria morte sangrenta.

Notou os olhos de Krom, no entanto, e compreendeu que o grande Guerreiro Selvagem sequer identificava Brendan como uma ameaça. Tudo o que interessava a ele era colocar as mãos na arma mágica.

Assim, durante sua aproximação, Brendan desacelerou e se estabilizou, permitindo que Krom envolvesse a empunhadura de Invictum com seus dedos grossos que mais pareciam salsicha. Naquele momento de vitória, enquanto Krom sorria como louco e fitava a lâmina resplandecente, Brendan levou o machado para trás e golpeou com ele como se fosse um taco de beisebol.

O ferro cortou o ar e passou ao lado da cabeça de Krom sem encontrar qualquer resistência.

Brendan errara!

Tinha planejado tudo com perfeição, tivera sua chance e errara! E agora ia morrer junto com todos os demais. Krom tinha um sorriso vitorioso ridiculamente grande estampado no rosto. Estava se deliciando com aquele momento, empunhando Invictum com arrogância comemorativa.

— Para de se vangloriar e anda logo com isso — disse Brendan.

— Se você insiste — respondeu Krom, sorrindo de maneira nauseante ao levantar a faca para cortar Brendan como se fosse presunto esperando para ser passado pelo fatiador de frios.

Mas uma explosão ruidosa lá em cima fez com que Krom hesitasse. Os dois olharam para o céu e viram um avião da Segunda Guerra Mundial incendiado mergulhando e rodopiando na direção deles, a centenas de quilômetros por hora. Brendan só teve tempo de se agachar antes de ser atirado para longe pela força do impacto da nave contra o chão.

Sentou-se outra vez, atordoado. Krom não estava mais de pé diante dele. Invictum encontrava-se jogado no chão no local onde o guerreiro estivera antes. Atrás dele, o menino viu uma faixa queimada e destroços que criavam uma trilha de 15 metros no solo. Os olhos do menino identificaram o que restava de Krom na pilha de metal incandescente.

— Que nojo! — exclamou ele para ninguém em particular, antes de rapidamente se colocar de pé e resgatar Invictum.

Girou nos calcanhares, torcendo para que Cordelia, de alguma forma, ainda estivesse a salvo.

Mas era tarde.

Brendan se virara a tempo de ver a irmã o encarando, a boca formando um grito. Em seguida, a besta gelada inclinou-se para ela, rugindo com selvageria. Brendan sentiu o corpo ficar dormente.

Brendan deixou Invictum cair de sua mão para o chão. Nada mais importava; já estava derrotado. Enquanto lágrimas escorriam, o menino se recordou de quando Cordelia o ensinara a ler, quando ainda estava na creche. De como ela sempre guardava o último biscoito ou pedacinho da sobremesa para ele. Só se lembrava das coisas boas — os momentos em que ela tinha sido a melhor irmã mais velha que um garoto poderia imaginar ter. E ele a tinha deixado morrer porque hesitara por um segundo mais do que o necessário. Estivera preocupado demais em ser o herói em vez de simplesmente agir.

E agora estava tudo acabado para ele. Sabia que não conseguiria forçar as pernas a voltar a funcionar.

Brendan ainda estava abalado e arrasado demais pelo que acabara de acontecer para notar a esfera de metal líquido reluzente descendo do céu na direção dele. Os sensores da nave de Gilbert tinham identificado fortes leituras de energia vindas da batalha em andamento entre o Rei da Tempestade e Eleanor. Quando desviou sua atenção, presenciou toda a competição por Invictum.

O alien aterrissou a espaçonave, saiu e foi se postar ao lado de Brendan.

— Deixei a Cordelia morrer — disse o menino, baixinho, sem olhar para cima. — Podia ter salvado a minha irmã, mas simplesmente a deixei morrer. E a pior parte é que ela estava olhando para mim. Fui a última coisa que ela viu antes de...

Um soluço escapuliu de sua boca, e ele se curvou ainda mais sobre si mesmo. Apesar de ter apenas metade do tamanho do garoto, Gilbert se inclinou, agarrou a camiseta de Brendan e o puxou para ficar de pé com facilidade surpreendente.

— Sabe do que precisa para salvar a sua irmã? — indagou o extraterrestre.

— Salvar? — repetiu Brendan, histérico. — Ela já morreu. Não tem mais jeito de trazer Cordelia de volta...

— Há um jeito — afirmou Gilbert.

Brendan o encarou, os olhos vermelhos e exaustos. Balançou a cabeça, tomando as palavras do pequeno alienígena por apenas mais uma de suas fanfarronices arrogantes. Gilbert apontou para o próprio peito.

— Este é o ponto em que meu coração está localizado — anunciou.

— É, é mais ou menos por aí que os corações ficam, em geral — ironizou Brendan. — Você não está falando coisa com coisa, Gilbert.

O extraterrestre o fitou com tranquilidade.

E foi naquele momento que as peças se encaixaram para Brendan. Claro! A Bruxa do Vento tinha dado a entender que Gilbert era o último Protetor de Mundo. E o *Diário* de Denver indicava que aquele item em questão tinha seu próprio poder especial. O de fazer voltar o tempo.

— O seu coração é o último Protetor — concluiu Brendan, devagar.

— Não sei... — admitiu Gilbert, a primeira vez que proferira tais palavras. — Mas sei que meu coração é imensamente valioso. Seu poder está além do imaginável. Passei a minha vida inteira me esquivando dos mercenários intergalácticos que me perseguiam, almejando meu coração. Tendo passado tanto tempo fugindo, nunca soube o que significava ter lar ou família. Ao menos, não até me deparar com você e os membros suplementares da unidade familiar Walker.

— O seu coração... — disse Brendan, lágrimas já se acomodando nos cantos dos olhos. — Pode salvar Cordelia.

— Afirmativo — confirmou Gilbert, fazendo que sim com a cabeça diminuta. — Quem tiver posse de meu coração poderá reverter o fluxo temporal e corrigir seu erro supremo.

Brendan olhou para o campo de batalha ensanguentado e depois para o muro perto de onde a besta gelada tinha aniquilado Cordelia.

— Acho que não vou conseguir — admitiu ele. — Mesmo que signifique salvar Cordelia... Acho que não consigo matar um amigo.

— Um... amigo? — indagou Gilbert, a voz traindo uma ponta de choque, mais suave do que nunca. — Você confere a mim... o título de *amigo*?

Brendan abriu um sorriso triste e assentiu.

— Ninguém jamais me rotulou com o título de amigo antes. É porque sou tão supremamente garboso?

Brendan deixou escapar um soluço engasgado e uma risada, fazendo que sim com a cabeça e secando as lágrimas que agora corriam sem obstáculo dos olhos.

— Isso aí, mas é também porque você é um carinha altruísta e leal — respondeu. — Que nem todos os melhores amigos são.

— Então tem de ser feito — assegurou-lhe Gilbert. — Este momento era inevitável desde o início. Esta conjuntura requer meu coração a fim de ser remediada. — Gesticulou para a batalha ao redor deles. — Ademais, você já possuiu o único instrumento existente capaz de perfurar minha pele.

Brendan fez que sim com a cabeça mais uma vez, pegando Invictum caído a seus pés.

— Muito bem — declarou Gilbert, movendo os braços de modo a expor o pequenino torso. — Prossiga. Afinal, agora estou ciente de que não sou real. Não passo de um personagem de livro, um fragmento trivial da imaginação de Denver Kristoff. Minha existência é apenas uma invenção.

Brendan empunhou Invictum. Pressionou a lâmina contra o peito de Gilbert, mas hesitou.

— Não consigo.

— Vou ajudá-lo.

Esticou a mão, tomou a arma e fez uma incisão em seu torso. Retirou um pequeno órgão de tom verde vivo, do tamanho de uma bola de golfe, e o estendeu para Brendan.

Os olhos de Gilbert brilhavam. Fitou o menino uma última vez e sorriu quando ele recebeu o coração.

— Sorte e felicidade em seus esforços continuados, meu amigo — desejou.

Em seguida, o corpo sem vida desmoronou no chão enquanto Brendan chorava, aos soluços.

Brendan forçou-se a desviar os olhos do corpo alienígena inerte de Gilbert. Fez questão de lembrar a si mesmo que, se por algum milagre conseguissem ser bem-sucedidos, ainda poderia, talvez, salvar a vida do amigo. Denver dissera que atravessar a Porta dos Caminhos com os Protetores de Mundo não apenas separaria os dois mundos para sempre, como também reverteria toda a destruição causada por aquela guerra.

Parado lá, o coração verde de Gilbert na mão, tentando conter o fluxo livre das lágrimas, Brendan se viu cercado por luzes roxas e amarelas rodopiantes. As cores fortes começaram a se espraiar e enfraquecer. Fundiram-se, formando um túnel luminoso psicodélico.

Ao final dele estava Cordelia. Viva, mas também assustada e recurvada, protegendo a cabeça como se estivesse prestes a ser atacada. Brendan se deu conta de que era precisamente o que estava para acontecer. Mais uma vez.

Aquela era sua chance de consertar tudo.

Correu pelo túnel de luz. A besta gelada já tinha entrado em seu campo de visão àquela altura, acima de Cordelia, a espada da menina projetando-se para fora da perna peluda. Cordelia levantou o rosto e, mais uma vez, encarou Brendan fundo nos olhos. A criatura emitiu um rugido feroz e atacou.

O estômago de Brendan se revirou. Tinha demorado demais para agir e agora estava prestes a perder sua única chance de salvar a irmã mais velha.

Saltou para o ar depois de uma corrida frenética, brandindo Invictum acima da cabeça. A lâmina se afundou no crânio da besta, e o corpo recoberto pela pelagem felpuda branca desmoronou no chão.

— Brendan! — berrou Cordelia, os olhos arregalados e a boca aberta. Ele se levantou com um sorriso largo.

— Oi, Délia — disse, limpando o que restara de suas lágrimas.

— Como você chegou aqui tão rápido? Quer dizer, eu vi você lá do outro lado agorinha mesmo, lutando contra o Krom, e pensei "pronto, morri", e... e... O que é isso aí na sua mão? — Apontou para o coração verde fluorescente de Gilbert.

Brendan olhou para ele com tristeza e franziu o cenho.

— É o terceiro Protetor de Mundo. Explico depois. Mas, pelo que estou vendo, o nosso lado ainda está perdendo de lavada.

Os dois olharam para além do castelo Corroway, para uma São Francisco em ruínas. Muitas das construções mais icônicas da paisagem da cidade estavam caindo aos pedaços, pegando fogo, ou já no chão. Fumaça negra e densa se misturava com a outrora quase mágica e famosa bruma de São Francisco. Uma orquestra de sirenes de viaturas policiais e caminhões de bombeiro soava, cortando o ar.

— O que a gente vai fazer? — indagou Cordelia.

— Já estamos com todos os Protetores agora.

— É, mas não vou embora sem a Nell — retrucou a menina.

— De acordo — assentiu Brendan.

Olharam para cima quando alguém desceu flutuando ao lado deles. Era o Rei da Tempestade, que já tivera dias melhores. Sangue escorria pelo rosto cinzento e enrugado.

— Você recuperou Invictum — disse. — Muito bem, Brendan. Vamos precisar dele para vencer esta guerra.

— A gente precisa salvar a nossa irmã — cortou Cordelia. — E só depois disso que a gente vai poder levar os três Protetores para a Porta dos Caminhos e consertar tudo que aconteceu.

— Nunca conseguiremos chegar lá — respondeu o Rei, balançando a cabeça.

— Por que não? — perguntou Brendan.

— A Bruxa do Vento deixou um exército ainda maior guardando a entrada — explicou o feiticeiro. — Mesmo com Invictum, não teremos como passar por eles.

— Então o que a gente faz?

— Precisamos deter a Bruxa. Aqui. Agora. É ela quem está controlando todos esses personagens, forçando-os a destruir a sua cidade. Assim como controla o exército que aguarda na Porta dos Caminhos. Mas se ela for derrotada, os personagens vão se dispersar sozinhos, vão voltar para os mundos aos quais pertencem.

— Então, se pararmos a Bruxa do Vento — começou Brendan —, poderemos dar um fim a esta guerra e achar um jeito de chegar até a Porta dos Caminhos?

— Exato — confirmou o Rei da Tempestade. — Agora, permita-me levá-lo ao local em que poderá fazer alguma diferença com Invictum. Pule para cima das minhas costas.

O Rei da Tempestade se agachou. Brendan envolveu os ombros do mago com os braços com alguma hesitação e fez uma careta, como se tivessem acabado de lhe pedir que abraçasse um cadáver.

— Não sou *tão* asqueroso assim — protestou o velho.

— Se a gente vencer isto, você devia pensar seriamente em investir num desodorante — respondeu Brendan, tentando combater a ânsia de vômito. Virou-se para Cordelia quando começaram a sair do chão, devagar. — Toma cuidado!

A garota fez que sim com a cabeça, assistindo ao Rei da Tempestade e seu irmão alçarem voo e depois seguirem para a cidade.

O feiticeiro tinha um plano em mente, de modo que Brendan apenas se segurou com força enquanto voavam direto para Fisherman's Wharf. Lá, vários OANIs estavam derretendo todas as edificações e barcos atracados no Píer 39. Pescadores e turistas pulavam para dentro da água para fugir das chamas verdes letais. O Rei da Tempestade parou logo acima de um dos robôs gigantes, sobrevoando a cabine do piloto que ficava na parte frontal da cabeça robótica. Daquela posição, Brendan viu um extraterrestre roxo minúsculo, com tentáculos no lugar de braços, controlando os movimentos do OANI.

— Pula — instruiu o Rei da Tempestade.

— O quê?! — berrou Brendan. — Ficou maluco?

— Escrevi esses robôs para serem praticamente indestrutíveis. A única coisa capaz de penetrar a couraça é Invictum. Agora pare de desperdiçar o nosso precioso tempo. Salte lá para baixo e toma o controle daquela coisa. Você sempre quis ser o herói da história, não quis? Bom, isso não vai cair do céu direto no seu colo!

Brendan olhou para o robô monumental abaixo dele. Ainda estavam uns bons três metros acima da cabine. Mas ele tinha que fazer aquilo. Se quisesse mesmo salvar o mundo, teria que encontrar a coragem dentro de si. Era hora de fazer a coisa certa no momento decisivo.

Inspirou fundo.

E depois pulou.

Foi aterrissar no ombro de metal do robô com um baque metálico. Caiu de joelhos, torcendo feio o tornozelo. Perdeu o fôlego por conta da dor, mas sabia que não tinha tempo para ficar deitado lá sentindo pena de si mesmo. Então rolou para a esquerda e depois ficou de cócoras.

Encarou o piloto alienígena dentro do compartimento. De perto, a criatura era ainda mais horrenda. Era roxa, mas não daquela tonalidade vibrante e bonita de roxo. Era mais como se alguém tivesse comido uma raspadinha de uva velha e depois vomitado tudo em cima de um polvo. Sua boca era repleta de dentes amarelos aterrorizantes, afiados como facas, e os sete tentáculos serpenteavam no ar como se fossem minhocas inquietas.

O extraterrestre viu Brendan, guinchou e imediatamente puxou uma alavanca. O robô levantou a mão de garra, movendo-se para o menino com velocidade e destreza surpreendentes. Ele não tinha para onde correr — nem poderia, com um tornozelo quebrado.

Em vez disso, preparou Invictum.

Quando a garra estava prestes a esmagá-lo, Brendan rolou para o lado e golpeou com a lâmina de diamante como se estivesse fazendo uma jogada de tênis. Invictum perfurou a pinça superior da garra enfrentando pouquíssima resistência. Ela se dobrou e ficou pendendo como se fosse uma pelezinha de cutícula arrancada.

Brendan começou a correr, mancando e sem jeito. Mordeu o lábio inferior para não gritar de dor e, em seis passos irregulares que mais pareciam saltos, chegou à cabine de vidro do piloto no topo dos ombros do robô.

Fincou Invictum na redoma e desenhou um círculo irregular com o sabre. O pedaço grosso de vidro caiu para dentro do compartimento.

O extraterrestre, que passara a existência inteira acreditando que a máquina que controlava era indestrutível, agora gritava em choque. Os guinchos da criatura eram de perfurar os tímpanos, tão horríveis que Brendan teve que cobrir a cabeça com os braços. Tinha baixado a guarda, e o alienígena podia tê-lo partido em dois com seus tentáculos naquele meio-tempo.

Mas não partiu. Apenas ficou lá, berrando mais e mais alto, com os olhos amarelos esbugalhados. Os movimentos agitados dos tentáculos que se debatiam ficaram ainda mais desesperados.

E depois, ele explodiu.

Entranhas verdes e roxas e carne alienígenas foram despejadas em cima de Brendan.

A atmosfera da Terra com certeza não era adequada aos extraterrestres fora do ambiente pressurizado da cabine. Brendan entrou e se sentou em uma poça quente de gosma e tripas de alien.

Não demorou muito tempo para entender como operar a máquina. Eram seis alavancas, com uma ilustração primitiva detalhando como cada uma delas funcionava. Duas controlavam os pés, duas, os braços, e as duas últimas comandavam as pinças na mão de garra. Havia também um enorme botão verde no painel de controle. Ao lado dele estava o desenho de uma bola de fogo. Brendan presumiu que era o gatilho para as chamas esverdeadas.

O problema, claro, era que, com apenas dois braços, Brendan não seria capaz de pilotar o robô com a mesma facilidade e naturalidade dos extraterrestres de sete tentáculos. Mas faria o melhor que podia. Com lentidão, manobrou o veículo gigante em direção ao outro OANI, que estava ocupado lançando uma torrente de chamas verdes nos vários restaurantes, lojas de suvenires e turistas no píer.

Brendan conseguiu parar bem perto do outro robô. Puxou uma alavanca e levantou o braço do lança-chamas, apontando para as costas dele. Inspirou fundo e apertou o botão.

Fogo verde fluiu do braço direito da máquina. Engolfou completamente o OANI inimigo. Em um primeiro momento, nada aconteceu. Depois, o outro foi se virando devagar, ainda cercado pelas chamas líquidas. Em poucos minutos, elas pararam, e os dois robôs permaneceram de pé, ilesos.

O alienígena avistou Brendan e guinchou, levantando o braço direito para o menino.

Era evidente que o exterior metálico da invenção tinha sido projetado para ser resistente ao poder das próprias armas. Brendan soltou um suspiro de alívio, compreendendo que também seria capaz de suportar o banho de chamas verdes letais. Mas foi aí que se deu conta de algo terrível.

Sua cabine tinha um buraco enorme na vidraça.

E Brendan estava bem diante dele.

Não havia nada para protegê-lo do ataque!

O garoto ficou sentado lá, em meio aos restos do alienígena, e assistiu com horror enquanto o outro OANI dava um passo à frente, lança-chamas levantado e apontando, a fim de transformá-lo em ensopado de Brendan.

CAPÍTULO 93

Brendan tinha certeza de que estava prestes a morrer. Só podia rezar para que ser derretido por fogo verde corrosivo fosse menos doloroso do que parecia. Apertou o botão repetidas vezes em desespero, e algo chocante aconteceu. Quando o outro OANI deu mais um passo à frente, preparando-se para o ataque, as chamas do robô de Brendan fizeram contato direto com o vidro da redoma do outro.

E abriram um buraco gigante na lateral dela. O extraterrestre roxo soltou um berro estridente de surpresa e dor, e explodiu para todos os lados dentro da cabine como se fosse um inseto do tamanho de um guaxinim batendo no para-brisa de um carro.

— Ecaaa — exclamou Brendan para si mesmo, momentaneamente se esquecendo de que ainda estava sentado em um amontoado de entranhas alienígenas fedorentas.

Fez o robô girar devagar até estar de frente para os dois gigantes, ainda dentro do que restava do estádio AT&T Park. Estavam se revezando, brincando de pescar tropas da Guarda Nacional do chão para arremessá-las como se fossem meleca dentro da água na parte da baía que ganhara o nome de McCovey Cove.

Brendan manejou as alavancas, forçando o robô a começar a correr. Manteve o braço direito dele levantado, pronto para atacar. Mas quando se aproximou das ruínas do estádio e viu a quantidade de membros da força armada lá dentro, entendeu que não poderia usar as chamas verdes. Se usasse, acabaria derretendo centenas de tropas inocentes.

Continuou empurrando e puxando as alavancas que controlavam as duas pernas da máquina, fazendo com que ganhasse velocidade em sua corrida. O OANI correu em direção aos dois colossos dentro do estádio semidemolido. O primeiro não chegou nem a vê-lo se aproximando.

Brendan não parou os movimentos das alavancas da perna, nem mesmo quando colidiu com a barriga do gigante. A criatura seminua e careca soltou uma espécie de arroto surpreso ao ser atirado para longe. Caiu de cabeça, quebrando o crânio no concreto do píer do outro lado da ilhota.

O colosso não se moveu, nem tentou se levantar outra vez. Ficou apenas deitado, rosto no chão, inerte em uma pilha de concreto rachado, o corpo espraiado. Brendan virou o robô a fim de encarar o segundo oponente. Era um pouco mais jovem e bem mais musculoso que Gordo Jagger e o gigante em que Brendan acabara de dar um encontrão. Tinha cabeça e maxilar quadrados e sua semelhança com uma versão mais jovem de Arnold Schwarzenegger era espantosa.

Grande Arnold soltou um berro de ira e atirou o jipe da Guarda Nacional que estivera segurando como se fosse uma bola de futebol americano no campo. O automóvel explodiu em um milhão de pedacinhos. Brendan levantou os braços do robô para assumir postura de luta.

Arnold investiu contra ele, agitando os punhos absurdos de maneira frenética. Brendan esperou, sabendo que precisava ser paciente. No instante em que o gigante se aproximou o suficiente, Brendan empurrou a alavanca do braço direito o mais rápido que podia.

O braço do robô foi parar dentro da boca enorme de Grande Arnold. Os olhos do gigante se arregalaram com surpresa enquanto tentava compreender o que tinha acabado de acontecer. Brendan sabia que, se quisesse mesmo tirar o gigante sanguinário e brutal de cena em segurança e com o mínimo de danos colaterais, era agora ou nunca.

Encarou Grande Arnold nos olhos esbugalhados e apertou o botão. Chamas foram disparadas da extremidade do braço direito do robô direto para dentro da boca do inimigo. Foi a coisa mais nojenta que Brendan já vira, e aquele último ano tinha sido recheado de horrores mais do que suficientes para dar pesadelos à população inteira da Noruega pelo resto da vida.

Brendan voltou o robô para o grande rasgo na baía onde os dois mundos tinham se fundido. Estava claro que a batalha ainda estava longe de chegar ao fim. E a Bruxa do Vento e Eleanor tinham se juntado à luta. Viu as duas absortas em um embate contra uma terceira figura voadora que parecia ser o Rei da Tempestade.

E era evidente quem estava levando a melhor. Brendan observava em horror enquanto a feiticeira e a irmã golpeavam o homem decrépito simultaneamente com uma coluna de ar congelante que continha uma saraivada de pontas de gelo afiadas. O velhote não tinha nem chance contra aquela torrente de ataques.

Brendan testemunhou, estupefato, quando os ataques em conjunto atingiram o Rei da Tempestade com força suficiente para matar um urso e o lançaram para o chão, rodopiando no ar durante a descida.

Cordelia, Adie e Celene assistiam de onde estavam, do lado de fora do castelo Corroway, ao mergulho do Rei da Tempestade em direção ao portão da frente.

Cordelia ainda não podia acreditar no que Eleanor estava fazendo. Era incompreensível para ela que aquela pudesse mesmo ser sua irmãzinha, voando de um lado a outro, usando magia negra para machucar outras pessoas.

As três correram para onde o Rei tinha aterrissado. Encontraram o corpo caído no chão perto do portão do castelo.

— Ah, não — exclamou Cordelia ao se ajoelhar ao lado dele. Adie e Celene estavam logo atrás.

Não sabia o que era mais chocante: o fato de que tinha acabado de testemunhar sua própria irmã nocautear o velho feiticeiro, ou o de que ela própria estava verdadeiramente triste com o fim dele. Cordelia sabia que o Rei era sua única chance de sobreviver àquela guerra. Sozinhos, não eram páreo nem para o poder da Bruxa do Vento, muito menos com uma aprendiz a seu lado.

O Rei da Tempestade grunhiu e rolou no chão. Dezenas de dentes de gelo perfuravam o corpo centenário e decrépito. Sangue embebia o chão ao redor dele, o líquido se misturando com o gelo que derretia.

— Vocês precisam sair daqui — disse. — Guardem os Protetores de Mundo com suas vidas. Ainda há esperança.

Cordelia não teve chance de responder, pois uma vibração constante sob seus joelhos fez com que desviasse os olhos para cima. Era um dos robôs gigantescos de *Terror no Planeta 5X*. Pelo menos, pensou ela com morbidez quando o OANI apontou seu lança-chamas para o grupo, não precisariam sofrer por muito tempo mais.

Mas o medo logo se diluiu quando se deu conta de que a máquina estava sendo pilotada pelo irmão!

Brendan acenou para ela de seu lugar na cabine. Depois olhou para o céu, para a Bruxa do Vento e Eleanor os sobrevoando.

— Vou acabar com você! — gritou o menino pelo buraco na redoma de vidro.

A Bruxa soltou uma gargalhada sem qualquer pudor.

— É sério — insistiu ele. — Deixe a minha irmã ir embora ou vou derreter a sua cara feia que nem marshmallow na fogueira!

— Não estou forçando a sua irmãzinha a fazer nada contra a vontade dela — retrucou a feiticeira com calma. — A sua família nunca a tratou com o devido respeito. Está ao meu lado agora porque reconheço a inteligência e o poder que ela tem.

A mulher se virou para Eleanor.

— Anda, netinha — encorajou ela. — Mostre para eles como ficou poderosa.

Eleanor sorriu ao erguer as mãos e disparar uma rajada de vento canalizada no robô de Brendan. O tornado em miniatura colidiu contra o peito da máquina, lançando o OANI para trás. Todos assistiram horrorizados enquanto rodopiava no ar, indo cair de bruços no terreno do castelo Corroway.

CAPÍTULO 95

Brendan abriu os olhos e olhou ao redor. Por sorte, o interior da cabine era equipado com uma versão futurista de algo próximo a um airbag. Ao ser acionado, amorteceu a queda de Brendan e salvou sua vida. O menino não saiu de todo ileso, no entanto. Seus ossos e articulações doíam, sangue escorria pelo rosto de um corte profundo na cabeça, e ele estava coberto de hematomas.

Brendan se arrastou para fora da máquina destroçada. De volta ao chão, cambaleou e viu Cordelia, Adie e Celene agachadas, cheias de medo, perto do corpo sem vida do Rei da Tempestade. A Bruxa do Vento e Eleanor pairavam ameaçadoramente acima delas.

Brendan mancou até a irmã mais velha. A única irmã que lhe restara, parecia. Deram um abraço breve em silêncio. Estava acabado. Mesmo com Invictum ainda firme na mão esquerda de Brendan, aquela guerra estava perdida.

Sabia que a magia da Bruxa do Vento poderia desarmá-lo com facilidade antes que ele pudesse tentar qualquer coisa com a poderosa arma. Brendan se conformou em ficar parado lá com Cordelia, Adie e Celene, olhando para o rosto sorridente da feiticeira, derrotado. Não tinha mais piadas a oferecer.

Fumaça subia dos destroços de São Francisco atrás da Bruxa do Vento e de Eleanor como se fosse uma fogueira já apagada.

A Bruxa sorriu e disse:

— Bom, parece que *finalmente venci*.

CAPÍTULO 96

A própria Bruxa do Vento mal podia acreditar. Enfim conseguiria tudo o que sempre quis: governar ambos os mundos, substituir todo o amor e a família que tinha perdido por poder absoluto.

Nem mesmo seu patético e miserável pai poderia detê-la agora, morrendo no chão abaixo dos pés dela como estava.

— É hora de completar a sua transformação, netinha querida — anunciou, virando-se para Eleanor.

— Como vou fazer isso? — indagou a menina.

— Matando os seus irmãos.

Cordelia e Brendan trocaram um olhar chocado.

— Você quer mesmo que eu mate os dois? — perguntou Eleanor.

— Por que não? Esses são os irmãos que sempre a puxaram para baixo, que sempre pensaram que eram melhores que você, mais inteligentes que você, mais fortes que você. Nunca poderiam amá-la como eu amo.

Eleanor olhou para Cordelia e Brendan. Adie estava ao lado deles e balançava a cabeça devagar em choque — como se o que estava prestes a testemunhar fosse impossível. Por um momento, a determinação de Eleanor pareceu fraquejar. No fundo, Cordelia, Adie e Brendan realmente acreditavam que Eleanor não iria, *não poderia* levar aquilo a cabo.

Mas tendo sido tocada pelo *Livro da perdição e do desejo*, uma alma perdia a capacidade de lutar contra seus desejos mais profundos. A Bruxa do Vento sabia melhor do que ninguém. E Eleanor usara o livro duas vezes, mais do que o suficiente para danificar de modo irreversível o núcleo do que quer que fosse que fazia dela um ser humano. A feiticeira se aproximou da menina e sussurrou com delicadeza ao pé de sua orelha.

— Faça o que eu mesma não posso — encorajou. — Acabe com o seu irmão e com a sua irmã. De uma vez por todas.

Qualquer dúvida que ainda restasse no rosto de Eleanor se dissipou. Virou-se e olhou para os irmãos. Sua expressão estava fria. Era como se seus olhos fossem feitos de vidro.

A Bruxa do Vento assistiu com deleite quando as feições de Brendan e Cordelia deixaram de estampar esperança para passar a refletir uma espécie de triste aceitação ao compreenderem que a meiga irmãzinha *teria, sim,* coragem de ir até o fim com aquele plano.

Ia matá-los.

CAPÍTULO 97

Eleanor investiu com tudo. Nada iria detê-la; podia sentir lá no fundo, onde sua alma saudável outrora a enchera de vida. Mas aquela parte dela já não existia mais. Tudo o que restava era escuridão. E raiva. E ressentimento.

As duas pessoas que a encaravam já não eram *família*. Não eram mais irmão e irmã, apenas um par de moleques arrogantes. Mereciam aquele fim. Mereciam depois da maneira como a tinham tratado — da maneira como tinham se colocado em um pedestal acima dela e de todos os demais a seu redor.

Eleanor levantou as mãos e se preparou para lançar um feitiço potente que a Bruxa do Vento lhe ensinara. Levaria a uma morte horrível e dolorosa.

— *Hostibus meis pessima...* — começou.

Mas as palavras ficaram engasgadas em sua garganta de súbito, quando Adie se colocou na frente de Brendan e Cordelia na tentativa de os proteger.

— Para! — gritou a menina, com lágrimas nos olhos. — Ou vai ter que me matar também!

Eleanor hesitou quando dúvida voltou a se instalar nela.

— Qual é o problema? — indagou a Bruxa do Vento, claramente irritada com o atraso. — É só matar a pirralha também.

Eleanor trincou os dentes.

— Sai da frente — ordenou.

— Não. Você não pode fazer isso — respondeu Adie baixinho. — Eles são a sua família. O laço que vocês têm é mais forte que todo o resto. Mais do que qualquer magia ou livro velho. Família é a única coisa de valor que todo mundo já nasce tendo. Não vou deixá-la destruir a sua. Eles a amam demais, Eleanor. Pode acreditar no que estou dizendo... Eles a amam *mais do que tudo no mundo*! E não vou deixar esse tipo de amor morrer. Vai ter que me matar primeiro!

Aquele simples ato de gentileza e altruísmo drenou todo o ódio de Eleanor.

Ela percebeu como era mesquinha aquela busca incessante por poder, dinheiro e bens materiais. Tudo o que a Bruxa do Vento havia prometido.

Nada daquilo importava, não de verdade. Eleanor se dava conta disso agora. Os dez milhões de dólares que ela desejara em sua primeira aventura trouxeram apenas sofrimento à família Walker. Eleanor teria sido mais feliz morando em uma caixa de papelão com os familiares e amigos do que em uma mansão grandiosa recheada de tudo que sempre desejara ter, inclusive um estábulo repleto de cavalos.

Pela primeira vez em sua vida, Eleanor compreendeu a verdadeira natureza da compaixão e do amor. Requeria sacrifício, o ato de abrir mão de um pedacinho de sua felicidade e de seu bem-estar para melhorar a vida de outros.

Devagar, foi descendo para o chão. Aterrissou e caiu de joelhos diante de Adie, Brendan e Cordelia.

— Desculpa — pediu, as lágrimas escorrendo.

Cordelia correu para a irmãzinha e a envolveu com os braços. Assim que se abraçaram, Eleanor se sentiu completa outra vez. Teriam ficado imersas naquele abraço por horas a fio... se a Bruxa do Vento não as tivesse interrompido com um uivo de fúria.

— Se não posso matar vocês — cuspiu ela —, então vou fazê-los sentir a dor mais intensa que já experimentaram nas suas curtas vidas!

Antes que pudessem responder, ela liberou uma poderosa bola de fogo vermelho que acertou o peito de Adie com toda a força. A menina foi atirada para trás e caiu na terra com um baque suave. Os olhos permaneceram abertos, mas já não havia mais vida por trás deles.

Os Walker ficaram lá, imóveis, e fitaram o corpo inerte de Adie em choque. O modo como a menininha que conheceram havia poucos dias tinha se sacrificado por eles os deixara estupefatos. E o mesmo valia para a facilidade e falta de cerimônia que a Bruxa do Vento apresentara ao simplesmente descartar a vida dela. Mas a parte mais aterrorizante daquilo tudo talvez tenha sido o grito de angústia que escapou da garganta do moribundo Rei da Tempestade.

Apesar dos ferimentos fatais, foi rastejando até o corpo de Adie, deixando um rastro de sangue atrás dele. Os gemidos soluçantes de dor e pesar eram tão atordoantes que tinham silenciado até a Bruxa do Vento.

A feiticeira assistiu enquanto o Rei da Tempestade aninhava o corpinho de Adie em seus braços e chorava. Jamais vira o pai agir daquela forma, mesmo antes de ter corrompido a própria alma com o *Livro da perdição e do desejo*.

— Por quê? — indagou ela, enfim, flutuando para o chão até ele. — Por que está chorando a perda de uma personagem insignificante de um dos seus livros?

O velho balançou a cabeça, ainda aos prantos, incapaz de falar.

— Você está sempre me desafiando, sempre contra mim, querendo impedir a minha felicidade! — gritou a filha, a ira retornando. Mas estava diferente agora. A fúria fria e vazia desaparecera. — E, no entanto, está aí se acabando de chorar por causa de uma personagem, como se ela fosse a *sua própria filha*?

Por fim, ele olhou para cima, o rosto marcado por uma mistura de lágrimas e sangue.

— Mas ela é a minha filha — respondeu baixinho. — Nem a si mesma você consegue reconhecer? Quem costumava ser?

A Bruxa do Vento, já no chão, deu um passo para trás, balançando a cabeça em negativa.

— Não — sussurrou.

— Sim, esta é você — afirmou Denver, passando a mão pelos cabelos de Adie. — Criei esta personagem em um dos meus livros para preservar o que a minha filhinha, a minha doce Dahlia, tinha de melhor. Escrevi esta menina exatamente igual a você na idade dela, da maneira como me lembro antes daquele livro terrível roubá-la de mim. Era a única forma de resguardar o que havia de bom em você. Era tão gentil, tão generosa, forte e doce. E agora... agora você matou o último pinguinho de bondade que restava. Tornou-se tão corrompida e perversa que sequer reconheceu a si própria.

A Bruxa do Vento permaneceu parada lá, balançando a cabeça. Mas parecia diferente. Mais humana. A ira mágica e assassina a que se aferrara por tantos anos parecia ter se esvaído.

Cordelia viu uma oportunidade surgir. Talvez pudesse se conectar à antiga Dahlia, alcançá-la e tocá-la de alguma forma, se aquele seu antigo eu ainda estivesse dentro daquela feiticeira decrépita e deturpada de pé diante deles.

— Está vendo o poder do amor da família agora? — indagou a menina, dando um passo à frente. — É por isso que você vem se comportando desse jeito tão cruel e confuso desde que a gente se conheceu. É porque perdeu o seu pai, a sua família, muito cedo na vida. Quando ele começou a usar o *Livro da perdição e do desejo*, deixou de ser quem era. Mas agora o seu pai voltou.

"Você pode estar com ele de novo. Passou a sua vida inteira buscando poder... O que conseguiu com isso até agora? Só tristeza, dor e derrota. Nós três também carregamos essa culpa, de certa forma. — Gesticulou para o irmão. — O Brendan passou tanto tempo obcecado com a própria imagem, em vez de apenas se permitir ser quem ele é de verdade. Heroísmo não é algo que alguém possa *buscar*. Simplesmente *acontece*. E, no fim, 'ser o herói' nem importa de verdade, contanto que as pessoas sejam verdadeiras e fiéis a si mesmas.

"E agora entendo que *eu* também cometi o mesmo erro. Inteligência de verdade está em compreender e reconhecer não o que se sabe... Mas o que *não* se sabe. Está em reconhecer que a minha irmã e o meu irmão também podem ter ideias incríveis, ideias que eu mesma nunca nem sonharia em ter. Todos nós temos falhas, mas, juntos, somos os melhores que podemos ser."

Estava chorando, assim como Brendan, apesar do esforço que o menino fazia para esconder o fato. Todos fitaram a Bruxa do Vento em silêncio.

Viram sua expressão se suavizar. De súbito, parecia ter ficado 20 anos mais jovem, agora que estava livre de toda a tensão e toda a raiva. Seus olhos ficaram marejados de lágrimas pela primeira vez em décadas. Deu um passo para a frente e se ajoelhou com delicadeza, abraçando o pai moribundo, ainda agarrado ao corpo de Adie, com doçura imensa.

Era a primeira vez que se sentiam em paz desde que o *Livro da perdição e do desejo* entrara em suas vidas, tantos anos mais cedo. E enquanto se abraçavam, algo chocante aconteceu. A Bruxa do Vento começou a se transformar.

Os Walker e Celene assistiram com assombro enquanto a feiticeira voltava a ser aquela menininha que era quando usou o *Livro* pela primeira vez. O pai e a filha que estavam diante deles já não eram mais o Rei da Tempestade e a Bruxa do Vento.

Eram Denver e Dahlia Kristoff.

Enfim juntos outra vez.

CAPÍTULO 99

Quando a bruxa se transformou, os personagens e criaturas dos livros de Denver perderam seu propósito. Como se tivessem saído de um transe, todos pararam de atacar a cidade. Deram meia-volta e seguiram para o portal entre os dois mundos, de volta para os seus próprios.

Mas a cidade de São Francisco continuava em ruínas. Não havia clima para celebrar o fim da batalha. Ainda havia trabalho a ser feito.

— Vocês podem consertar tudo isso — disse Denver aos Walker, a voz fraca. — Atravessem a Porta dos Caminhos com os Protetores de Mundo. Vai desfazer toda esta loucura. Se todos os três fizerem a travessia ao mesmo tempo, a magia será revertida, e a cidade retornará ao seu estado normal, cortando a conexão entre os dois mundos para sempre.

— Mas como a gente vai chegar lá? — perguntou Eleanor.

— Chamei alguns amigos seus — respondeu Denver. — Vão levá-los até lá.

Naquele instante, dois Mustangs P-51 chegaram voando e pousaram na clareira atrás deles. Os dois pilotos saltaram de seus aviões e se aproximaram.

— Fiquei sabendo que os ianques estavam precisando de uma carona — disse Will Draper.

— Will! — exclamou Cordelia, correndo para ele e lhe dando um grande abraço.

Ele riu e correspondeu.

— E como fica o seu ex-marido? — indagou Felix, abrindo os braços e afetando mágoa.

Cordelia deu uma risada e o abraçou também.

— Vão agora, precisam se apressar — disse Denver. — A batalha pode ter terminado para os meus personagens de livro, mas não posso fazer nada para deter os reforços da força militar americana que já estão a caminho. Eles podem não saber distinguir amigo de inimigo e acabar fazendo mais mal do que bem.

Brendan girou nos calcanhares e encarou Celene. Queria deixá-la com um discurso lendário e épico que seria mais tarde repetido e recontado em Tinz por muitos e muitos anos. Mas as palavras que escaparam de sua boca certamente não continham nada de valor para os livros de história:

— Você é... hum... gosto de... você sabe, né...

Mas ela o surpreendeu chegando mais perto e tocando os lábios dele com os dela. Os olhos do menino se arregalaram.

Era o seu primeiro beijo. E, com certeza, não se esqueceria dele tão cedo. Celene se afastou vários segundos depois e sorriu. Ele abriu a boca para falar, mas a menina balançou a cabeça.

— Não diz nada, Brendan — pediu, sorrindo. — Tem vezes que é melhor *não falar*. Adeus. Nunca vou me esquecer de você.

Ele assentiu, hipnotizado, e permitiu que Cordelia o puxasse para os Mustangs P-51. Ela abriu um sorriso largo, e o irmão corou.

— Eleanor, anda! — gritou Cordelia.

A Walker mais jovem estava diante da Dahlia de 12 anos, cuja semelhança com Adie era espantosa. Sorriu para ela, e as duas se abraçaram. Tinham passado por vários momentos intensos naqueles últimos dias, ainda que como pessoas um tanto diferentes das que eram agora. Os irmãos viram Dahlia sussurrar algo ao pé da orelha de Eleanor e a irmãzinha responder. Depois ela se afastou e correu para se juntar à família.

— O que ela disse? — indagou Cordelia.

A menina sorriu.

— Não posso contar.

— Ah, maravilha — disse Brendan, ainda um pouco fora do ar. — Espero que não tenha pedido mais dez milhões de dólares que nem da última vez.

— Você acabou mesmo de dizer que espera que a gente *não* receba mais dez milhões de dólares? — indagou Cordelia, chocada.

Brendan parou e refletiu. Depois fez que sim com a cabeça.

— É, acho que foi isso mesmo. E estava sendo sincero.

— Vamos, então. Estamos de partida — chamou Will com um sorriso largo. — Vocês ainda não salvaram *o* mundo!

CAPÍTULO 100

Brendan, Eleanor e Cordelia Walker estavam parados diante da Porta dos Caminhos. O talismã pendia do pescoço de Cordelia. Invictum estava no passador da calça jeans de Eleanor. Brendan aninhava cuidadosamente o coração de Gilbert na palma de sua mão.

Juntos, inspiraram fundo, encarando a cachoeira de luz cintilante que era a Porta dos Caminhos.

— Acabei de perceber uma coisa — disse Cordelia de súbito, quebrando o silêncio.

— O quê? — perguntou Brendan.

— Bom, você teve uma quedinha pela Adie, não teve?

— Nãããããooo...

— Brendan, admite.

— Ok, aham — disse Brendan. — Talvez eu tenha tido uma quedinha pequena, mínima, quase inexistente por ela antes de encontrarmos Celene de novo. Pronto, foi só isso também.

— Você sabe o que isso quer dizer, não sabe? — provocou Cordelia.

— O quê?

— Que, tecnicamente, você estava caidinho pela Bruxa do Vento!

— Pela sua trisavó! — acrescentou Eleanor, rindo. — Eca!

Brendan balançou a cabeça, mas não pôde conter a gargalhada. Em seguida, voltaram a ficar em silêncio, fitando a reluzente Porta dos Caminhos. Na última vez que a tinham atravessado, ela os desafiara. Não faziam ideia do que esperar agora.

— Vocês estão mesmo prontos para colocar um fim definitivo nisso tudo? — indagou Cordelia.

— É piada, né? — perguntou Brendan.

— Não, é sério — garantiu Cordelia. — Pensa só... Depois que a gente passar por essas portas, não vai poder voltar. Nunca mais. Todos os amigos que fizemos aqui vão desaparecer para sempre...

Brendan não respondeu, realmente refletindo sobre a questão desta vez.

— Além disso — lembrou Eleanor —, apesar de todos os perigos e de todas as coisas horríveis que a gente enfrentou, vocês têm que admitir que uma parte de nós também se divertiu, não é?

— De algum jeito, este mundo maluco fez de nós três pessoas melhores — acresceu Brendan, fazendo um movimento afirmativo de cabeça.

— E nos deixou mais próximos, no final — disse Cordelia.

Os três ficaram lá por mais vários minutos, deixando as palavras pairarem no ar. Permitiram-se apreciar o momento enquanto encaravam a mágica Porta dos Caminhos.

— Ok, foi uma experiência muito maneira, que não vou esquecer nunca — disse Brendan, enfim, quebrando o silêncio. — Mas acho que já está na hora de salvar o mundo e dar o fora daqui, não está?

— Vamos — disseram Cordelia e Eleanor em uníssono, o que fez os três abrirem um sorriso de orelha a orelha.

E então, os três irmãos Walker, ainda de mãos dadas, deram vários passos à frente e entraram na luz.

— Aí estão vocês! — exclamou a Sra. Walker. — Estão sempre fugindo para sabe-se lá onde. Anda, estamos precisando da ajuda de vocês aqui.

As três crianças abriram os olhos e fitaram a Mansão Kristoff, iluminada pela luz do sol, de onde estavam na calçada. Não havia buraco no teto por onde Gordo Jagger os cuspira para dentro do sótão. Seu corpo morto já não estava mais desmoronado no gramado. Tudo em São Francisco parecia ter voltado ao normal, como o Rei da Tempestade prometera.

— O que a gente está fazendo aqui de novo? — indagou Cordelia, tomada por alívio e alegria demais por estar vendo São Francisco inteira outra vez para notar o caminhão de mudanças estacionado lá perto.

— O que há com vocês três? — perguntou a mãe. — Não estão lembrados, não? O advogado encontrou uma versão atualizada do último testamento do Denver Kristoff em um cofre de banco lá no centro. Parece que ele queria que a casa ficasse sob os cuidados do parente mais próximo. E como a Dahlia Kristoff morreu na semana passada, o seu pai passou a ser o tal parente.

— Então a casa é oficialmente nossa? — indagou Eleanor, não se permitindo a ousadia de acreditar que a notícia era mesmo verdade.

— É, sim, amorzinho — garantiu a Sra. Walker. — É a nossa nova casa... E desta vez, para sempre.

— Então a gente vai poder parar de ficar mudando toda semana? — certificou-se a menina.

— Com certeza — respondeu a mãe com uma risada. — Agora vamos, todo mundo tem que colocar a mão na massa. Quero já ter acabado toda a mudança quando o seu pai estiver de volta do tratamento dele... O que pode acontecer a qualquer segundo! Quem aí está a fim de pedir pizza e assistir a *Os três patetas* no jantar?

A mulher não esperou os filhos, foi andando para o grande caminhão de mudanças, pegando uma nova caixa para levá-la para dentro.

— O papai já está voltando? — perguntou Eleanor, cheia de esperança.

— É o que parece! — disse Brendan. — Vamos lá ajudar.

O menino seguiu para o veículo, passando por um dos funcionários. Era o mesmo homem com quem Brendan lembrava-se de ter falado das duas outras vezes que tinham se mudado.

— Caramba, garoto, a sua família tem problemas sérios para ficar parada num lugar só, hein? — comentou ele, levando uma caixa até a calçada.

Brendan deu de ombros, mas não conseguiu reprimir um sorriso largo. Subiu no caminhão e pegou outro caixote, feliz da vida. Antes, provavelmente teria reclamado por estar sendo obrigado a ajudar. Mas, naquele momento, lhe parecia a atividade mais divertida (e segura) do mundo.

Enquanto isso, ao fim do caminho que levava à casa, Eleanor estava parada encarando um garotinho se aproximar devagar da casa em seu skate. O queixo da menina caiu quando ele sorriu e acenou. Ele continuou rolando pelo pequeno declive e parou perto dela, pisando na ponta da prancha para levantar o skate e segurá-lo.

Ela sabia que era impossível. Não podia ser ele, mesmo levando em consideração o que Dahlia lhe dissera antes de irem embora.

— Eu conheço você? — perguntou ele. — O seu rosto não me é estranho.

— O m-meu nome é Eleanor — gaguejou ela. — A gente está se mudando para cá. Quer dizer... a gente já até morou aqui por um tempo antes. Mas agora voltou e... Bom, é complicado.

— Está com cara de ser mesmo — respondeu o menino, sorrindo.

E foi então que Eleanor *soube* que era mesmo ele. Talvez não como ela o conhecera, mas ainda assim ele, de certo modo.

— O meu nome é Michael. A gente também acabou de se mudar para cá. Ontem. Todos os meus amigos me chamam de Mick. Você sabe, né, por causa daquele cantor velho, Mick Jagger. Os meus pais e todos os meus amigos adoram me dizer que sou a cara dele.

CAPÍTULO 102

Eleanor quase desmaiou. Quando Dahlia lhe perguntara o que ela mais desejava no mundo, fora sua família, ela tinha respondido que gostaria de um amigo humano de carne e osso que fosse igual ao Gordo Jagger. Não tinha esperado que fosse dar em nada — com certeza não tinha imaginado encontrar um gigante esperando por ela ao voltar para casa. Mas aquela era a melhor alternativa entre todas as possíveis.

— Posso chamar você de Mick também? — perguntou ela.

Ele inclinou a cabeça para o lado.

— Pode, ué — respondeu. — Tenho essa impressão de que a gente já até é amigo, nem sei como...

A única resposta que Eleanor pôde dar foi sorrir.

— Bom, tenho que me mandar — disse ele. — Mas a gente se vê por aí, não é?

Ela fez que sim com a cabeça, e o menino voltou a subir no skate e seguiu seu caminho. Eleanor foi até o caminhão para ajudar a descarregá-lo. Cordelia estava parada ao lado dele, fitando a irmãzinha com a boca aberta.

— Aquele lá era quem eu acho que era?

— Acho que sim — respondeu Eleanor com um sorriso de orelha a orelha.

— Será que os Kristoff vão parar de surpreender a gente um dia?

Eleanor deu de ombros e pegou uma caixa. Cordelia ficou parada um instante, mas depois agarrou a irmã e a abraçou. Apertou tão forte, que quase cortou a respiração da menina.

— Vem — chamou Cordelia, enfim soltando-a. — Vamos ajudar a tirar tudo de dentro dessas caixas para deixar a casa prontinha para quando o papai voltar.

Como se tivesse sido ensaiado, um táxi parou na calçada diante da casa. Os três Walker viraram e observaram, ansiosos, enquanto a porta traseira abria e o pai saía.

As crianças largaram o que estavam segurando e correram, sufocando o Dr. Walker com uma série de abraços. Era o Sanduíche de Walker em sua versão suprema.

— Uau, e só fiquei uns diazinhos longe — comentou o pai, abraçando os filhos, atordoado e deliciado ao mesmo tempo. — Acho que devia passar um tempo fora com mais frequência...

— Não — cortou Eleanor, quase aos prantos. — Não faz isso, não, por favor.

— Não se preocupe, não vou — prometeu o Dr. Walker. — Vim para ficar, juro. Agora vamos entrar e nos instalar de uma vez, vamos?

Enquanto caminhavam para a mansão, Eleanor olhou para os irmãos mais velhos, cheia de esperança.

— Vocês acham mesmo que agora acabou de verdade?

— Na verdade, não — respondeu Cordelia, mas estava sorrindo. — Acho que é só o começo. Um novo começo para a família Walker.

Epílogo

Os irmãos Walker levaram várias semanas para se dar conta de que a Mansão Kristoff tinha novos residentes além da família. Começara com coisinhas pequenas, como objetos desaparecendo e só reaparecendo semanas mais tarde, ou a casa tendo sido faxinada sozinha enquanto as crianças estavam na escola e o Dr. e a Sra. Walker, no trabalho.

Depois, com o tempo, as crianças começaram a jurar que ouviam vozes sussurrando para eles à noite. Aquilo os deixou assustados em um primeiro momento, mas, aos poucos, as vozes foram ficando mais distintas, mais claras. E ficou evidente que eram amigáveis.

Três semanas depois de terem se mudado, Brendan foi o primeiro a ver, de fato, um dos novos *moradores* da casa. O Walker estava em seu quarto, experimentando um boné novo que tinha comprado usando o dinheiro que ganhara de presente de aniversário. Era do time de beisebol chamado San Francisco 49ers: tinha aba perfeitamente reta, com todos os adesivos ainda intactos. Estava analisando seu reflexo no espelho, ajustando o boné para que ficasse apenas um tantinho torto de um lado, quando um rosto surgiu de súbito atrás dele.

O rosto de Denver Kristoff.

— Você está ridículo com esse boné, Brendan — disse ele.

Seu rosto não estava mais tão enrugado e descarnado e horroroso quanto estivera quando era o rei da Tempestade. Parecia apenas um senhor idoso comum com aura de escritor e uma longa barba grisalha. Ainda assim, Denver

Kristoff estava morto e enterrado. De modo que não importava qual fosse sua aparência, vê-lo no espelho era aterrorizante de qualquer forma.

Brendan gritou e virou.

Não havia ninguém lá.

Cordelia colocou a cabeça para dentro do sótão, pânico estampado em sua expressão.

— Está tudo bem? Ouvi você gritar!

— Tudo, tudo bem — respondeu ele, certo de que estava enlouquecendo. — Estou só... Vendo coisas, eu acho.

— Ok — disse ela devagar, como se não acreditasse nele. — Mas tira esse boné; você está ridículo assim.

Mas Brendan não estava vendo coisas. Várias noites mais tarde, Cordelia estava sentada no quarto, escrevendo no diário, dividida entre contar ou não para um garoto que fazia aula de inglês com ela que gostava dele. Não "gostava" dele apenas, ela gostava *gostava* dele, de verdade. Estava até debatendo se deveria pedir para ser seu par no baile de outono do colégio. Mas então ela olhou para o espelho de sua penteadeira e quase berrou quando viu o rostinho de 12 anos de Dahlia Walker a encarando.

— Você com certeza devia contar logo para ele — aconselhou ela.

Cordelia se virou, mas tudo o que encontrou foi um cômodo vazio.

As crianças não demoraram muito para concluir que os fantasmas de Dahlia e Denver Kristoff agora viviam com eles na mansão que levava seu nome.

Uma noite, levaram um tabuleiro *ouija* para o sótão às três da madrugada, a hora dos mortos, e encenaram uma sessão espírita. Dahlia e Denver anunciaram sua presença quase que de imediato, dando petelecos no lóbulo duas vezes cortado da orelha de Brendan, gestos em que o menino não viu muita graça. Tinha ficado muito sensível a respeito daquela parte do corpo desde suas aventuras dentro dos livros de Denver.

Mas os fantasmas do autor e sua filha decidiram, por fim, aparecer para eles como figuras translúcidas e sorridentes cuja visibilidade enfraquecia na luz mais forte. Garantiram aos Walker que não queriam fazer mal algum. Só desejavam viver junto dos familiares que lhes restavam. Vê-los crescer e ajudar sempre que possível.

E os três irmãos Walker acreditaram em sua promessa.

Bom, na maior parte. Com os Kristoff, nunca é possível ter certeza absoluta de nada.

Este livro foi composto na tipologia Adobe Caslon Pro,
em corpo 11/15,1, e impresso em papel off-white
no Sistema Cameron da Divisão Gráfica
da Distribuidora Record.